COLLECTION FOLIO

Vladimir Nabokov

Feu pâle

Traduit de l'anglais
par Raymond Girard
et Maurice-Edgar Coindreau

Préface de Mary McCarthy
traduite de l'anglais
par René Micha

Gallimard

Titre original :

PALE FIRE

Vladimir Nabokov est né le 23 avril 1899 à Saint-Pétersbourg, au 47 rue Morskaïa (actuellement rue Herzen), dans un milieu aristocratique libéral et anglophile. Fils aîné d'une famille de cinq enfants, Vladimir Nabokov bénéficie, avec ses frères et sœurs, d'une éducation trilingue. Ce trilinguisme de l'enfance sera déterminant pour son œuvre d'écrivain russe puis américain. L'auteur voyage au tout début du siècle en Europe avec ses parents, découvre la passion des lépidoptères et des échecs, le bonheur de vivre à proximité d'une « bibliothèque de dix mille ouvrages ». Entre 1911 et 1917, il suit les cours de l'Institut Ténichev à Saint-Pétersbourg, et sa première œuvre, un recueil de poèmes imprimé à cinq cents exemplaires, paraît à titre privé en 1916.

La Révolution de 1917 interrompt brutalement cette enfance idyllique. Le père de l'auteur, Vladimir Dmitriévitch Nabokov, éminent juriste et fils d'un ancien ministre de la Justice, était membre du Parti constitutionnel démocrate et de la première Douma de 1906 (le premier et éphémère parlement russe). Opposant déterminé au despotisme du tsar, il avait connu la prison en 1908. Au début de 1917, il fait partie du Gouvernement provisoire de Kérenski et de la nouvelle Assemblée constituante. La révolution d'Octobre contraint les Nabokov à se réfugier d'abord en Crimée. Le 15 avril 1919, la famille quitte définitivement la Russie à destination de Londres.

Entre 1919 et 1922, Vladimir Nabokov étudie les littératures russe et française à Cambridge (Trinity College). Son père, qui s'est installé à Berlin avec le reste de sa famille pour diriger avec Hessen le journal émigré *Roul'*, est assassiné par des fascistes russes en mars 1922. C'est dans ce journal de Berlin, ainsi que dans les journaux russes émigrés de Paris, que Nabokov fait paraître des poèmes, des articles critiques, des traductions du français ou de l'anglais, puis ses premières nouvelles et des extraits de ses premiers romans.

A partir de 1923, avec la parution de sa traduction russe d'*Alice au pays des merveilles*, puis de ses propres romans, en particulier *La défense Loujine* (1930), *Chambre obscure* (1932), *La méprise* (1936) et surtout *Le don* (1937), Nabokov s'impose comme le plus exceptionnel romancier russe de son temps. Résident berlinois de 1922 à 1937, l'auteur, qui a épousé Véra Evséievna Slonim le 15 avril 1925, s'installe, pour fuir le nazisme, à Paris au début de 1937, où certains de ses livres ont déjà été traduits en français.

L'écrivain polyglotte, qui signait ses ouvrages russes du pseudonyme de Sirine, commence à se métamorphoser en un écrivain de langue anglaise. Après avoir traduit, non sans les remanier, deux de ses romans russes en anglais, *La méprise* qui devient *Despair* (Londres, 1937) puis *Chambre obscure* rebaptisé *Laughter in the Dark* (New York, 1938), Nabokov écrit à Paris en 1938 son premier roman de langue anglaise, *La vraie vie de Sebastian Knight*, qui paraîtra seulement en 1941, soit un an après son arrivée en Amérique, le 28 mai 1940. Toute l'œuvre romanesque de Nabokov sera désormais écrite en anglais.

Nommé professeur associé à Stanford University en 1941, il accepte ensuite un poste d'entomologiste au Museum of Comparative Zoology de Harvard, tout en donnant des conférences de littérature à Wellesley College. L'amitié et le soutien d'Edmund Wilson et de Mary McCarthy, puis des responsables du *New Yorker*, lui permettent d'acquérir une audience qu'il n'avait jamais espérée. Nommé professeur de littérature à Cornell University en 1948, il donne des conférences sur « les grands maîtres européens du roman », et cela jusqu'en 1959, un an après le succès de scandale de *Lolita* (publié d'abord en anglais à Paris, par Olympia Press, en 1955), qui lui permet de vivre de sa plume et fait découvrir une œuvre immense.

En 1961, il s'installe au Montreux Palace, en Suisse, où il

écrira, en outre, ces chefs-d'œuvre que sont *Feu pâle* et le monumental *Ada*, publié à l'occasion de son soixante-dixième anniversaire. Maître d'œuvre d'une célèbre traduction anglaise d'*Eugène Onéguine* de Pouchkine, Nabokov a retraduit en anglais certains de ses romans et nouvelles russes, avec la collaboration de son fils, et poursuivi une carrière de lépidoptérologiste qui lui valut l'admiration de ses pairs. Ses collections sont, pour l'essentiel, conservées dans les musées de Cornell University, de Harvard et de Lausanne. L'auteur est mort le 2 juillet 1977 à Montreux.

PRÉFACE

Feu pâle est une boîte à surprise, une pierre métamorphosée par Fabergé, un jouet mécanique, un problème d'échecs, une machine infernale, un piège à critiques, le jeu du chat perché, un roman pour lecteurs-bricoleurs. Il comprend un poème de 999 vers, divisé en quatre cantos ou chants épiques, une préface de l'éditeur, des notes, un index alphabétique et des corrections d'épreuves. Pour qui assemble les différentes parties, en se conformant au mode d'emploi, et plus encore en se fiant aux indices disséminés un peu partout comme ils le seraient dans un *rallye-paper*, se révèle un roman à plusieurs niveaux ; cependant ces niveaux ne sont pas les habituels « niveaux de pensée » chers à la critique moderne, ce sont des plans construits dans un espace fictif, à la manière de ces logis de la mémoire, de ces compartiments que la science mnémonique du moyen âge avait imaginés pour que les mots, les chiffres, les faits y demeurent à notre disposition, ou encore de ces maisons astrologiques entre lesquelles se partage le ciel.

Le poème a été écrit par un poète américain de soixante et un ans, du genre Robert Frost, c'est-à-dire malheureusement du genre le plus plat et mensonger ; il se nomme John Shade et il enseigne au collège Wordsmith, à New Wye, Appalachia. Ses parents étaient ornithologues. Sa femme, née Irondell ou Hirondelle, a pour nom Sybil. Ils ont eu une fille, Hazel, grosse fille un peu simplette qui, enfant, s'est tuée en tombant dans le lac proche du *campus* de l'université. Le cours de Shade porte sur Pope, qui constitue aussi la meilleure part de son univers ; tout naturellement, c'est le mètre poétique de Pope qui a inspiré *Pale Fire*. Cependant le contenu du poème ferait plutôt penser aux ballades de Wordsworth : ces flâneries, ces souvenirs d'enfance et de l'âge mûr, ces rêveries, ces réflexions sur la nature et ces interrogations sur l'univers évoquent un *Prélude* américain. Le commentaire est dû à un collègue de Shade exilé de la Zemble[1], un pays imaginaire, situé au nord de la Russie. Son nom est Charles Kinbote. Il vit dans une maison voisine de celle de Shade, que lui a louée le juge Goldsworth, professeur à la Faculté de Droit, qui est en vacances (c'est son année sabbatique). Le commentateur observe qu'en combinant les syllabes de Wordsmith et de Goldsworth, on obtient Goldsmith et Wordsworth, deux grandes voix de la poésie idyllique. Au moment où il écrit, Kinbote a quitté l'Appalachia : il se cache dans une hutte de rondins, dans un motel de Cedarn (dans le Sud-Ouest). Shade vient d'être tué, par hasard, par un certain Jack Grey. Avec l'autorisation de la veuve, Kinbote s'apprête à publier le manuscrit — loin des machinations des deux clans shadiens rivaux. Kinbote, que ses collègues ont surnommé le Grand Castor, est un végétarien barbu ; c'est aussi un pédéraste, qui ne semble pas avoir eu trop de chance avec ses jeunes « partenaires de ping-pong ». Philologue solitaire, il admire Shade depuis toujours (il l'a traduit en zemblais). Il a la mauvaise habitude d'espionner les Shade — qui ne ferment pas leurs rideaux : ce qu'il fait à l'aide de jumelles, posté à une fenêtre de sa maison ou dissimulé dans un bosquet.

1. Zemble ou Zembla.

Jaloux de Mrs. Shade, il est toujours disposé à jouer aux échecs ou à faire « une bonne ballade » avec le mari, doux rêveur qu'il fatigue de ses éternels souvenirs de la Zemble. « Je ne comprends pas que John et Sybil puissent vous supporter », lui lance, chez l'épicier, la femme d'un professeur, « d'autant que vous êtes complètement fou ».

Tel est le fondement de l'action. Puis, nous découvrons le bel étage, le *piano nobile.* Kinbote croit que l'histoire de la Zemble, de son roi en exil Charles le Bien-Aimé, de sa Révolution née dans les Usines de Verre, que ces souvenirs sont à l'origine du poème de son ami ; qu'en un sens il en est l'auteur ; qu'en tout cas — illusion propre à beaucoup de commentateurs — le poème ne saurait être compris véritablement s'il n'est accompagné, point par point, d'une glose qui rappelle les événements de la Zemble. Nous avons soudain le soupçon que Kinbote n'est autre que Charles le Bien-Aimé lui-même, déguisé en professeur barbu ; nous comprenons qu'il a fui la Zemble en bateau et a gagné l'Amérique après un bref séjour sur la Riviera ; que Mrs. Sylvia O'Donnell, une amie américaine, membre du conseil d'administration de Wordsmith, a obtenu pour lui une chaire à la Faculté des Lettres. Ses collègues (lisez ses « ennemis mortels ») sont — en dehors du bruyant et emphatique Hurley, doyen de la Faculté et tenant de la littérature engagée[1] — le Professeur C., un freudien esthétisant, propriétaire d'une villa ultramoderne, un certain Professeur Pnine, et un chargé de cours, M. Gerald Emerald, jeune homme qui porte une lavallière et un veston de velours vert. Dans l'entre-temps, les Ombres — Police Secrète de la Zemble —, les Ombres ont loué un tueur, Jakob Gradus, alias Jacques d'Argus, alias Jacques Degré, alias Jack Grey, pour en finir avec le monarque exilé.

1. Dans le texte : « *engazhay* ».

L'action de Gradus à Wordsmith se développe pas à pas, à mesure que se poursuit la composition du poème de Shade. Le tueur s'abat sur le *campus* le jour où le poème s'achève. Il est vêtu d'un costume brun, coiffé d'un trilby, il porte un browning. Il rencontre dans la bibliothèque Mr. Gerald Emerald qui, obligeamment, lui donne un pas de conduite et le dépose devant la maison du Professeur Kinbote. Là, faisant feu sur le roi, il tue le poète. Lorsque la police lui met la main au collet, il déguise son vrai propos et se fait passer pour un dément échappé de l'Asile.

Aux yeux de Kinbote, qui a suivi les événements jusqu'à la mort du poète, cette seconde histoire, le *piano nobile,* est évidemment la vraie. Cependant le lecteur découvre peu à peu que sous cette histoire-là il en existe une autre — qui est la seule vraie. Kinbote est fou. C'est un pauvre réfugié, un pédant, du nom de Botkin, qui enseigne le russe et qui s'imagine être le roi en exil de la Zemble. Cette chimère, qu'il croit secrète, est connue du poète — qui a pitié de lui ; et de tout le collège — qui ne montre pas la même compréhension : la dame insensible que nous avons entendue chez l'épicier exprime une opinion générale. Le tueur est bien ce qu'il prétend être : un aliéné, Jack Grey, qui s'est enfui de l'Asile, où l'avait envoyé le juge Goldsworth, le propriétaire de Botkin. C'est le juge que le dément voulait tuer — et non pas du tout Botkin, alias Kinbote, alias Charles le Bien-Aimé. Le poète assassiné a été victime d'une double méprise d'identité (à quoi s'ajoute l'assassinat du poème puisque son éditeur l'a pris pour ce qu'il n'était pas). En fait, Botkin avait entre les mains tous les éléments permettant de reconnaître Gradus-Grey lorsque, au début du récit, nous l'avons vu feuilleter un album de photos où le juge conserve le souvenir des criminels qu'il a condamnés à la prison ou à la mort : « ... des mains d'étrangleur, faites à peu près comme n'importe quelles mains ; une veuve délibérée ; les yeux rapprochés, impitoyables d'un maniaque homicide (qui évoquent, je dois le dire, notre Jacques d'Argus) ; un extraordinaire petit parricide de sept ans... ». Il lui a été donné de voir d'avance le prochain film — ce qui arrive souvent dans ces sortes d'affaires. Il y a en quelque sorte un transfert des événements du collège à la Zemble. Uzumrudov, le chef de Gradus, un des patrons des Ombres, qu'on rencontre sur la Riviera en veston de velours vert, est ainsi identifié : il s'agit du « petit Mr. Anon », alias Gerald Emerald, alias Reginald Emerald, professeur d'anglais élémentaire, lequel a fait des avances au Professeur Botkin (ou plutôt a reçu les siennes) et est aussi l'auteur d'une note anonyme, très désagréable, qui laisse entendre que le Professeur Botkin souffre d'halitosis (c'est-à-dire qu'il a une haleine qui sent mauvais). Le pays appelé la Zemble, son gouvernement d'extrémistes, ses agents secrets : ce sont là constructions paranoïaques comme on en bâtit dans l'exil, plus profondément : complexe de persécution d'un pédéraste, aggravé par les intrigues et les manies de conspirateurs qui règnent dans les clubs d'université.

Cela dit, il existe une Zemble — de l'autre côté du rideau de fer. De sorte que la « vraie » histoire — telle qu'elle se développe au regard du sens commun et finalement du lecteur —, cette histoire ne peut pas être acceptée comme telle. L'explication que Botkin est fou satisfera sans doute les Professeurs H. et C. et leurs collègues : ils verront dans *Feu pâle* un roman policier qui les a tenus en haleine jusqu'au bout. Mais *Feu pâle* n'est pas un roman policier, si même il a une intrigue policière. Chaque plan, chaque niveau en contient un autre ; il y a toujours de nouvelles perspectives, comme dans un cube scénique ; c'est une réverbération infinie de miroirs.

Le poème de Shade commence par une très belle image : celle d'un oiseau qui s'est jeté sur une fenêtre, trompé par l'azur qui se reflète dans la vitre :

I was the shadow of the waxwing slain
By the false azure of the window pane.[1]

Cette image est suivie d'une autre, plus belle encore ou qui nous touche davantage : il s'agit du jeu de lumière et d'ombre, de l'illusion d'optique que fait naître une chambre projetée dans un paysage nocturne.

Uncurtaining the night I'd let dark glass
Hang all the furniture above the grass
And how delightful when a fall of snow
Covered my glimpse of lawn and reached up so
As to make chair and bed exactly stand
Upon that snow, out in that crystal land![2]

« Cette terre de cristal », note le commentateur, ce fou de Botkin : « peut-être une allusion à la Zemble, ma chère patrie ». Sur le plan du simple bon sens, il se trompe. Mais non pas sur celui de la poésie ou de la magie : il est vrai que la Zemble est l'Apparence, le Domaine du Reflet, de l'Illusion, le Miroir d'Alice. C'est le premier indice dans notre chasse au trésor : il nous avertit de l'ambiguïté de l'œuvre entière. *Feu pâle* réfléchit les images, il les réfracte aussi. La Zemble,

1. *C'était moi l'ombre du jaseur tué*
Par l'azur trompeur de la vitre.

Ces vers, comme tous ceux qui appartiennent à *Pale Fire*, ont été traduits par Raymond Girard et Maurice-Edgar Coindreau.

2. *Dévoilant la nuit, je laissais la vitre obscure*
Suspendre le mobilier au-dessus de l'herbe,
Et quelles délices quand une chute de neige
Couvrait cette parcelle de gazon, s'amoncelant assez
Pour que chaise et lit se tiennent exactement
Sur cette neige, là-bas sur cette terre de cristal !

pays du faux-semblant, aux mains des Extrémistes, est aux antipodes de la démocratique, de la bourgeoise, de la très concrète Amérique : cependant elle lui ressemble comme une image jumelle mais déformée. Semblance et ressemblance se joignent. John Shade et Gradus ont la même date de naissance : le 5 juillet.

On trouve le mot Zembla dans l'*Essai sur l'Homme* de Pope (Epître deuxième, V) : il indique l'extrême Nord, le pays fabuleux de l'Hyperborée ou de l'Etoile polaire.

But where the Extreme of Vice was ne'er agreed,
Ask where's the North ? At York, 'tis on the Tweed ;
In Scotland, at the Orcades and there,
At Greenland, Zembla, or the Lord knows where ;
No creature owns it in the first degree.
But thinks his neighbour farther gone than he[1].

Pope dit qu'à peine vous observez un vice ou le fixez, il est ailleurs : c'est un feu follet. La Zemble se trouve à votre porte, tout près de vous — et au loin. Botkin est voisin de Shade et *vice versa* Shade est voisin de Botkin ; davantage même, puisqu'ils vivent dans des maisons de verre, Shade a pour vice la bouteille (« le verre de l'amitié »), Botkin — l'inversion. Ils sont exactement aux antipodes, c'est-à-dire tête-bêche. On remarquera que le mot « Extrême » avec une majuscule (les Extrémistes de la Zemble) et le mot « degré » (Gradus, en russe) se trouvent tous deux dans ces vers,

1. La traduction des œuvres de Pope que j'ai trouvée est si mauvaise (à Paris, chez Saillant, 1767) que je [René Micha] préfère risquer celle-ci :

Sur l'extrémité du vice personne ne s'entend.
Demandez donc où est le Nord ? A York, on vous dira qu'il est sur la [Tweed ;
En Ecosse, aux Orcades ;
Au Groenland, en Zemble ou Dieu seul sait où
Personne ne se veut le dernier des vicieux,
Il veut que son voisin l'excède encore.

non loin du mot « Zemble » : préfigurant ainsi *Feu pâle* (du moins à seconde vue). Lisant plus loin, l'on tombe sur ces vers (267 et 268), que John Shade a notés en vue d'une variante (qu'il a ensuite écartée) :

See the blind beggar dance, the cripple sing.
The sot a hero, lunatic a king... [1]

Feu pâle est déjà en germe dans ce deuxième vers. Pope poursuit (vers 269 et 270) :

The starving chemist in his golden views
Supremely blest, the poet in his muse [2].

Supremely Blest est le titre du livre de John Shade sur Pope. Dans cette partie du poème, Pope joue de l'antithèse entre la lumière et l'ombre et de ce qu'un commentateur nomme le paradoxe fondamental où conduit la double nature de l'homme. Il arrive à Botkin « faisant » le roi d'intervertir les syllabes de son nom.

Quittons Pope, revenons à la Zemble. Il existe vraiment une Nouvelle-Zemble : groupe d'îles situé dans l'Océan Arctique, au nord d'Arkhangelsk. Ce nom vient du russe — Novaya Zemlya — qui veut dire Terre Nouvelle. Ou Terre Neuve, Terre nouvellement découverte, Nouveau Monde. Dès lors Zemble = Appalachia. Cependant, comme la Zemble, dans l'œuvre de Pope, équivaut grosso modo au Groenland, la Zemble, ici, signifie le pays vert — Arcadie. « Arcadie » est un mot que le Professeur Botkin accole volontiers à New Wye, Appalachia ; il use aussi de l'épithète « verte ». Il dit encore : « Et in Arcadia ego » : en effet, la Mort entre en Arcadie sous les espèces de Gradus, ex-vitrier et tueur, émissaire de la Zemble à l'autre bout du monde.

1. *Vois : ce mendiant aveugle danse, ce boiteux chante,*
Cet ivrogne se croit un héros, et ce fol un roi.
2. *L'alchimiste, mourant de faim dans ses espérances dorées*
Se veut béni, et le poète croit l'être par sa muse.

C'est Gerald Emerald, de vert vêtu, qui transporte la Mort dans sa voiture.

La couleur complémentaire du vert est le rouge. La Zemble est devenue rouge le jour où la révolution a pris naissance dans les Usines de Verre. Le rouge et le vert traversent tout le récit mais leurs messages changent tels les feux à un carrefour. Le vert semble être la couleur de la mort ; le rouge celle de la vie. Le rouge est la couleur du roi ; le vert — celle de ses ennemis. Le vert est, par excellence, la couleur du faux-semblant (cf. le foyer des artistes), la couleur du camouflage : la Nature, verte en tout cas pendant une saison, peut parfaitement dérober à la vue un personnage vêtu de vert. En revanche, le rouge est couleur dangereuse pour qui essaie de se confondre aux choses. Sans doute le roi échappe-t-il à la prison bien qu'il porte (passés dans la nuit) un bonnet et un tricot rouges, mais c'est que quarante de ses partisans, loyaux Carlistes, vêtus tout de même, égarent les Ombres par le spectacle qu'ils offrent d'une multitude de rois. En Russie, le fil de laine rouge est considéré comme bénéfique : le mot latin « hira » est peut-être à la racine du mot « haruspex » : celui qui lit dans les entrailles. Cependant, lorsque le roi arrive en Amérique, il se sert, pour atterrir, d'un parachute de soie verte (est-ce parce qu'il veut se déguiser ?) ; son jardinier, à New Wye, un nègre qu'il appelle Balthazar (le roi mage), a un pouce vert, un tricot rouge, et on le découvre sur une échelle verte : c'est lui qui sauve son maître quand survient Gradus, alias Grey.

D'autre part, lorsque Alice traverse le miroir et pénètre sur l'échiquier, c'est un pion blanc. Il y a certainement un problème d'échecs dans *Feu pâle*, et qui se joue sur un échiquier vert et rouge. Le poète décrit sa demeure comme « une maison démontable située entre Goldsworth et Wordsmith sur son carré de gazon » : la Cour Rose, dans le palais royal d'Onhava

(« Au loin »), capitale de la Zemble, est pavée de mosaïque sécable reproduisant des roses : les pétales sont faits de pierre rouge, les épines de marbre vert. Chaque fois qu'il est question de lieux, la composition en est décrite avec soin, et souvent il est fait allusion à des problèmes d'échecs du type « solus rex »[1]. Le monarque fugitif peut être considéré comme un roi qui cherche à échapper à ses adversaires. Cependant, dans les problèmes du type « solus rex », le roi, même dominé par le nombre, n'est pas nécessairement perdu : par exemple, un roi et deux cavaliers ne peuvent faire échec et mat un roi seul : la partie est nulle ou donne lieu à pat. Or, au cours du récit, chaque fois que les personnages jouent, la partie est annulée. On peut dire que l'histoire elle-même aboutit à un résultat nul (à un pat). Lorsque le roi fuit son château, il s'agit probablement d'un roque.

Le jeu d'échecs est le jeu de miroir le plus parfait : les pièces se font exactement face comme si elles se reflétaient : les tours, les cavaliers, les fous ont à la fois leurs répliques et leurs équivalents. Par parenthèse, le pion qu'en anglais on nomme l'évêque, en français s'appelle le fou. Dans le livre, deux fous s'affrontent : Gradus et Kinbote. Les mouvements que fait Gradus de la capitale de la Zemble à Wordsmith, à New Wye, répondent dans l'espace à ceux que le poète accomplit dans le temps pour composer son poème : à l'heure zéro, temps et espace coïncident. Ce qui se trouve peut-être esquissé ici, c'est un jeu à trois dimensions — ou

1. De grands joueurs — El Greco, Stamma, Lucena — ont évoqué ces problèmes au XVIe siècle. Le « solus rex » mettait un roi — seul — aux prises avec l'autre roi entouré de pièces fortes. Actuellement, une telle phase de jeu n'est plus possible, la marche des pièces ayant évolué. Cependant il peut arriver qu'un roi se trouve seul face à l'autre roi, qu'accompagne un pion (ou deux). C'est le cas dit du « roi dépouillé ». L'expression « solus rex » semble n'être plus employée depuis 1900 (Rinck : *Problèmes :* étude des positions finales).

trois jeux joués simultanément par deux magiciens des échecs sur des échiquiers transparents mis debout : un pays de cristal parfaitement structuré, l'écho vertigineux d'une chambre projetée jusque sur la neige.

Les mouvements de Gradus et de Botkin suggèrent aussi un itinéraire astrologique. Botkin atteint le « château » du juge Goldsworth le 5 février 1959 ; le lundi 16 février, il est présenté au poète au cours d'un déjeuner au Club de la Faculté ; le 14 mars, il dîne chez les Shade, etc. Le *magnum opus* de Shade est commencé le 1er juillet, sous le signe du Cancer : Shade marche latéralement, comme un crabe. Le poème est achevé, sauf le dernier vers, le jour de l'arrivée de Gradus, le 21 juillet, au point de rencontre du Cancer et du Lion. Au moment où le poète s'en va au-devant de la mort, l'on entend, issu d'une cour voisine, le bruit d'un maréchal-ferrant : vient-il de Horeshoe Crabs[1] ? La conjonction fatale de trois planètes est soulignée — ainsi que la correspondance des événements terrestres et des mouvements stellaires.

Les dédoublements, les gémellités abondent. Se multipliant, se rompant sous différents angles, les rayons jettent alentour une lumière prismatique opaline. La Zemble n'est pas seulement un pays, c'est la Terre : « la Terre très belle, une orbe de jaspe », comme Shade nomme notre globe. Uranograd, la capitale — un feuilletoniste zemblais la qualifie plaisamment de « Cité du Ciel ». Le destin de Charles le Bien-Aimé est le reflet brouillé du destin de Charles II d'Angleterre tout le long de ses voyages, du joyeux Prince Charlie, des gouvernants shakespeariens, en l'honneur de qui des rues, des avenues d'Onhava portent le nom de Coriolan ou de Timon d'Athènes. Le Prospero de *La Tempête* hante le commentaire : paraît

1. Jeu de mots liant le signe du Cancer à un type de crabe ayant forme de fer à cheval (le limule).

et disparaît comme la Fata Morgana au point que le lecteur s'imagine que « *Feu pâle* » se trouve dans le chant du cygne de Shakespeare. Il n'en est rien. C'est *La Tempête* qui se trouve dans *Feu pâle :* l'île d'émeraude de Prospero (l'Ile of Divels, dans le Nouveau Monde), Iris et les paons de Junon, les grottes sous-marines, le jeu d'échecs de Ferdinand et de Miranda, les enchantements de Prospero, son royaume perdu, et Caliban lui-même à qui il enseigne l'usage de la parole — miracle, miroir de toute réflexion.

L'infini mimétisme de la Nature est à son tour évoqué : l'écho, l'oiseau moqueur posté sur une antenne de télévision (cette gigantesque agrafe), chez le paon les yeux couleur d'iris que déploie l'éventail de ses plumes, la gaine émeraude de la cigale, la racine en forme de lièvre d'un peuplier — toutes les feintes auxquelles recourt la nature pour, dit-on, se protéger, en sorte que :

> *The reed becomes a bird, the knobby twig*
> *An inchworm and the cobra head, a big*
> *Wickedly folded moth.* [1]

Ces déguisements ne diffèrent pas du bonnet et du tricot rouges du roi (qui le distinguent comme l'oiseau) ni du jeu du comédien. En effet, aux ruses, la Nature ajoute les caprices, les fantaisies — tout ce qui défie les règles : anneaux autour de la lune, arcs-en-ciel et faux soleils (grandes taches de lumière, souvent colorées, qu'on peut voir parfois sur les bords du halo solaire) [2] ; l'héliotrope, qui est à la fois fleur et pierre, tournesol et jaspe sanguine ; le verre de Moscovie ou mica ; la phosphorescence (l'Etoile du Matin) ; les mirages ; le

1. *Le jonc se change en oiseau, la brindille noueuse*
En chenille, et la tête de cobra en grosse mite
Affreusement repliée.

2. En anglais, « sun-dogs ». En français, le mot scientifique est « parhélie ».

petit cercle de lumière pâle appelé *ignis fatuus ;* ce qui est tacheté, moucheté, pommelé, bizarrement dessiné, singulier (comme dans le poème de Hopkins, *Beauté bigarrée*[1]). Les traces en forme de flèche du faisan, les barres rouges, héraldiques, du papillon Vanessa, les cristaux de neige. Aussi les imitations de la nature et de ses effets que tente l'homme : les verres de couleur ; les presse-papiers montrant une vue alpestre, une tempête de neige ; les yeux de verre. Sans oublier les curiosités : lanternes à œil-de-bœuf, girafes de verre, créations du Malin Génie de Descartes. Botkin, l'uraniste barbu, est lui-même une « fantaisie de la nature », tout comme Humbert Humbert. Puis, les pointes et les calembours (« Red Sox l'emporte 5/4 sur l'Homère de Chapman »[2]) ; « muscat » (jeu du chat et de la souris) ; les anagrammes ; les mots portemanteaux ou mots-miroirs (« versipel »). L'auteur affectionne le signe &, les diminutifs qui se terminent en « let » ou en « et » (« nymphet »). L'austère John Shade s'adonne au « golf-langage », il pousse Botkin à y jouer avec lui. Les meilleurs résultats de Botkin sont « hate-love » (haine-amour) en trois coups (late-lave-love), « lass-male » (fille-garçon) en quatre (last-mast-malt-male), « life-dead » (vie-mort) en cinq. Si vous jouez au golf-langage avec les mots qui forment le titre, vous pouvez obtenir « pale-hate » en deux coups et « fire-love » en trois ; également en trois coups, « pale-love » et « fire-hate »[3].

1. *Pied Beauty.* Pierre Leyris traduit : *Beauté piolée* (*Reliquide,* Le Seuil, Paris, 1957).

2. Allusion au poème de Keats, *On first book in Chapman's Homer.*

3. Imaginons que Shade et Botkin jouent au golf-langage en français. Ils arriveraient, par exemple, aux résultats suivants : « pâle-mort » en quatre coups (pôle-môle-more-mort), « pâle-vive » en trois (pile-vile-vive), « mort-vive » en quatre (more-mire-vire-vive), « pâle-halo » en deux (hâle-halo).

Les méprises de l'érudition, en particulier ses erreurs sur l'identité des mots, enchantent bien entendu notre auteur.

Par exemple, « alderwood » et « alderking ». Les aulnes n'ont pas fini d'emprunter à l'éclatante magie des forêts nordiques. Or que peut être un aulneroi (« alderking ») sinon un arbre qui domine ou qui règne sur les autres, c'est-à-dire un roi-roi, d'où une redondance ? « Erle » est le mot germanique pour « alder ». L'aulne, qui croît dans les terrains humides, a la curieuse propriété de ne pas pourrir sous l'eau. C'est une sorte d'arbre magique, fort utile pour la construction des ponts. John Shade, écrivant sur la mort de sa fille, fait écho au *Roi des Aulnes* de Goethe (The Erlking).

Who rides so late in the night and the wind?
It is the writer's grief. It is the wild
March wind. It is the father with his child. [1]

Il se trouve que le savant Herder, traduisant l'histoire du roi des elfes du danois en allemand, a pris le mot elf (elfe) pour le mot alder (aulne) : ainsi le roi des elfes ou des lutins est-il devenu le roi des aulnes : deux fois enchanté, et sans doute plus dangereux. Le héros de Goethe, observe Kinbote, tombe amoureux du très jeune fils du voyageur. Le roi des aulnes apparaît dès lors comme un personnage effrayant : le terrible inverti des forêts du Nord.

1. *Qui erre si tard dans la nuit et dans le vent ?*
C'est la douleur de l'écrivain. C'est le sauvage
Vent de mars. C'est le père avec son enfant.

Le poème de Goethe, *Erlkönig*, commence par ces vers :
Wer reitei so spät durch Nacht und Wind?
Es ist der Vater mit seinem Kind.

que Léon Mis traduit comme suit (*Ballades*, Aubier, Paris, 1944) :
Qui chevauche si tard par la nuit et le vent ?
C'est le père avec son enfant.

Le mot « pierre » donne lieu à d'autres tours de passe-passe ou de sorcellerie. Le roi, coiffé de rouge, fuyant à travers les montagnes de la Zemble, est comparé à un *Steinmann*, c'est-à-dire, explique Kinbote, à l'un de ces tas de pierres qu'assemblent les alpinistes pour commémorer une ascension ; ces *Steinmensche*, comme des bonshommes de neige, sont affublés d'un bonnet et d'une écharpe rouges. D'autre part, le *Steinmann* désigne l'un des courtisans du roi portant lui aussi bonnet et tricot rouges : Julius Steinmann, un patriote zemblais. Cependant *Steinmann* a une autre signification, dont Kinbote ne parle pas. Il est l'homme de pierre ou l'homme de Saint-Pierre du *Don Juan* de Pouchkine ; la statue de pierre, le Commandeur de l'opéra. Celui qui soupe avec la statue est précipité aux enfers. Ce n'est pas tout. Le roi *Steinmann* gravit une montagne couronnée par la Forêt-Mandevil ; à la fin de son voyage, il rencontre un personnage masqué, le Baron Mandevil, un gandin, un mignon, qui n'en est pas moins un patriote zemblais. Bien entendu, il faut lire man-devil (homme-démon) ; cependant il faut lire aussi Sir John Mandeville, imposteur médiéval, auteur d'un récit de voyages, qui se fait passer pour chevalier anglais (est-ce une allusion aux échecs ?). Pour finir, la pierre — étincelante si nous la lions aux maisons de verre — est simplement une pierre jetée dans un lac ou dans un bassin, qui trouble la surface de l'eau, détruit le miroir et son image : ainsi le mot lui-même, formant dans notre texte des mouvements, des cercles, qui enfin atteignent le bord.

Les lacs — premiers miroirs de l'homme — jouent un rôle important. Trois lacs sont situés près du *campus :* Oméga, Ozéro et Zéro — noms indiens, note Botkin, altérés par les nouveaux venus. La dernière fois que le roi voit son épouse Disa, Duchesse de Payn (trait sadique : leur mariage est demeuré blanc), elle se mire dans un lac italien. La fille du poète s'est noyée dans le lac Oméga. Son nom est emprunté à *La Dame du Lac* : « à l'ombre solitaire d'un noisetier de Glenartney ». Cependant une branche de noisetier ou de coudrier (« a hazel wand ») sert au sourcier pour découvrir l'eau : dans son enfance, la pauvre petite Hazel passait pour sorcière, pour esprit frappeur.

... Les lacs, les arbres, les papillons, les pierres, les paons — l'oiseau jaseur surtout, alter ego du poète, qui paraît dans le premier vers du poème (et donc dans le dernier, qui n'a pas été écrit, qui eût répété le premier). Au mot « jaseur » (« waxwing »)[1], dans l'O.E.D.[2] on trouve : « passereau du genre Ampelis (Bombycilla), spéc. A. garrulus, le jaseur de Bohème. Monsieur Vieillot le distingue des autres babillards ». Le poète, un bohémien, se sépare lui aussi des bavards du monde. Le jaseur a des plumes à bouts rouges comme de la cire à cacheter ; il appartient au parti du roi. Il existe encore un oiseau appelé le jaseur du cèdre (« Cedar waxwing »[3]). Notons que Botkin s'est réfugié à Cedarn et que l'anagramme de Cedarn est « nacred » (nacré)[4].

Voici qui est plus frappant (au sens familier). Le roi réussit à s'échapper du château grâce à un passage secret. Ce passage, qui a été construit pour Iris Acht, une actrice célèbre, est couvert d'un tapis vert ; il mène à une porte verte, laquelle ouvre sur le foyer, vert également, du Théâtre National d'Onhava. Le roi ne découvre ce passage qu'avec l'aide d'un jeune compagnon de lit. De toute évidence, il est question ici d'une porte étroite, d'une porte de derrière — et du conduit anal. Ailleurs le trône, au sens enfantin de toilette, est rapporté au roi. Lorsque le glouton Gradus arrive en

1. Waxwing : littéralement, aile de cire.
2. Oxford English Dictionary.
3. C'est le jaseur américain, Ampelis carolinensir — qui en effet aime se poser sur les cèdres.
4. Nom des papillons du genre argynne.

Appalachia, il souffre d'une diarrhée violente, provoquée par l'ingestion dans un restaurant de Broadway de mets qui n'allaient pas trop bien ensemble : des pommes de terre frites « à la française » et un petit pain au jambon, authentiquement français celui-là, qu'il a conservé depuis son voyage en train de Nice à Paris. La décharge de ses entrailles ressemble, horriblement, à celle d'un pistolet automatique comme celui qu'il porte : c'est un homme moderne, un robot. En vidant le chargeur de son revolver, il accomplit une fonction « naturelle ». Le léger plaisir sensuel qu'il éprouve à tuer est comparé à celui qu'on peut avoir en pressant un furoncle.

Ce ne sont pas là jeux méprisants, mots pointus ou efféminement. Les réflexions, répétitions, redites, fautes d'impression, faux-fuyants de la Nature témoignent d'un plan fondamental : ils portent, fût-ce en filigrane, le sceau d'un dieu ou d'une intelligence. Il y a un sens de la création, déclare le vieux Shade, comme on dit qu'il y a un sens dans les tissus, que déterminent la chaîne et la trame. Il espère trouver

> *Some kind of correlated pattern in the game,*
> *Plexed artistry, and something of the same*
> *Pleasure in it as they who played it found*[1].

Le monde est une œuvre d'art, une œuvre pleine de gaîté, une mosaïque, une étoffe étincelante. L'apparence et la réalité sont interchangeables. Toute apparence, fût-elle trompeuse, est vraie. C'est précisément la faculté de tromper (le mimétisme, le trompe-l'œil, l'imposture) qui nous donne la clé de la Nature. La

1. *Quelque sorte......*
De motif correspondant à l'intérieur du jeu.
Subtil artifice, et quelque chose du même
Plaisir que les protagonistes y trouvèrent.

Nature a le sens artistique : scrutez les galaxies, elles forment des iambes.

Kinbote, Shade et l'auteur s'accordent à détester les symboles, sauf ceux que fournit la typographie ou la science naturelle (« H2O est le symbole de l'eau »). Ils croient aux signes : aux signaux, aux feux, aux entailles, aux indices : à toutes les marques, claires ou moins claires, que d'autres ont laissées dans l'infinie forêt des associations. Toute œuvre renvoie aux œuvres du passé et préfigure les œuvres à venir (les deux vont ensemble) : tout de même que le lézard volant[1] possède un parachute, une plissure de la peau, qui lui permet au moment voulu de glisser sur l'air.

Shade, en tant qu'Américain, est agnostique. Kinbote, Européen, professe un christianisme vague : il accepte « la présence de Dieu, faible lueur, lumière incertaine dans la nuit terrestre, clarté éblouissante au-delà ». Il concède qu' « un certain Dessein paraît comme un facteur important dans la création ». Ce Dessein semble se manifester de préférence dans les choses qui vont par deux : paires, ou jumeaux, mais aussi ambiguïtés, équivoques, quiproquos, comme il arrive dans les premières intrigues imaginées par Shakespeare. Il faut se rappeler toutefois que l'enfant n'obtient son cœur de la Saint-Valentin ou sa dentelle découpée que s'il engage ses ciseaux dans une feuille de papier exactement pliée : la découpure forme le dessin, qui surgit miraculeusement répété quand se déplie la feuille. N'est-ce pas le principe du papillon ? De même, les artistes de la Renaissance formaient de merveilleux modèles, dits « naturels », en taillant des pierres veinées, des agates, des cornalines, comme on divise une

1. Selon toute apparence, le dragon, dont l'espèce la plus commune est le draco fimbriatus, dragon volant de Java ; le repli cutané en question s'appelle le patagium.

orange en quartiers. L'enfant dispose d'une autre façon magique de dessiner : posant un morceau de papier sur la couverture d'un livre scolaire et l'ombrant de son crayon, il fait surgir, en lettres blanches qu'on croirait en relief, le titre estampillé, *La Guerre des Gaules* de César. Cette sorte de gravure enfantine, de duplication, est la même qui nous fait dire « Que c'est beau ! » devant les hiéroglyphes tracés par le faisan dans la neige, par le vent dans le sable, qui nous fait croire au merveilleux quand le givre dessine sur la vitre, l'avion sur le fond du ciel. Cependant le Dessein ne se montre pas seulement dans la symétrie mais aussi, et plus encore, dans les imperfections : qui sont comme les signes d'un travail fait à la main. Ces taches, ces irrégularités, ces bigarrures ne sont-elles pas « le plaisir de Dieu », et qu'est-ce que le vice sinon une tache de naissance ?

La tendresse de Nabokov pour l'excentricité des hommes, pour leurs caprices, leurs dérèglements, procède sans aucun doute de sa formation, de sa curiosité de naturaliste. Cependant, lorsque nous le voyons s'émouvoir pour un pion noir mal en point sur l'échiquier, il s'agit d'autre chose, et de plus profond, que du goût classificateur de l'homme de science ou que de l'activité du collectionneur pour une pièce rare. *Feu pâle* porte le poids de l'amour — de l'amour et de la privation. L'amour ressemble au mal du pays. C'est l'élan — que dit Platon — d'une moitié du corps vers l'autre, dont elle a été séparée, le désir qu'a le cheval noir de l'âme de s'unir au cheval blanc. Quant à la perte de l'amour, à la séparation (la chambre projetée au loin, sur la neige ; le cavalier errant comme un fantôme, sortant de l'échiquier pour se mouvoir sur des carrés immatériels), nous l'éprouvons comme la substance commune aux mortels : c'est le couple âgé regardant les images de la télévision dans une chambre éclairée, et le singulier voisin qui les observe de sa fenêtre. Cependant les choses sont plus émouvantes pour l'étranger : la fille de la maison qui tient bon, le réfugié, la « reine », l'oiseau qui s'écrase sur la vitre.

« Pitié » est le mot de passe, dit Shade au cours d'un entretien philosophique avec Kinbote. Pour lui, qui est agnostique, il n'existe que deux péchés : tuer et faire délibérément souffrir. Ce livre, d'une gaieté exubérante, fait entendre un rire sauvage — mais aussi un cri de douleur. Cependant la pitié de Nabokov tourne court au contact de Gradus, cet être gris, dégénéré, cette ombre de Shade. Le tueur est décrit avec haine, presque avec fureur : il est l'homme-robot, l'homme-masse, le mangeur de papier journal, le voyageur à réaction ; il tue comme un automate, il est la Mort errante, en quête d'une proie. La mort artificielle est l'ennemie déclarée de ces éphémérides, de ces insectes arachnéens qui sont sous la protection spéciale de Nabokov : telle cette nymphette, « morte » aux yeux de Humbert Humbert le jour où elle devient pubère. Kinbote invente un aphorisme anti-darwinien : « celui qui tue est en tout cas inférieur à celui qui est tué ».

Gradus, son chapeau à large bord, son parapluie, son sac de voyage noir ont l'air de sortir d'une bande dessinée pour enfants : ils sont l'oiseau de mauvais augure qui obscurcit le ciel. Gradus représente Mercure, le dieu du commerce, le dieu des voyages, des habiles, des voleurs, l'agent secret de Zeus, celui qui guide les âmes dans l'autre monde (la colonne de mercure, dans le thermomètre, monte de *x degrés ;* l'on trouve une statue sans tête de Mercure dans le couloir secret qui va du palais au théâtre). En d'autres termes, il est l'homme à tout faire, l'homme à toutes mains comme dit Kinbote. Remarquons que pendant un temps il a été étudiant en pharmacie (le caducée) et garçon de courses d'une fabrique de boîtes en carton. Mercure ou Hermès a tué le géant *Argus ;* il est chargé par Junon-Héra de veiller sur Io ; les mille yeux d'Argus ont été fixés sur la queue du paon, l'animal familier de Junon. Hermès, né en Arcadie, n'est à l'origine qu'une pierre, à la lettre un hermès ; il passe pour le *daimon* qui longtemps a habité tel tas de cailloux (le *Steinmann*, l'esprit d'outre-tombe), telle borne placée de mile en mile sur les chemins ; il est le dieu des carrefours, partant celui des commerçants et des pillards. On l'a souvent représenté comme un pilier inégalement quadrangulaire, surmonté d'une tête sculptée ; parfois aussi on montrait son phallus. Il était le dieu de l'éloquence et des lettres — au lieu que Gradus-d'Argus est comme décapité, revenu à l'état de la pierre, de la pierre brute ; de surcroît asexué ou prêt, comme on le vit une fois, à se châtrer.

Il n'y a pas qu'Hermès-Mercure : tous les dieux de l'Arcadie se retrouvent dans *Feu pâle* — métamorphosés en bêtes ou en mortels. Sybil Shade reconnaît en Botkin un œstre, l'insecte parasite qui tourmente les chevaux, et le bétail. Changée en vache, Io est agacée par un taon que lui a envoyé Héra. L'un des papillons Vanessa est le Vanessa Io, il porte sur les ailes des yeux de paon. Un autre est le Limenitis Sibylla, l'Amiral Blanc, tandis que l'Amiral Rouge est le Vanessa Atalante, qui vit sur les branches et sur les troncs blessés des arbres comme ce noyer à cicatrice, ou hickory, qui se trouve dans le petit bois de Shade. Atalante est née en Arcadie. Les sibylles ont rapport avec Apollon ; Shade, au milieu de ses lauriers, est un personnage apollinien. Sybil est née Hirondelle ; la terre d'Arcadie est épuisée par les trous qui la minent (« swallow-holes »). Les Hyperboréens (lisez les Zemblais) sont un peuple nordique voué à Apollon. Zeus, roi des dieux, trône sur le mont Lycée en Arcadie ; il jette la foudre — or, à divers moments, le tonnerre éclate sur le récit : quand Gradus débarque en Amérique, quand le roi en fuite atteint la Forêt Mandevil sur la montagne du même nom. La tradition classique veut que les foudres de Zeus soient des pierres sur lesquelles on prête serment.

Les dieux arcadiens de *Feu pâle* sont des errants, des météores — comme Kinbote, qu'on n'atteint jamais que par allusion, par boutade. La mère de Shade, l'ornithologue, s'appelait Caroline Lukin : référence 1) au jaseur de Caroline, 2) à Apollon Lycéen, 3) au bois sacré, *lucus* en latin, qui résonne d'oiseaux. Une référence à l'œuvre de Proust, éditée à la Pléiade, évoque les filles d'Atlas qui, fuyant Orion, furent changées en étoiles et comprises dans la constellation du Taureau. Electre, née en Arcadie, est l'une des sept Pléiades, « étincelante ». Le mot électricité vient du mot grec signifiant ambre : les Hyperboréens du Nord portent de l'ambre à l'Apollon de Delphes. Cependant les Pléiades étaient aussi un groupe de sept poètes qui s'efforçaient de faire revivre la tragédie à la cour du Roi Ptolémée Philadelphe, à Alexandrie. L'un d'eux, Lycophron, était l'auteur d'un curieux poème, plein de pièges et d'énigmes, le *Feu pâle* de son temps, ayant pour titre *Alexandra* — l'un des noms de Cassandre, fille de Priam, qui fut aimée d'Apollon.

En dépit de ces références incessantes au sacré, il n'y a autant dire point de trace du mythe chrétien — ce qui est presque un tour de force. Je n'en ai trouvé que deux : l'allusion à Saint-Pierre en tant que portier du Ciel, et la plaisanterie sur le roi noir, le roi mage, des échecs. Le livre est essentiellement classique, magique, et scientifique. L'attitude de l'auteur devant les mystères de l'univers évoque davantage l'émerveillement de l'herboriste d'autrefois que le credo presque mystique du physicien d'aujourd'hui. Sa morale fait songer à celle de Kant, tandis que son panthéisme de fait renvoie, par éclairs, à Platon. La « phosphorescence » dont il est question à propos de Kinbote rappelle le mythe de la caverne, et Shade, rimaillant sur l'électricité, traite de la métempsycose, sujet platonicien par excellence. Kinbote admet, dans ses dernières remarques, que *Feu pâle*, en dépit de tous ses défauts, offre comme un écho éloigné, la réverbération, le reflet encore lumineux de la magie zemblaise. Venant d'un fou, cette concession pourrait passer pour un éloge que l'auteur s'adresse à soi-même : une allusion à l'Au-delà de l'imagination, à l'Empyrée, à la sphère platonicienne de la lumière pure. Mais l'Empyrée de Platon n'existe plus : il n'y a plus de cellier ou d'entrepôt céleste où se trouve le modèle des formes de la vie terrestre. Aux yeux de Nabokov, le poème du ciel est lui-même incomplet. Voyez Shade : « La vie de l'homme comme une glose à élucider. Poème inachevé. Note pour un usage futur ».

La source de « pale fire » est dans *Timon d'Athènes* acte IV, scène 3. Timon dit aux voleurs :

> « ... *I'll example you with thievery :*
> *The sun's a thief, and with his great attraction*
> *Robs the vast sea ; the moon's an arrant thief,*
> *And her pale fire she snatches from the sun ;*
> *The sea's a thief...* »[1]

L'idée d'une nature voleuse est liée au thème du miroir. Le miroir passe pour volet l'image de qui s'y reflète. Toute réflexion, y compris la réflexion poétique, dépouille le réel — qui, à son tour, vole les idées et se plagie lui-même. Il est normal que ce gredin de Mercure, « ce vagabond transcendantal » comme Kinbote nomme Gradus, soit un des personnages principaux du livre. Botkin, de son côté, a volé le poème de Shade. La lune, brillant d'une lumière empruntée,

1. « ... *Je vais vous illustrer le vol :*
Le soleil est un voleur, et sa puissante attraction
Gruge la vaste mer ; la lune est une voleuse de grands chemins,
Sa pâle lumière, elle la filoute au soleil ;
La mer est une voleuse... »
(Traduction Robert Maguire et Bernard Noël, *Œuvres complètes de Shakespeare*, Formes et Reflets, Paris, 1959).

paraît dans l'Actias luna (un papillon de nuit de l'Amérique du Nord). Io, la vache, était à l'origine une divinité lunaire ainsi qu'en témoignent ses cornes grandissantes. Maud, la tante de Shade, laisse un livre de poésie ouvert à la page du sommaire : on y peut lire : « Moon, Moonrise, Moor, Moral » (Lune, Lever de la Lune, More, Morale). Le *Webster's* de Shade est ouvert à la lettre M. Sont esquissées quelques-unes des aventures amoureuses que Zeus a eues avec les déesses lunaires, entre autres Europe et Io. Enfin, remarquons que le papillon Vanessa, l'Amiral Rouge, blason de mort qui accompagne le poète jusqu'à son fatal destin, est souvent vu au crépuscule ; c'est alors qu'il cherche sa demeure, presque toujours un arbre creux ; il agit donc comme le phalène, son double nocturne.

Feu pâle lui aussi tourne, tel un papillon de nuit, ou la lune, autour de la puissante flamme de Shakespeare. Les allusions à Shakespeare, à sa vie, à ses pièces (aux arbres qu'elles citent), sont innombrables. Au surplus, j'ai le sentiment que la couleur verte que Nabokov associe à la perfidie pourrait bien trahir la présence de l'ennemi de Shakespeare, ce Robert Greene, qui décrit le poète comme la corneille d'Esope, qui se pare de plumes qui ne lui appartiennent pas — la corneille passe en effet pour voleuse. La corneille, ou plutôt le corbeau est aussi la constellation la plus méridionale, aux antipodes de la Zemble.

Cependant la « pâle lumière » placée en titre va bien au-delà de sa source shakespearienne. Elle éclaire au passage de très curieuses choses. Le commentaire nous apprend que le poète a coutume de jeter ses brouillons au feu, dans l'incinérateur (« in the pale fire of the incinerator »). Le mot « ingle », dont Kinbote se sert pour désigner un mignon, un petit chéri, présente une particularité amusante : il signifie aussi flamme, mot dérivé du gaélique. « *Feu pâle* » est la couleur d'un rouge à lèvres et d'un vernis à ongles d'Helena Rubinstein. Enfin, je songe à la lumière des opales, et à l'« âme incandescente » de Shelley, à laquelle le poème de Shade fait allusion :

Life like a dome of many-coloured glass
Stains the White radiance of eternity.[1]

Savoir si aux yeux de Nabokov le monde visible est à la lettre un reflet de l'invisible ou s'il croit le contraire est une question ouverte, qui sans aucun doute demeurera toujours indécise et troublante. L'on peut, à l'aide de miroirs, faire des signaux qui veulent dire en avant ou en arrière ; l'on peut croire que ce jeu est une bonne image de la relation de l'homme au cosmos ; mais il faut ajouter qu'en l'occurrence il n'y a ni avant ni après, ni premier ni second — rien que la distance, la séparation et, au travers, la lumière, qui va et qui vient, du sémaphore.

En tout cas, cette œuvre — faut-il dire centaure ou sirène —, œuvre mi-prose, mi-poème, est une création d'une beauté, d'une originalité parfaites : offrant tout à la fois la symétrie, la singularité et la vérité morale. On y peut voir un objet de curiosité. Ce n'en est pas moins une des plus grandes œuvres d'art de ce temps : le roman moderne que nous croyions mort et qui n'était qu'endormi.

Mary McCarthy

Traduit de l'anglais, par René Micha, pour un numéro spécial de L'Arc consacré à Vladimir Nabokov et paru en 1964. L'essai de Mary McCarthy a été publié sous le titre « Vladimir Nabokov's Pale Fire » *dans* The New Republic, *le 4 juin 1962 et dans* Encounter *en octobre 1962. La traduction a été légèrement revue par Gilles Barbedette.*

1. *Comme un dôme de verre multicolore, la vie*
Ternit la blanche splendeur de l'éternité.

Feu pâle

NOTE DES TRADUCTEURS

Les modifications apportées au texte original : omissions, additions, insertions de mots et de phrases en anglais ont été apportées à la demande de l'auteur.

à Véra

Ceci me remet en mémoire le compte rendu grotesque qu'il fit à M. Langton de l'état déplorable d'un jeune homme de bonne famille. « Monsieur, aux dernières nouvelles que j'ai eues de lui, il parcourait la ville en abattant les chats à coups de pistolet. » Et alors, dans une sorte de douce rêverie, il pensa à son chat favori, et dit : « Mais Hodge ne sera pas abattu : non, non, Hodge ne sera pas abattu. »

James Boswell,
Vie de Samuel Johnson.

INTRODUCTION

Feu pâle, *poème en distiques décasyllabes, long de neuf cent quatre-vingt-dix-neuf vers, divisé en quatre chants, fut écrit par John Francis Shade (né le 5 juillet 1898, décédé le 21 juillet 1959) au cours des vingt dernières journées de sa vie, à sa résidence de New Wye, Appalachia, E. U. Le manuscrit, presque entièrement une copie au net, dont le texte qui suit est une fidèle reproduction, consiste en quatre-vingts fiches de grandeur moyenne; sur chacune d'elles, Shade réservait la ligne rose supérieure pour les en-têtes (chant, numéro, date) et employait les quatorze lignes bleu pâle pour tracer avec une plume à bec fin, d'une écriture minuscule, ordonnée et remarquablement nette, le texte de son poème, sautant une ligne pour indiquer un double espace, et employant une nouvelle fiche chaque fois qu'il commençait un nouveau chant.*

Le bref Chant Un (166 vers) avec tous ces plaisants oiseaux et parhélies, s'étend sur treize fiches. Le Chant Deux, votre préféré, et ce révoltant tour de force, le Chant Trois sont d'une longueur identique (334 vers) et comprennent vingt-sept fiches chacun. Le Chant Quatre est de la même longueur que le premier et s'étend également sur treize fiches dont les quatre dernières, employées le jour de sa mort, sont un premier jet corrigé au lieu d'une copie au net.

En homme méthodique, John Shade copiait tous les

jours à minuit sa production de vers achevés ; mais, même s'il les recopiait plus tard, comme je le soupçonne de l'avoir fait quelquefois, il datait sa ou ses fiches non pas au moment des dernières retouches mais au jour du premier jet ou de la première copie au net. Je veux dire qu'il gardait la date de la véritable création plutôt que celle de la deuxième ou troisième version. Juste en face de mon logis actuel, il y a un parc d'attractions très bruyant.

Nous avons donc un calendrier complet de son travail. Le Chant Un fut commencé aux premières heures du 2 juillet et achevé le 4 juillet. Shade commença le chant suivant le jour de son anniversaire et le compléta le 11 juillet. Une autre semaine fut consacrée au Chant Trois. Le Chant Quatre fut commencé le 19 juillet, et comme je l'ai déjà souligné, le dernier tiers du texte (vers 949-999) consiste en un premier jet corrigé. L'apparence en est extrêmement confuse ; le texte foisonne de ratures dévastatrices, de cataclysmiques insertions, et ne suit pas les lignes de la fiche d'une manière aussi rigoureuse que la copie au net. En fait, dès qu'on s'y jette et qu'on s'efforce d'ouvrir les yeux dans les limpides profondeurs sous la surface confuse du texte, il devient merveilleusement précis. On ne saurait y relever la moindre lacune ou la moindre lecture douteuse. Ce fait suffirait à lui seul à démontrer que les imputations faites (le 24 juillet 1959) lors d'une interview accordée à la presse par un de nos shadéens avoués — qui affirma sans avoir vu le manuscrit du poème *qu'il « consiste en ébauches sans suite dont aucune ne fournit un texte bien défini » — ne sont rien de plus qu'une invention malveillante de la part de ceux qui souhaiteraient non pas tellement déplorer l'état dans lequel l'œuvre d'un grand poète fut interrompue par la mort, que de décrier la compétence, et peut-être même l'honnêteté, de son présent éditeur et commentateur.*

Une autre déclaration publique faite par le Professeur Hurley et sa clique se rapporte à un problème de structure. Je cite une partie de la même interview : « Personne ne peut dire quelle est la longueur que John Shade avait envisagée pour son poème, mais il n'est pas improbable que ce qu'il nous a laissé ne représente qu'une infime partie de la composition qu'il entrevit dans une glace, obscurément. » *Encore une absurdité ! En plus du véritable clairon d'évidence interne qui résonne tout au long du Chant Quatre, nous possédons l'affirmation de Sybil Shade (dans un document daté du 25 juillet 1959) que son époux « n'eut jamais l'intention de dépasser quatre parties ». Pour lui, le Chant Trois était le pénultième, et je l'ai moi-même entendu en parler, lors d'une promenade au crépuscule, où, comme s'il pensait à voix haute, il passa en revue le travail de la journée et gesticula en pardonnable auto-approbation tandis que son compagnon discret essayait en vain d'adapter le rythme de ses longues enjambées à la démarche traînante et saccadée du vieux poète échevelé. Mieux encore, j'irai jusqu'à soutenir (pendant que nos ombres marchent encore sans nous) qu'il ne restait qu'un seul vers du poème à écrire (en l'occurrence le vers 1000) qui aurait été identique au vers 1, et aurait complété la symétrie de la structure, avec ses deux parties centrales identiques, solides et amples, formant avec les deux parties latérales plus courtes deux ailes jumelles de cinq cents vers chacune, et que le diable emporte cette musique. Connaissant le tour d'esprit de Shade, familier de telles combinaisons, et son subtil sens de l'équilibre harmonique, je ne puis me faire à l'idée qu'il ait pu avoir l'intention de déformer les facettes de son cristal en dérangeant le cours prévu de sa croissance. Et si tout ceci n'était pas assez — et ce l'est, c'est assez — j'ai eu la dramatique occasion d'entendre la voix même de mon pauvre ami annoncer, le soir du 21 juillet, la fin, ou presque, de son labeur. (Voir ma note au vers 991.)*

Ce lot de quatre-vingts fiches était retenu par une bande élastique que je remets en place religieusement après avoir examiné maintenant pour la dernière fois son précieux contenu. Un autre lot d'une douzaine de fiches, beaucoup moins important, agrafé et placé dans la même enveloppe de papier bulle que le lot principal, comporte quelques distiques additionnels dont la carrière brève et parfois maculée se poursuit à travers un chaos de premiers jets. En général, Shade détruisait ces ébauches dès qu'il cessait d'en avoir besoin : je me souviens très nettement de l'avoir aperçu de mon porche, par une matinée ensoleillée, en train d'en brûler tout un lot dans le feu pâle de l'incinérateur face auquel il se tenait la tête penchée comme un membre officiel de cortège funèbre, parmi les papillons noirs de cet autodafé d'arrière-cour emportés par le vent. Mais il épargna ces douze fiches à cause des perles inemployées qui brillaient parmi les scories des ébauches utilisées. Peut-être songeait-il vaguement à remplacer certains passages de la copie au net par quelques-uns des ravissants déchets de son fichier ; ou, ce qui est plus probable, un penchant inavoué pour tel ou tel ornement, supprimé pour des raisons architectoniques, ou parce qu'il avait agacé Mme S., l'avait incité à remettre sa destruction jusqu'au moment où la perfection marmoréenne d'un impeccable manuscrit dactylographié aurait confirmé sa préservation ou fait paraître la plus agréable variante encombrante et impure. Et peut-être, qu'on me permette de le dire en toute modestie, avait-il l'intention de me demander mon avis après m'avoir lu son poème comme je sais qu'il avait l'intention de le faire.

Dans mon commentaire du poème le lecteur trouvera ces variantes écartées. Leurs places sont indiquées ou du moins suggérées par les ébauches des lignes définitives situées dans leur voisinage immédiat. En un sens, beaucoup d'entre elles sont artistiquement et historiquement plus valables que quelques-uns des meilleurs passages du texte final. Je dois maintenant expliquer comment Feu pâle *en vint à être édité par mes soins.*

Immédiatement après la mort de mon cher ami, je persuadai sa veuve éplorée de devancer et de déjouer les passions commerciales et les intrigues académiques qui ne manqueraient pas de s'abattre sur le manuscrit de son mari (déposé par moi en lieu sûr avant même que son corps ait été mis en terre) en signant un accord certifiant qu'il m'avait confié le manuscrit ; que je le ferais paraître sans délai, avec mes commentaires, dans une maison d'éditions de mon choix ; que tous les profits, à l'exception du pourcentage de l'éditeur, lui reviendraient à elle ; et qu'au jour de sa publication, le manuscrit serait remis à la Bibliothèque du Congrès pour conservation permanente. Je défie tout critique sérieux de trouver à redire à l'honnêteté de ce contrat. Il a néanmoins été qualifié (par l'ancien avocat de Shade) de « fantastique fouillis machiavélique », tandis qu'un autre personnage (son ancien agent littéraire) suggérait qu'un autre personnage (son ancien agent littéraire) suggérait narquoisement que la signature tremblée de Mme Shade aurait bien pu avoir été tracée « avec une étrange sorte d'encre rouge ». De tels cœurs, de tels esprits seraient incapables de comprendre que l'attachement que l'on peut avoir pour un chef-d'œuvre soit absolument irrésistible, tout spécialement lorsque c'est l'envers de la toile qui transporte son spectateur et unique instigateur, dont le passé même s'y retrouve entrelacé au destin de l'innocent auteur.

Comme je crois l'avoir mentionné dans la dernière note de mon commentaire, la charge de fond de la mort de Shade fit exploser tant de secrets et ramena à la surface tant de poissons morts que je dus quitter New Wye peu de temps après ma dernière entrevue avec l'assassin emprisonné. L'élaboration du commentaire dut être remise jusqu'à ce que je puisse me trouver un nouvel incognito dans un cadre plus serein, mais les problèmes d'ordre pratique concernant le poème durent être réglés sur-le-champ. Je pris l'avion pour New York, je fis photographier le manuscrit, je m'entendis avec un des éditeurs de Shade, et j'étais sur le point de conclure l'accord lorsque, assez négligemment, au milieu d'un vaste coucher de soleil (nous étions assis dans une cellule de noyer et de verre, cinquante étages au-dessus de la progression des scarabées) mon interlocuteur remarqua : « Vous serez heureux d'apprendre, Docteur Kinbote, que le Professeur Untel (un des membres du comité Shade) a consenti à nous servir de conseiller pour l'édition de la chose. »

Entendons-nous, « heureux » est quelque chose d'extrêmement subjectif. Un de nos plus stupides proverbes zembliens dit : le gant perdu est heureux. *Je rabattis promptement la fermeture de mon porte-documents et me rendis chez un autre éditeur.*

Imaginez un géant doux et maladroit ; imaginez un personnage historique dont la connaissance de l'argent se limite aux milliards abstraits d'une dette nationale ; imaginez un prince en exil, ignorant de la Golconde qui se trouve dans ses boutons de manchette ! Ceci pour expliquer — oh, hyperboliquement — que je suis l'homme le moins pratique qui soit. Entre une telle personne et un vieux renard du monde de l'édition, les relations sont au début vraiment touchantes, libres et familières, avec des épanchements badins et toutes sortes de marques d'amitié. Je n'ai aucune raison de supposer que rien ne vienne jamais empêcher ce contact initial avec ce bon vieux Frank, mon éditeur actuel, de demeurer un élément durable.

Frank a accusé réception des épreuves qui m'avaient été envoyées ici et m'a demandé de mentionner dans mon introduction — et je le fais volontiers — que je suis le seul responsable des erreurs de mon commentaire. A insérer avant un correcteur d'épreuves. Un correcteur d'épreuves de métier a revérifié attentivement le texte imprimé en regard de la photocopie du manuscrit, et a découvert quelques banales coquilles qui m'avaient échappé ; c'est là toute l'aide extérieure que j'ai reçue. Inutile de souligner à quel point je m'attendais à ce que Sybil Shade me fournisse une abondante documentation biographique ; malheureusement, elle quitta New Wye avant même que je le fasse et habite maintenant chez des parents dans le Québec. Naturellement nous aurions pu échanger une correspondance des plus fécondes, mais les shadéens n'allaient pas abandonner la partie. Ils se rendirent au Canada en troupeaux pour s'abattre sur la pauvre femme aussitôt que j'eus perdu contact avec elle et ses humeurs changeantes. Au lieu de répondre à une lettre que je lui avais expédiée un mois plus tôt de mon antre de Cedarn, avec une liste de mes questions les plus pressantes, telles que le véritable nom de « Jim Coates » etc., elle m'expédia soudain un télégramme, me demandant d'accepter le Professeur H. (!) et le Professeur C. (!!) comme coéditeurs du poème de son mari. Quelle surprise et quel chagrin tout cela me causa ! Naturellement, ceci rendit impossible toute collaboration avec la veuve égarée de mon ami.

Et c'était un très cher ami en effet ! Le calendrier démontre que je ne l'avais connu que pendant quelques mois, mais il y a des amitiés qui développent leur propre durée interne, leurs propres éons de temps transparent, que ne peut atteindre cette malicieuse musique de carrousel. Je n'oublierai jamais quelle fut mon exaltation lorsque j'appris, comme je le souligne dans une note que mon lecteur trouvera, que la maison de banlieue (du Juge Goldsworth absent pour un congé d'un an en Angleterre) qu'on avait louée pour moi et où je m'installai le 5 février 1959 était voisine de celle du célèbre poète américain dont j'avais essayé de traduire les vers en zemblien deux décades plus tôt ! Mis à part cet éclatant voisinage, le château goldsworthien, comme j'allais bientôt le découvrir, laissait fort à désirer. Le système de chauffage était une plaisanterie, vu qu'il dépendait de grilles installées dans le plancher par où les tièdes exhalaisons d'une palpitante et gémissante chaudière de sous-sol se répandaient dans les pièces avec la faiblesse du dernier souffle d'un moribond. En condamnant toutes les bouches de chaleur de l'étage supérieur, je tâchai de donner plus d'énergie à la grille du salon, mais la température s'y avéra incurablement viciée par le fait qu'il n'y avait rien entre cette pièce et les régions arctiques à l'exception d'une porte d'entrée pleine de fentes, sans le moindre vestige de vestibule — soit parce que la maison avait été construite au cœur de l'été par un pionnier naïf qui ne pouvait imaginer le genre d'hiver qui l'attendait à New Wye, soit parce qu'il était de bon ton, autrefois, qu'un visiteur inattendu puisse s'assurer du seuil de la porte qu'il ne se passait rien d'indécent dans le salon.

En Zembla, février et mars (les deux derniers des quatre « mois au nez blanc » comme nous les appelons) étaient habituellement assez rudes aussi, mais là-bas, même la chambre d'un paysan offrait une compacte chaleur uniforme — et non pas un réseau de mortels courants d'air. Il est vrai, comme c'est partout le cas pour les nouveaux venus, qu'on m'annonça que j'avais choisi le plus rude hiver depuis des années — et ceci à la latitude de Palerme. Un des premiers matins après mon arrivée, comme je me disposais à partir pour mes cours dans la puissante voiture rouge que je venais juste d'acquérir, je remarquai que M. et Mme Shade, dont je n'avais pas encore fait la connaissance (je devais apprendre plus tard qu'ils croyaient que je désirais être seul), avaient des difficultés avec leur vieille Packard sur l'allée glissante où elle émettait des plaintes d'agonie sans réussir à dégager d'un concave enfer de glace une roue arrière torturée. John Shade s'affairait maladroitement, un seau à la main, distribuant avec le geste du semeur des poignées de sable brun sur le verglas bleuté. Il portait des snow-boots ; son col de vigogne était remonté et son abondante chevelure grise semblait givrée dans le soleil. Je savais qu'il avait été malade quelques mois plus tôt, et pensant offrir à mes voisins une balade dans ma puissante voiture jusqu'à l'Université, je me précipitai vers eux. Mon château loué se dressait sur une légère éminence encerclée d'un chemin qui la séparait de l'allée de mes voisins, et je me préparais à traverser ce chemin quand je perdis pied et m'étalai sur la neige étonnamment dure. Ma chute eut l'effet d'un réactif chimique sur la voiture des Shade qui se mit en marche sur-le-champ et faillit me passer dessus en s'engageant sur la route avec John au volant en train de grimacer laborieusement, tandis que Sybil lui parlait avec frénésie. Je ne suis pas certain que l'un ou l'autre m'aient vu.

Quelques jours plus tard, cependant, le lundi 16 février

plus exactement, on me présenta au vieux poète à l'heure du déjeuner au club de la Faculté. « Ai enfin présenté mes lettres de créance », comme je le notai dans mon journal avec une pointe d'ironie. Je fus invité à me joindre à lui et à quatre ou cinq autres éminents professeurs à sa table habituelle, sous une photographie agrandie de Wordsmith College tel qu'il était, l'aspect figé et minable, un jour d'été particulièrement sombre en 1903. Sa laconique suggestion que « je goûte au porc » m'amusa. Je suis rigoureusement végétarien, et j'aime préparer mes propres repas. La consommation d'un aliment tripoté par un de mes semblables m'est, comme je l'expliquai aux convives rubiconds, aussi répugnante que l'idée de manger une créature humaine, y compris — je baissai la voix — la plantureuse étudiante à queue de cheval qui prenait notre commande et léchait son crayon. En plus, j'avais déjà mangé les fruits que j'avais apportés avec moi dans mon porte-documents, et je me contenterais donc, ajoutai-je, d'une bonne bouteille de bière maison. Mon attitude libre et sans façon mit tout le monde à l'aise. On me posa les inévitables questions, à savoir si les milkshakes *ou les* eggnogs *étaient permis ou non à ceux qui partageaient mes convictions. Shade dit qu'en ce qui le concernait, c'était l'opposé. Il devait se faire violence pour toucher à un légume. Entamer une salade lui était aussi pénible que de se jeter à la mer par un jour glacial, et il devait toujours faire un effort pour attaquer la forteresse d'une pomme. Je n'étais pas encore accoutumé aux railleries et aux taquineries plutôt agaçantes qui sont le lot des intellectuels américains du genre académique inné et je me gardai bien de dire à John Shade devant tous ces vieux mâles épanouis combien j'admirais son œuvre, pour éviter qu'une discussion littéraire sérieuse ne dégénère en simple facétie. Je m'informai plutôt d'un de mes nouveaux élèves qui suivait également son cours, un garçon morose, délicat et assez merveilleux ; mais en secouant énergiquement sa mèche chenue, le vieux poète répondit qu'il avait cessé depuis longtemps de retenir les visages et les noms des étudiants et que la seule personne dans sa classe de poésie dont il pouvait se souvenir était une dame de l'extérieur qui marchait avec des béquilles. « Allons, allons, dit le Professeur Hurley, voulez-vous dire, John, que vous n'avez pas un souvenir mental ou viscéral de cette étonnante blonde en collants noirs qui hante Lit. 202 ? » Shade, rayonnant de toutes ses rides, toucha légèrement le poignet de Hurley pour le faire taire. Un autre tourmenteur demanda s'il était vrai que j'avais installé deux tables de ping-pong dans ma cave. Je demandai : « Est-ce un crime ? — Non, dit-il, mais pourquoi deux ? — Est-ce un double crime ? » ripostai-je, et tous se mirent à rire.*

*En dépit d'un cœur défaillant (voir vers 735), d'une légère claudication et d'une certaine contorsion bizarre dans sa démarche, Shade avait un goût prononcé pour les longues promenades à pied, mais la neige le gênait et, l'hiver, il préférait que sa femme vienne le chercher en voiture après les cours. Quelques jours plus tard, comme je me préparais à quitter la Salle Parthenocissus — ou Salle Principale (ou maintenant Salle Shade, hélas), je l'aperçus dehors attendant que M*me *Shade vienne le prendre. Je m'attardai près de lui une minute, sur les marches du péristyle, et tandis que j'enfilais mes gants, doigt par doigt, tout en regardant au loin comme si j'allais passer un régiment en revue, le poète remarqua : « Voilà un travail bien fait. » Il consulta sa montre-bracelet. Un flocon de neige vint s'y déposer. « Cristal sur cristal », fit Shade. Je lui offris de le ramener à la maison dans ma puissante Kramler. « Monsieur Shade, les épouses sont oublieuses. » Il redressa sa tête en broussaille pour jeter un coup d'œil à l'horloge de la bibliothèque. Deux garçons radieux en pittoresques vêtements d'hiver traversèrent en riant et en glissant l'étendue désolée du gazon couvert de neige. Shade jeta un autre coup d'œil à sa montre et, avec un haussement d'épaules, accepta mon offre.*

Je lui demandai s'il voyait un inconvénient à ce que je

fasse un détour par Community Center où je voulais acheter des biscuits glacés au chocolat et un peu de caviar. Il m'assura que non. De l'intérieur du supermarché, à travers la vitrine, j'aperçus le vieil homme qui faisait un saut dans un débit d'alcool. Quand je revins avec mes emplettes, il était dans la voiture en train de feuilleter un magazine que j'avais cru qu'aucun poète ne daignerait même toucher. Un petit rot satisfait me fit comprendre qu'il avait un flacon de cognac dissimulé sur sa personne chaudement emmitouflée. Comme nous nous engagions dans l'allée de sa demeure, nous aperçûmes Sybil qui arrivait devant la maison. Je descendis avec un empressement courtois. Elle dit : « Puisque mon mari ne croit pas aux présentations, faisons-les nous-mêmes : vous êtes le Docteur Kinbote, n'est-ce pas ? Et je suis Sybil Shade. » Puis elle s'adressa à son mari lui disant qu'il aurait pu attendre une minute de plus dans son bureau : elle avait klaxonné, appelé, monté tous les escaliers et cœtera. Je fis demi-tour pour m'en aller, n'ayant nulle envie d'assister à une scène de ménage, mais elle me retint : « Prenez un verre avec nous, dit-elle, ou plutôt avec moi, parce qu'il est interdit à John de prendre de l'alcool. » J'expliquai que je ne pouvais pas demeurer longtemps car j'allais avoir une sorte de séance de travaux pratiques suivie d'un peu de tennis de table chez moi avec deux charmants jumeaux identiques et un autre garçon, un autre garçon.

A partir de ce moment, je commençai à voir de plus en plus fréquemment mon célèbre voisin. La vue d'une de mes fenêtres me fournissait un divertissement de première classe, particulièrement lorsque j'attendais un invité tardif. De l'étage supérieur de ma maison, la fenêtre du salon des Shade était parfaitement visible aussi longtemps que les branches des arbres à feuilles caduques qui nous séparaient demeuraient nues et, presque chaque soir, je pouvais voir le pied empantouflé du poète se balancer doucement. On pouvait en déduire qu'il était assis dans un fauteuil, un livre à la main, mais on ne pouvait apercevoir rien de plus que ce pied et son ombre allant de haut en bas au rythme secret de l'absorption mentale, dans le faisceau de lumière. Toujours au même moment, la pantoufle de maroquin brun glissait de la chaussette de laine du pied qui continuait à osciller à une cadence légèrement plus lente cependant. On savait que l'heure du sommeil approchait avec son cortège de terreurs ; que dans quelques minutes l'orteil tâterait et harcèlerait la pantoufle et disparaîtrait ensuite avec elle de mon champ de vision doré traversé par la noire courbure d'une branche. Et parfois, Sybil Shade passait avec la vélocité et les gestes de quelqu'un qui quitte la pièce dans une crise de colère. Elle retournait un instant plus tard, d'un pas beaucoup plus lent, comme si elle avait pardonné à son mari son amitié pour un voisin excentrique ; mais l'énigme de sa conduite fut entièrement résolue un soir où, tout en composant leur numéro de téléphone et en surveillant leur fenêtre, je l'amenai magiquement à répéter les mouvements hâtifs et parfaitement innocents qui m'avaient intrigué.

Hélas, ma tranquillité d'esprit allait bientôt être détruite. L'épais venin de l'envie commença à m'éclabousser dès que le voisinage académique se rendit compte que John Shade préférait ma compagnie à toute autre. Votre ricanement, chère Madame C., ne nous a pas échappé lorsque j'aidais le vieux poète fatigué à trouver ses caoutchoucs après cette ennuyeuse réunion à votre domicile. Un jour, comme j'entrais au bureau de la section de littérature anglaise pour y prendre un magazine avec une photographie du palais royal d'Onhava que je voulais montrer à mon ami, je surpris un jeune professeur en veston de velours vert, que je nommerai miséricordieusement Gerald Emerald, en train de répondre négligemment à une question du secrétaire : « J'imagine que M. Shade est déjà parti avec le Grand Castor. » Il est vrai que je suis assez grand et que ma barbe est d'une texture et d'une teinte assez riches ; le sobriquet ridicule s'appliquait donc à moi mais ne méritait aucune attention, et, après avoir calmement pris le magazine sur une table couverte de brochures, je me contentai en sortant de défaire d'un adroit coup sec des doigts le nœud papillon de Gerald Emerald en passant devant lui. Il y eut aussi le matin où le Docteur Nattochdag, chef de la section à laquelle j'étais rattaché, me pria d'une voix cérémonieuse de m'asseoir, puis, ayant refermé la porte et regagné, l'air sombre, son fauteuil tournant, m'exhorta « à être plus prudent ». Prudent, en quel sens ? Un garçon s'était plaint à son directeur de thèse. S'était plaint de quoi, nom de Dieu ? Que j'avais critiqué un cours de littérature qu'il suivait (« un ridicule exposé de textes ridicules fait par une ridicule médiocrité »). Éclatant d'un véritable rire de soulagement, j'embrassai mon bon Netotchka, lui promettant de ne plus jamais être méchant. Je saisis cette occasion pour le saluer. Il s'est toujours comporté à mon égard avec une courtoisie tellement exquise que je me demandais parfois s'il ne se doutait pas de ce que Shade soupçonnait, et que seules deux ou trois personnes (deux administrateurs et le président de l'Université) savaient de façon certaine.

Oh, il y eut plusieurs incidents semblables. Dans une pièce satirique jouée par un groupe d'étudiants d'art dramatique je fus représenté en pompeux misogyne avec un accent allemand, citant sans arrêt le poète Housman et grignotant des carottes crues ; et une semaine avant la mort de Shade, une certaine dame féroce, à qui j'avais refusé de parler devant son cercle littéraire sur le thème « The Hally Vally » (comme elle le disait, confondant ainsi le Palais d'Odin avec le titre d'une épopée finlandaise), me dit au beau milieu d'une épicerie : « Vous êtes une personne remarquablement désagréable. Je me demande comment John et Sybil peuvent vous supporter », et, exaspérée par mon sourire poli, elle ajouta : « En plus, vous êtes dément. »

Mais qu'on me permette de clore le répertoire de la bêtise. Quoi qu'on ait pensé, quoi qu'on ait dit, l'amitié de John m'était une récompense totale. Cette amitié était d'autant plus précieuse que la tendresse en était intentionnellement dissimulée, particulièrement lorsque nous n'étions pas seuls, par ce ton bourru qui émane de ce que l'on peut appeler la noblesse du cœur. Tout son être constituait un masque. L'apparence physique de John Shade était tellement peu en rapport avec les harmonies rassemblées dans l'homme, qu'on se sentait incliné à la rejeter comme un déguisement grossier ou une mode passagère ; car si les modes de l'âge romantique rendaient plus subtile la virilité d'un poète en découvrant son cou séduisant, en dégageant son profil et en réfléchissant un lac de montagne dans sa prunelle ovale, les bardes d'aujourd'hui, sans doute à cause de meilleures conditions de vieillissement, ont l'air de gorilles ou de vautours. Le visage de mon sublime voisin aurait pu avoir quelque chose d'attrayant pour l'œil s'il avait été seulement léonin ou seulement iroquois ; mais malheureusement, le mélange des deux évoquait un poivrot bouffi hogarthien de sexe indéterminé. Son corps difforme, cette abondante tignasse grise, les ongles jaunis de ses doigts rondelets, les poches sous ses yeux sans éclat, n'étaient intelligibles qu'entrevus comme les déchets éliminés de son soi intrinsèque par les mêmes forces de perfection qui purifiaient et ciselaient son vers. Il était sa propre annulation.

Je possède une photo de lui que je préfère entre toutes. Sur ce cliché en couleur pris par un de mes inconstants amis, par une éclatante journée printanière, on aperçoit Shade appuyé sur une robuste canne qui avait appartenu à sa tante Maud (voir vers 86). Je porte un blouson blanc acheté sur place dans une boutique d'articles de sport et un pantalon lilas provenant de Cannes. Ma main gauche est à demi levée — non pour donner une tape sur l'épaule de Shade comme semble en être l'intention, mais pour enlever mes verres de soleil que, cependant, elle n'atteignit pas dans cette vie, la vie de la photo ; et le bouquin que j'ai sous le bras droit est un traité sur certains exercices physiques zembliens auquel je me proposais d'intéresser mon jeune pensionnaire, celui qui prit la photo. Une semaine plus tard, il allait trahir ma confiance en profitant sordidement de mon absence lors d'un voyage à Washington d'où je revins pour découvrir qu'il avait accueilli une putain rousse d'Exton qui avait laissé ses peignures et ses exhalaisons dans chacune des trois salles de bains. Naturellement, nous nous séparâmes sur-le-champ, et, à travers une fente du rideau de la fenêtre, j'aperçus le vilain Bob debout, l'air assez pathétique, avec ses cheveux en brosse, et sa valise miteuse et les skis que je lui avais donnés, tout penaud sur le bord du chemin, attendant qu'un de ses camarades vienne le chercher pour de bon. Je puis tout pardonner sauf la trahison.

John Shade et moi ne discutâmes jamais aucune de mes mésaventures personnelles. Notre étroite amitié se situait à ce niveau supérieur, exclusivement intellectuel, où l'on peut se reposer des peines du cœur et non les partager. L'admiration que je lui portais m'était comme une cure de haute montagne. J'éprouvais un grand sentiment d'émerveillement chaque fois que je le regardais, particulièrement en présence d'autres personnes, des personnes inférieures. Cet émerveillement était rehaussé par mon intime conviction que ces gens ne ressentaient pas ce que je ressentais, qu'ils ne voyaient pas ce que je voyais, qu'ils voyaient en Shade un homme du type courant au lieu de laisser chacun de leurs nerfs s'imprégner, pour ainsi dire, du charme de sa présence fabuleuse. Le voici, me disais-je, voici sa tête qui contient un cerveau d'une espèce différente de celle des gelées synthétiques mises en pot dans les crânes qui l'entourent. De la terrasse (de la maison du Professeur C., ce soir de mars) il regarde le lac lointain. Je le regarde. Je suis témoin d'un phénomène physiologique unique : John Shade dans l'acte de percevoir et de transformer le monde, l'intégrant et le démembrant, réordonnant ses éléments dans l'opération même de les emmagasiner pour produire à une date non spécifiée un miracle organique, une fusion d'image et de musique, un vers. Et j'ai ressenti la même exaltation lorsque, durant mon enfance, j'avais un jour observé de l'autre côté de la table à thé dans le château de mon oncle un prestidigitateur qui venait juste de donner une représentation fantastique et qui maintenant consommait tranquillement une glace à la vanille. Je regardais fixement ses joues poudrées, la fleur magique à sa boutonnière où elle était passée par une succession de couleurs différentes et où elle s'était maintenant figée en œillet blanc, et particulièrement ses merveilleux doigts d'apparence fluide qui pouvaient, s'il le désirait, fondre sa cuillère en un rayon de soleil en la retournant, ou changer son assiette en colombe en la jetant en l'air.

Le poème de Shade est en effet ce soudain éclair de magie : mon ami grisonnant, mon cher vieux prestidigitateur, jetait un lot de fiches dans son chapeau — et en sortait un poème.

C'est de ce poème que nous devons maintenant nous occuper. Mon introduction, je l'espère, n'aura pas été trop mince. D'autres notes, réunies en un commentaire soutenu, satisferont certainement le lecteur le plus vorace. Bien que ces notes, conformément à l'usage, viennent après le poème, il est conseillé au lecteur de les consulter d'abord et d'étudier ensuite le poème en s'aidant de ces notes, de les relire naturellement en parcourant le texte, et peut-être, après en avoir fini avec le poème, de les consulter une troisième fois pour obtenir une vue d'ensemble. Dans un cas comme celui-ci, je crois qu'il est sage d'éliminer l'ennui d'avoir à feuilleter dans les deux sens, soit en détachant les pages du poème pour en faire une brochure séparée, soit, plus simplement encore, en achetant deux exemplaires du même ouvrage qui peuvent alors être placés dans des positions adjacentes sur une table confortable — rien de semblable à la petite chose tremblante sur laquelle trône précairement ma machine à écrire, dans cette misérable cabine sur le bord de l'autoroute, avec ce carrousel à l'intérieur et à l'extérieur de ma tête, à mille lieues de New Wye. Qu'on me permette d'affirmer que, sans mes notes, le poème de Shade est dépourvu de toute réalité humaine puisque la réalité humaine d'un poème comme le sien (trop fantasque et trop réticent pour être un ouvrage autobiographique) avec l'omission de nombreux vers substantiels rejetés par lui-même, doit reposer entièrement sur la réalité de son auteur et de son entourage, de ses affections et ainsi de suite, une réalité que seules mes notes peuvent fournir. Il est probable que mon cher poète n'aurait pas souscrit à cette déclaration, mais pour le meilleur ou pour le pire, c'est le commentateur qui a le dernier mot.

Charles Kinbote.
19 octobre 1959, Cedarn, Utana.

Feu pâle

CHANT UN

C'était moi l'ombre du jaseur tué
Par l'azur trompeur de la vitre ;
C'était moi la tache de duvet cendré — et je
Survivais, poursuivais mon vol, dans le ciel réfléchi.
Et de l'intérieur, également, je savais reproduire
Mon visage, ma lampe, une pomme sur une assiette :
Dévoilant la nuit, je laissais la vitre obscure
Suspendre le mobilier au-dessus de l'herbe,
Et quelles délices quand une chute de neige
Couvrait ce bout de gazon, s'amoncelant assez
Pour que chaise et lit se tiennent exactement
Sur cette neige, là-bas sur cette terre de cristal !

Reprendre la neige qui tombe : chaque flocon la dérive
Informe et lent, instable et opaque,
D'un blanc mat et sombre contre le blanc pâle du jour
Et les mélèzes abstraits dans la lumière neutre.
Et puis le bleu graduel et double
Quand la nuit unit le voyant et la vue,
Et le matin, des diamants de givre
Expriment l'étonnement : Quelles pattes ergotées ont traversé
De gauche à droite la page blanche de la route ?
Lisant de gauche à droite en code hivernal :
Un point, une flèche inversée ; je répète :
Point, flèche inversée... Les pattes d'un faisan !

Beauté à collerette, tétras sublimé,
Découvrant ta Chine juste derrière ma maison.
Était-ce dans Sherlock Holmes, ce personnage dont les traces
Allèrent à reculons quand il mit ses chaussures à l'envers ?

Toutes les couleurs me rendaient heureux : même le gris.
Mes yeux étaient tels qu'ils prenaient littéralement
Des photographies. Chaque fois que je le permettais,
Ou que d'un frisson silencieux, je l'ordonnais,
Tout ce qui entrait dans mon champ de vision —
Une scène d'intérieur, des feuilles de hickory,
Les sveltes stylets d'une stalactite de glace —
Était imprimé sur la face interne de ma paupière
Et s'y attardait une heure ou deux ;
Pendant que ça durait, tout ce que j'avais à faire
Était de fermer les yeux pour reproduire les feuilles,
Ou la scène d'intérieur, ou les trophées des gouttières.

Je me demande comment je pouvais distinguer
Notre véranda du lac quand j'allais à mes cours par
Lake Road, car maintenant, bien qu'aucun arbre
Ne se soit interposé, je regarde mais suis incapable
De voir même le toit. Peut-être qu'un accroc dans l'espace
A fait qu'un pli ou un sillon a déplacé
La fragile éclaircie, la maison en bois entre
Goldsworth et Wordsmith sur son carré de verdure.

J'y aimais surtout un jeune hickory.
Avec d'amples feuilles jade foncé et un tronc
Noir, mince et vermiculé. Le soleil couchant
Mordorait l'écorce noire autour de laquelle, comme
Des guirlandes défaites, tombaient les ombres du feuillage.
Il est maintenant fort et rugueux ; il a bien poussé.
Les papillons blancs deviennent lavande en traversant

Son ombre où semble délicatement osciller
Le fantôme de l'escarpolette de ma petite fille.

La maison est à peu près la même. Nous avons fait
Restaurer une aile. Il y a un solarium. Il y a
Une baie vitrée flanquée de chaises de fantaisie.
L'immense trombone de la télé brille maintenant
Au lieu de la rigide girouette si souvent
Visitée par le naïf, le léger oiseau-moqueur
Répétant tous les programmes qu'il avait entendus ;
Passant de *chippo-chippo* à un net
To-wee, to-wee ; et puis un cri enroué : *come here*
Come here, come herrr' ; agitant sa queue en l'air,
Ou se livrant avec grâce à une délicate
Pirouette ascendante, et retournant *(to-wee !)*
Tout de suite à son perchoir — la nouvelle télé.

J'étais en bas âge quand mes parents moururent.
Ils étaient tous deux ornithologues. J'ai essayé
Si fréquemment de les évoquer que j'ai aujourd'hui
Mille parents. Ils se confondent tristement
Avec leurs qualités propres et s'effacent,
Mais certains mots, des mots lus ou entendus par hasard,
Tels que « condition cardiaque » s'appliquent toujours
A lui, et « cancer du pancréas », à elle.

Un prétériste : celui qui ramasse les nids abandonnés.
Ici se trouvait ma chambre, maintenant réservée aux invités.
C'est ici que, mis au lit par la servante canadienne,
J'écoutais le bruit de la conversation d'en bas et priais
Pour que tout le monde se porte toujours bien,
Oncles et tantes, la servante, sa nièce Adèle
Qui avait vu le pape, des gens dans les livres, et Dieu.

Je fus élevé par ma chère bizarre tante Maud,
Poétesse et peintre avec un goût

Pour les objets réalistes entremêlés
De grotesques ramifications et d'images d'apocalypse.
Elle vécut jusqu'aux premiers cris du bébé suivant.
Nous avons gardé sa chambre intacte. Le bric-à-brac y crée
Une nature morte bien dans son genre : le presse-papiers
De verre convexe renfermant une lagune,
Le recueil de poésie ouvert à l'index (Lune,
Luth, Lutin, Lutrin), la guitare abandonnée,
Le crâne humain ; et une coupure du *Star* régional :
Les Red Sox battent les Yanks 5-4 sur
L'Homère de Chapman, épinglé derrière la porte.

Mon Dieu mourut jeune. Je trouvais la théolâtrie
Avilissante, et ses prémisses, incertaines.
Nul homme libre n'a besoin d'un Dieu ; mais étais-je libre ?
Avec quelle plénitude je sentais la nature me coller à la peau
Et combien mon palais enfantin aimait le goût
Poisson et miel de cette colle dorée !

Dès l'enfance, mon livre d'images fut
Le parchemin peint qui tapisse notre cage :
Les cercles mauves autour de la lune ; un soleil orange-sanguine ;
L'iris jumelé ; et ce rare phénomène
L'iridule — quand, étrange et magnifique,
Dans un ciel éclatant au-dessus d'une chaîne de montagnes,
Un petit nuage opale de forme ovale
Réfléchit l'arc-en-ciel d'un orage
Mis en scène dans une vallée lointaine —
Car nous sommes très artistiquement encagés.

Et il y a le mur du son : le mur nocturne
Dressé, l'automne, par un trillion de grillons.

Impénétrable ! A mi-chemin sur la colline
Je m'arrêtais fasciné par leurs délirants trilles.
Voici la fenêtre éclairée du Docteur Sutton. Voici la Grande Ourse.
Il y a mille ans, cinq minutes étaient égales
A quarante onces de sable fin. Fixer les étoiles
Jusqu'à ce qu'elles se détournent. Infini du passé,
Infini de l'avenir : ils se referment au-dessus de ta tête
Comme des ailes géantes, et tu es mort.

Je crois bien que le commun des mortels est
Plus heureux : il aperçoit la Voie lactée seulement
Quand il urine. A cette époque comme aujourd'hui
J'avançais à mes propres risques : fouetté par les branches,
Trébuchant sur les souches. Asthmatique, boiteux et gras,
Je n'ai jamais fait rebondir une balle ou manié une batte.
C'était moi l'ombre du jaseur tué
Par la profondeur factice de la vitre.
J'avais un cerveau, cinq sens (dont un sans égal),
Mais autrement j'étais un risible avorton.
Dans mes rêves nocturnes je jouais avec d'autres
Garçons mais n'enviais vraiment rien — sauf peut-être
Le miracle d'une lemniscate tracée
Sur le sable humide par les roues négligemment
Adroites d'une bicyclette.

Un fil de douleur subtile,
Tiré par joueuse mort, et puis relâché,
Mais toujours présent, me traversait. Un jour,
Je venais d'avoir onze ans, j'étais étendu sur
Le plancher et je regardais un jouet mécanique —
Une brouette de plomb poussée par un homme de plomb —
Dépasser les pattes d'une chaise et se perdre sous le lit,

Quand il se fit dans ma tête une soudaine échappée de soleil.

Et puis la nuit noire. Ces ténèbres étaient sublimes.
Je me sentais dispersé à travers l'espace et le temps :
Un pied sur la cime d'une montagne, une main sous
Les cailloux d'un cours d'eau haletant,
Une oreille en Italie, un œil en Espagne,
Mon sang dans les antres, et mon cerveau dans les étoiles.
Il y avait de sourdes palpitations dans ma Couche Triasique ;
Des taches optiques vertes dans le Pléistocène Supérieur,
Un frisson glacé dans mon Âge de Pierre,
Et tous les lendemains dans mon petit juif.

Durant tout un hiver, je sombrais chaque
Après-midi dans cet évanouissement momentané.
Et puis il disparut. Son souvenir s'effaça.
Ma santé s'améliora. J'appris même à nager.
Mais, tel un petit garçon forcé d'étancher avec
Sa langue pure la soif abjecte d'une fille.
J'étais corrompu, terrifié, fasciné,
Et bien que le vieux Docteur Colt m'ait déclaré guéri
De ce qu'il disait être surtout des troubles de croissance,
L'émerveillement s'attarde et la honte demeure.

CHANT DEUX

Il fut un temps dans ma jeunesse folle
Où je soupçonnai vaguement que la vérité
Sur la survie après la mort était connue
De chaque être humain : Moi seul
Ne savais rien, et une grande conspiration
De livres et de gens me cachait la vérité :

Puis vint le jour où je commençai à douter
Que l'homme fût sain d'esprit : Comment pouvait-il vivre sans
Savoir avec certitude quelle aube, quelle mort, quelle condamnation
Attendaient la conscience au-delà de la tombe ?

Et finalement ce fut la nuit blanche
Où je résolus d'explorer, de combattre
L'immonde, l'inadmissible abîme,
Consacrant toute ma vie pervertie à cette
Tâche unique. Aujourd'hui, j'ai soixante et un ans. Des jaseurs
Picorent des baies. Une cigale chante.

Les petits ciseaux que je tiens sont
Une synthèse éblouissante de soleil et d'étoile.
Debout à la fenêtre, je me coupe
Les ongles et suis vaguement conscient

De certaines ressemblances fugitives : le pouce,
Le fils de notre épicier ; l'index, Starover Blue,
Le maigre et morne astronome du collège ;
Le médius, un prêtre de haute taille que je connaissais ;
Le féminin annulaire, une vieille coquette ;
Et l'auriculaire, un bébé cramponné à sa jupe.
Et je grimace tout en coupant les fines
Peaux de ce que tante Maud appelait « épiderme » ;

Maud Shade avait quatre-vingts ans quand un brusque silence
S'abattit sur sa vie. Nous vîmes la rougeur furieuse
Et la torsion de la paralysie assaillir
Sa noble joue. Nous la transportâmes à Pinedale,
Célèbre pour son sanatorium. Elle restait là, assise
Au soleil vitré et regardait la mouche se poser
Sur sa robe et puis sur son poignet
Son esprit, peu à peu, faiblissait dans une brume croissante
Elle pouvait encore parler. Elle s'arrêtait, tâtonnait et trouvait
Ce qui semblait d'abord un son utilisable,
Mais, de cellules adjacentes, des imposteurs prenaient
La place des mots dont elle avait besoin, et son regard
Épelait la supplication tandis qu'elle essayait en vain
De raisonner avec les monstres de son cerveau.

Quel moment dans la désintégration graduelle
La résurrection choisit-elle ? Quelle année ? Quel jour ?
Qui tient le chronomètre ? Qui rebobine le ruban ?
En est-il de moins fortunés, ou est-ce que tout le monde échappe ?
Syllogisme : *D'autres hommes meurent ; mais, moi,*
Je ne suis pas un autre ; donc je ne mourrai pas.
L'espace est un essaim dans l'œil ; et le temps,
Un tintement d'oreilles. Dans cette ruche
Je me trouve enfermé. Néanmoins, si, avant de vivre,
Nous avions pu imaginer la vie, combien folle

Impossible et indiciblement étrange elle nous
Fût apparue dans sa merveilleuse ineptie !

Aussi pourquoi nous joindre au rire du vulgaire ? Pourquoi
Mépriser une survie que nul ne peut vérifier :
Les délices du Turc, les lyres futures, les entretiens
Avec Socrate et Proust dans les allées que bordent les cyprès,
Le séraphin aux six ailes de flamant,
Et les enfers hollandais pleins de porcs-épics et de choses ?
Non pas que nous rêvions un rêve trop fantastique :
Notre tort est de ne pas le faire paraître
Assez invraisemblable ; car le mieux
Que nous puissions imaginer est un fantôme domestique.

Combien absurde de s'efforcer ainsi de traduire
Dans sa langue personnelle une destinée publique !
Au lieu d'un poème divinement concis
Des notes disjointes, de méchants vers d'Insomnie

La vie est un message griffonné dans le noir
Anonyme.
                Surpris sur l'écorce d'un pin,
Comme nous rentrions le jour de sa mort,
Un étui émeraude vide, tassé, yeux saillants de grenouille,
Qui embrassait le tronc ; et, lui faisant pendant,
Une fourmi engluée de résine.
                                        Cet Anglais, à Nice,
Fier et heureux linguiste : *je nourris*
Les pauvres cigales — voulant dire qu'il
Nourrissait les pauvres « sea gulls » !
                                        La Fontaine avait tort :
La mandibule est morte, mais le chant est vivant.

Ainsi, je me coupe les ongles, et je rêve, et
Au-dessus de moi, j'entends tes pas, et tout va bien, ma chère.

Sybil, tant que nous fûmes à l'école, je savais
Que tu étais charmante, mais je ne m'épris de toi
Que lors d'une excursion de la classe des grands
A New Wye Falls. Nous déjeunâmes sur l'herbe humide.
Notre professeur de géologie discuta
La cataracte. Son grondement et sa poudre irisée
Donnaient au parc terne un air romantique. Je m'étendis
Dans la brume d'avril juste derrière
Ta gracile épaule et regardai ta petite tête bien coiffée
S'incliner d'un côté. Une paume, les doigts écartés,
Entre une étoile de trillium et une pierre,
S'appuyait sur la terre. Nerveux, un petit os de phalange
Frémissait. Puis tu te retournas et m'offris
Un doigt de thé brillant et métallique.

Ton profil n'a pas changé. Les dents éblouissantes
Mordant la lèvre attentive ; l'ombre des longs cils
Sous l'œil ; le duvet de pêche
Au bord de la pommette ; la soie brun foncé
Des cheveux relevés par la brosse au-dessus des tempes et de la nuque ;
Le cou très nu ; la forme persane
Du nez et des sourcils, tout cela tu l'as conservé —
Et, dans les nuits silencieuses, nous entendons la cascade.

Viens que je t'adore ; viens que je te caresse,
Ma sombre Vanesse aux zébrures carminées, mon
Papillon admirable et béni ! Explique-moi comment
Dans les ombres crépusculaires de Lilac Lane

Tu as pu laisser ce balourd, cet hystérique John Shade
Humidifier ton visage, ton oreille, ton épaule ?

Il y a quarante ans que nous sommes mariés. Ton oreiller,
Quatre mille fois au moins fut froissé
Par nos deux têtes. Quatre cent mille fois
La grande horloge au rauque carillon de Westminster
A sonné notre heure commune. Combien de fois
Les calendriers-réclames orneront-ils encore la porte de la cuisine ?

Je t'aime lorsque, debout sur la pelouse,
Tu regardes quelque chose dans un arbre. « Il s'en est allé.
Il était si petit. Il reviendra peut-être » (tout cela
Dit dans un murmure plus doux qu'un baiser).
Je t'aime quand tu m'appelles pour admirer
Le sillage rose d'un avion au-dessus des feux du couchant.
Je t'aime quand tu fredonnes pendant que tu fais
Une valise ou le sac d'auto ridicule
Avec sa fermeture Eclair aller et retour. Et je t'aime surtout
Quand, d'un signe de tête pensif, tu salues son fantôme,
Et tiens son premier joujou dans ta main ; ou quand tu regardes,
Retrouvée dans un livre, une carte postale qu'elle t'avait envoyée.

Elle eût pu être toi, moi, ou quelque mélange curieux :
Nature m'a choisi pour tordre et déchirer
Ton cœur avec le mien. Au début, nous disions, souriant :
« Toutes les fillettes sont dodues », ou : « Jim McVey
(L'oculiste de la famille) corrigera ce léger strabisme
En un rien de temps. » Et plus tard : « Elle ne sera

Pas mal ; tu verras » ; et, dans l'espoir d'apaiser
Le tourment grandissant : « C'est l'âge ingrat. »
« Elle devrait apprendre à monter à cheval », disais-tu
(Évitant que nos regards se croisent). « Elle devrait jouer
Au tennis, au badminton. Moins de féculents, davantage de fruits.
Ce n'est peut-être pas une beauté, mais elle est mignonne. »

C'était en vain, en vain. Les prix remportés
En français, en histoire, c'était très amusant, sans doute ;
Aux fêtes de Noël, les jeux étaient violents sans doute
Une petite invitée timide pouvait bien être laissée de côté ;
Mais, soyons juste : tandis que les enfants de son âge
Jouaient des rôles d'elfes et de fées sur la scène
Qu'elle-même avait aidé à peindre pour la pantomime de l'école,
Ma douce petite fille personnifiait la Mère Temps,
Déguisée en femme de ménage, voûtée, avec un seau et un balai,
Et, comme un imbécile, j'allais pleurer dans les toilettes des hommes.

Un autre hiver disparut, raclé par les chasse-neige.
Le Toothwort White hanta nos bois en mai
L'été fut la proie des tondeuses, et l'automne fut brûlé.
Hélas, jamais le vilain petit cygne ne devint
Un canard carolin. Et de nouveau ta voix :
« Mais, c'est un préjugé ! Tu devrais te réjouir
Qu'elle soit innocente. Pourquoi donner tant d'importance
Au physique ? Elle tient à avoir l'air minable.
Des vierges ont écrit des livres resplendissants.
L'amour n'est pas tout. La beauté

N'est pas indispensable ! » Et, cependant,
Le vieux Pan continuait ses appels de chaque colline peinte,
Et les démons de notre pitié ne cessaient de parler :
Nulle lèvre ne partageait le rouge de ses cigarettes ;
Le téléphone qui, avant le bal, sonnait
Toutes les cinq minutes à Sorosa Hall
Jamais ne sonnait pour elle ; et dans un grand
Crissement de pneus sur le gravier, à la grille,
Surgi de la nuit laquée, jamais un amoureux à foulard blanc
Ne venait la chercher. Jamais, rêve de gaze et de jasmin,
Elle n'irait danser à ce bal.
Pourtant, nous l'envoyâmes dans un château, en France.

Elle en revint en larmes, avec de nouvelles défaites,
De nouvelles misères. Les jours où toutes les rues
De College Town conduisaient au match, elle s'asseyait
Sur le perron de la bibliothèque et elle lisait ou tricotait.
Le plus souvent elle était seule ou avec cette gentille
Et frêle camarade, entrée depuis en religion, et, une ou deux fois,
Avec un jeune Coréen qui suivait mon cours.
Elle avait d'étranges frayeurs, d'étranges fantaisies, une étrange
Force de caractère — comme lorsqu'elle passa trois nuits
A étudier certains sons, certaines lumières
Dans une vieille grange. Elle invertissait les mots : port, trop,
Toile, Eliot. Et rosse devenait essor.
Elle t'appelait un criquet didactique.
Elle souriait rarement et, quand elle le faisait,
C'était indice de souffrance. Elle critiquait
Férocement nos projets, et, les yeux morts,

Elle restait assise sur son lit en désordre
Étalant ses pieds enflés, se grattant la tête
De ses ongles atteints de psoriasis, et plaintivement
Elle murmurait des mots terribles d'une voix blanche.

C'était ma chérie : difficile, morose —
Mais ma chérie quand même. Tu te rappelles
Ces soirées d'un calme presque absolu quand nous jouions
Au ma-jong ou quand elle essayait tes fourrures qui la rendaient
Presque attrayante : et les miroirs souriaient,
Les lumières étaient charitables et les ombres légères.
Parfois je l'aidais à comprendre quelque texte latin,
Ou bien elle lisait dans sa chambre près
De mon repaire fluorescent, et toi, tu étais
Dans ton propre bureau, doublement séparée de moi,
Et, de temps à autre, j'entendais vos deux voix :
« Maman, qu'est-ce que c'est *grimpen ?* » « Qu'est-ce que c'est quoi ? »
« *Grim pen ?* »

Pause, et ta glose prudente. Puis, de nouveau :
« Maman, qu'est-ce que c'est *chtonien ?* » Cela encore tu l'expliquais,
Ajoutant : « Aimerais-tu une mandarine ? »
« Non. Oui. Et qu'est-ce que ça veut dire : *sempiternel ?* »
Tu hésitais. Alors, de ma table, tonitruant, je rugissais
La réponse, à travers la porte close.

Peu importait ce qu'elle lisait
(Quelque poème moderne farfelu que l'on disait,
Dans le cours de littérature anglaise, être un document
« Engagé et prenant » — Que signifiait cela ?
Personne ne s'en inquiétait) ; Le fait est que les trois
Chambres, unies *alors* par toi et elle et moi,

Forment *à présent* un triptyque, ou une pièce en trois actes,
Où des événements dépeints resteront à jamais.

Je crois qu'elle a toujours nourri un faible et fol espoir.

Je venais juste de finir mon ouvrage sur Pope.
Un jour, Jane Dean, ma dactylo, lui offrit
De rencontrer Pete Dean, un cousin. Le fiancé de Jane
Les conduirait tous trois dans sa nouvelle auto
A un bar hawaiien, à une vingtaine de milles.
Ils allèrent chercher le jeune homme à
Huit heures et quart à New Wye. Les routes étaient verglacées.
Ils finirent par trouver l'endroit — quand soudain Pete Dean,
Portant ses mains au front, s'écria qu'il avait oublié
Totalement un rendez-vous avec un copain
Que guettait la prison si lui, Pete, n'arrivait pas,
Et cætera. Elle dit qu'elle comprenait.
Après qu'il fut parti, les trois jeunes gens restèrent
Debout quelques instants devant l'entrée d'azur.
Des flaques étaient barrées de néon ; et, avec un sourire,
Elle dit qu'elle se sentait de trop, qu'elle aimerait bien mieux
Rentrer tout simplement chez elle. Ses amis l'accompagnèrent
Jusqu'à l'arrêt de l'autobus et la quittèrent. Mais elle, au lieu
De regagner sa maison descendit à Lochanhead.

Tu examinas ton poignet : « Il est huit heures et quart ;
(Et ici le temps bifurqua) Je vais l'ouvrir. » L'écran
Dans sa blancheur liquide, fit naître un semblant de vie floue
Et la musique surgit.

Il ne lui jeta qu'un coup d'œil,
Puis foudroya du regard Jane, la bien intentionnée ;

Une main d'homme traça de la Floride au Maine
Les flèches incurvées des guerres éoliennes.
Tu me dis que, plus tard, un quatuor de fâcheux,
Deux écrivains et deux critiques, discuteraient
La Cause de la Poésie sur la chaîne huit.
Une nymphe arriva, pirouettant, sous des blancheurs
De pétales tournoyants, dans un rite printanier,
Et vint s'agenouiller devant un autel, dans un bois
Où se trouvaient divers articles de toilette.
Je montai au premier et lus un placard d'épreuves,
Et j'entendis le vent faire rouler des billes sur le toit.
« *Voyez le mendiant aveugle danser, et l'estropié chanter* »
A indubitablement le son vulgaire
De son âge absurde. Puis ton appel,
Mon tendre oiseau-moqueur, monta du vestibule.
Je vins à temps pour saisir au passage une brève renommée
Et pour prendre avec toi une tasse de thé : mon nom
Fut mentionné deux fois, comme d'habitude juste derrière (un seul pas visqueux) Frost.
« *Vraiment ça ne vous ennuie pas ?*
Je prendrai l'avion d'Exton, parce que, vous savez,
Si je n'arrive pas avant minuit avec le fric... »

Puis il y eut une espèce de film de voyage :
Un présentateur nous emmena, à travers le brouillard
D'une nuit de mars où des phares approchant de très loin
Grossissaient comme se dilateraient des étoiles
Jusqu'à cette mer verte, indigo, fauve
Que nous avions été voir en trente-trois,
Neuf mois avant qu'elle ne vînt au monde. Maintenant, tout
Était poivre et sel et rappelait à peine

Cette première et longue randonnée, la lumière cruelle,
La troupe de voiles (une bleue parmi les blanches
Jurait étrangement avec la mer, et deux étaient rouges)
L'homme au vieux « blazer », émiettant du pain,
La foule des mouettes intolérablement bruyantes,
Et un pigeon sombre se dandinant parmi la foule.
  Était-ce le téléphone ? » Tu as écouté à la porte.
Rien. Tu as ramassé le programme par terre.
Encore des phares dans le brouillard. Inutile
D'essuyer les vitres : Seuls une clôture blanche
Et les poteaux réverbérants passaient sans masques.

« Sommes-nous sûrs que sa conduite est sage ? demandas-tu.
Techniquement c'est, sans aucun doute, un rendez-vous avec un inconnu.
Bon ; si on essayait les séquences de *Remorse ?* »
Et nous permîmes, en toute tranquillité,
Au célèbre film de déployer sa marquise enchantée ;
Le célèbre visage entra gracieusement, beau et niais :
Les lèvres entrouvertes, les yeux mouillés, le grain
De beauté sur la joue, étrange gallicisme,
Et la douce forme se dissolvant dans le prisme
D'un désir collectif.
                                   « *Je crois, dit-elle,*
« *Que je vais descendre ici.* » « *Mais, nous ne sommes qu'à Lochanhead.* »
« *Oui, ça ne fait rien.* » *Cramponnée à la barre, elle regarda*
Les arbres spectraux. L'autobus s'arrêta, l'autobus disparut.

Tonnerre au-dessus de la jungle. « Non, pas ça ! »
Pat Pink, notre hôte (causerie antiatomique).
Onze heures sonnèrent. Tu soupiras. « J'ai bien peur
Qu'il n'y ait plus rien d'intéressant. » Tu jouas
A la roulette des chaînes : le cadran tournait et trk'ait.

Les réclames furent décapitées. Les visages passaient en éclairs.
Une bouche ouverte au milieu d'un chant fut effacée.
Un imbécile à petits favoris s'apprêtait à employer
Son pistolet, mais tu fus bien trop prompte.
Un nègre jovial leva sa trompette. Trk.
Ta bague de rubis donnait la vie, faisait la loi.
Oh, arrête ça ! Et, au moment où se coupait la vie, nous aperçûmes
Une pointe d'épingle lumineuse diminuer et mourir
Dans le noir infini.

De sa cabane au bord du lac
Un gardien, le Père Temps, tout gris et tout courbé,
Sortit avec son chien inquiet et longea
La rive cachée sous les roseaux. Il arriva trop tard.

Tu bâillas discrètement et rangeas ton assiette.
Nous entendions le vent. Nous l'entendions foncer, jeter
Des branchettes contre les vitres de la fenêtre. Est-ce le téléphone ? Non.
Je t'aidai à faire la vaisselle. La grande horloge
Continuait à démolir jeunes racines et vieux rocs.

« Minuit », dis-tu. Qu'est minuit pour les jeunes ?
Et soudain une lueur de fête balaya
Cinq troncs d'arbres, des plaques de neige apparurent,
Et une voiture de police, sur notre route cahoteuse,
Stoppa dans un grand bruit d'écrasement. Reprise, reprise !
D'aucuns pensèrent qu'elle avait essayé de traverser le lac
A Lochan Neck où de vaillants patineurs traversaient
De Exe à Wye les jours particulièrement froids.
D'autres supposèrent qu'elle s'était égarée
En tournant à gauche de Bridgeroad ; et d'autres disent

Qu'elle mit un terme à sa pauvre jeune existence. Je sais. Tu sais.

C'était nuit de dégel, une nuit de grand vent,
De grande agitation dans l'air. Le printemps noir
Était à notre porte, grelottant
Dans l'humide lueur des étoiles sur la terre humide
Le lac gisait dans le brouillard, sa glace à demi noyée.
Une forme indistincte sortit des roseaux de la rive
S'avança dans un vorace et crépitant marais et s'enfonça.

CHANT TROIS

L'if, arbre sans vie ! Ton grand Peut-être, Rabelais :
La grande patate.
I.P.H., un très laïque
Institut (I) de Préparation (P)
A l'Hadès (H), ou If, comme nous
L'appelions — grand si ! — m'invita à discourir sur la mort
Pendant un semestre (« pour traiter du Ver »,
M'écrivit le Président McAber).
Toi et moi,
Et elle, toute petite fille à l'époque, quittâmes New Wye
Pour Yewshade, dans un autre État, plus élevé.
J'aime les hautes montagnes. De la grille d'entrée
De la maison délabrée que nous louâmes
On apercevait une masse neigeuse, si lointaine, si belle
Que l'on pouvait seulement pousser un soupir, comme
Pour faciliter l'assimilation.
Iph
Était un nid de larves et une violette :
Une fosse dans le printemps hâtif de la Raison. Et pourtant,
Il y manquait l'essentiel ; il y manquait
Ce qui intéresse au plus haut point le prétériste ;
Car on meurt chaque jour ; l'oubli s'engraisse
Non de fémurs desséchés mais de vies pleines de sève,

Et nos meilleurs antans sont maintenant de fétides amas
De noms en vrac, de numéros de téléphone et de fiches maculées.
Je suis prêt à devenir une fleurette
Ou une grosse mouche, mais à oublier, jamais.
Et je rejetterai l'éternité à moins que la
Mélancolie et la tendresse
De mortelle vie ; la passion et la souffrance ;
Le feu rubis de cet avion qui disparaît
Au large de Vesper ; ton geste consterné
D'avoir épuisé tes cigarettes ; la façon
Dont tu souris aux chiens ; le sillage de bave argentée
Que laissent les limaces sur les dalles ; cette bonne encre, cette rime,
Cette fiche, ce mince élastique
Qui retombe toujours en forme de perluète,
Soient à la portée de ceux qui viennent de mourir,
Amassés dans les coffres-forts célestes à travers les âges.
Cependant,
L'Institut estimait qu'il serait peut-être sage
De ne pas trop attendre du Paradis :
Que faire s'il n'y a personne pour dire bonjour
Au nouvel arrivant, pas de réception, pas
D'endoctrinement ? Que faire si vous êtes précipité
Dans un abîme sans fin, désorienté,
L'esprit mis à nu et complètement seul,
Votre tâche inachevée, votre désespoir inconnu,
Votre corps commençant à peine à se putréfier,
Indévêtissable en tenue de ville,
Votre veuve prostrée sur une couche incertaine,
Elle-même une tache dans le vague de votre esprit !
Tout en remettant les dieux à leur place, y compris le grand D,
Iph empruntait quelques périphériques débris
Aux visions mystiques ; et il vous donnait des tuyaux
(Verres fumés pour l'éclipse de la vie) —

Pour ne pas perdre la tête quand vous êtes changé en spectre :
S'avancer de biais, choisir une courbe dans le vide,
Et se laisser descendre, rencontrer des corps solides et les
Traverser d'une glissade, ou laisser une personne circuler en vous.
Comment reconnaître dans les ténèbres, avec un sursaut,
Terra la Belle, une bille de jaspe.
Comment demeurer sain d'esprit dans des types d'espace en spirale.
Les précautions à prendre dans l'éventualité
D'une réincarnation fantaisiste : que faire
En découvrant soudain que vous êtes devenu
Un jeune et vulnérable crapaud au beau
Milieu d'une route très passante,
Ou un ourson sous un pin embrasé,
Ou une mite dans l'ouvrage d'un ecclésiastique revenu à la mode.
Le temps signifie succession, et la succession, changement :
L'éternité doit donc inévitablement déranger
Les horaires du sentiment. Nous donnons des conseils
Au veuf. Il a été marié deux fois :
Il revoit ses épouses : toutes deux aimées, aimantes
Et jalouses l'une de l'autre. Le temps signifie croissance
Et la croissance ne signifie rien dans la vie élyséenne.
Caressant un enfant immuable, l'épouse aux cheveux de lin
Se désole au bord d'un étang remémoré
Plein d'un ciel rêveur. Et blonde aussi,
Mais avec une lueur rousse dans la teinte,
Ses mains enlaçant ses genoux, les pieds sur une
Balustrade de pierre, l'autre est assise et regarde d'un œil
Mouillé l'impénétrable et légère brume bleue.

Comment procéder ? Laquelle embrasser la première ? Quel jouet
Donner à l'enfant ? Ce petit garçon solennel sait-il
Qu'une collision, par une sauvage nuit de mars,
Tua et la mère et l'enfant ?
Et elle, le second amour, pieds nus dans ses chaussons
De ballerine noirs, pourquoi porte-t-elle
Des pendants d'oreilles provenant de la boîte à bijoux de l'autre ?
Et pourquoi détourne-t-elle son jeune et farouche visage ?

Car, comme nous l'apprennent les rêves, il est si difficile
De parler à nos chers défunts ! Ils font peu de cas
De notre appréhension, de nos scrupules et de notre honte —
Le terrible sentiment qu'ils ne sont pas tout à fait semblables.
Et notre camarade d'école tué dans une guerre lointaine
N'est pas surpris de nous voir à sa porte,
Et avec un mélange de désinvolture et de mélancolie
Il montre du doigt les flaques dans sa chambre de sous-sol.
Mais qui peut enseigner les pensées dont nous devrions faire l'appel
Quand l'aube nous découvre, marchant au mur
Sous la direction de quelque crétin
Politique, quelque babouin en uniforme ?
Nous penserons à des choses connues de nous seuls —
Des empires de rime, des Indes de calcul ;
Écouter de lointains coqs chanter, et discerner
Sur le rugueux mur gris un rare polypode ;
Et pendant que nos mains royales sont liées,
Accabler nos inférieurs de sarcasmes, ridiculiser gaiement

Les imbéciles dévoués à la cause, et leur cracher
Dans les yeux, histoire de se distraire.

On ne peut aider l'exilé non plus, le vieillard
Mourant dans un motel, avec le ventilateur bruyant
Qui tourne dans la nuit torride de la savane,
Et, de l'extérieur, un peu de lumière colorée
Atteint son lit comme de sombres mains venues du passé
Offrant des pierres précieuses ; et la mort vient vite.
Il suffoque et conjure en deux langues
Les nébuleuses qui se dilatent dans ses poumons.

Une violente douleur, une déchirure — c'est tout ce qu'on peut prévoir.
Peut-être découvre-t-on *le grand néant ;* peut-être encore
Du germe du tubercule s'élève-t-on en spirale.
Comme tu l'as remarqué la dernière fois que nous sommes
Passés devant l'Institut : « Je ne saurais vraiment dire
Quelle est la différence entre cet endroit et l'Enfer. »

Nous entendîmes des partisans de l'incinération s'esclaffer
Et s'ébrouer quand Graberman accusa le Four
De porter préjudice à la naissance des spectres.
Nous évitions tous de critiquer les croyances.
Le grand Starover Blue examina le rôle que les planètes
Avaient joué comme points de chute de l'âme.

Le destin des bêtes fut étudié. Un Chinois
S'étendit sur l'étiquette des thés
Avec les ancêtres, et jusqu'où remonter.
Je réduisis à néant les fantaisies de Poe,
Et je traitai de souvenirs de mon enfance, d'étranges
Lueurs nacrées hors de la portée des adultes.

Parmi nos auditeurs se trouvaient un jeune prêtre
Et un vieux communiste. Iph pouvait au moins
Rivaliser avec les Églises et la ligne du parti.

Au cours des années suivantes, il commença à décliner :
Le bouddhisme s'implanta. Un médium introduisit en fraude
De pâles gelées et une mandoline flottante.
Fra Karamazov se glissa dans quelques classes
Marmottant son inepte *Tout est permis ;*
Et pour répondre à la nostalgie des eaux-mères
Une école de freudiens descendit au tombeau.

En un sens, cette aventure insipide m'aida.
J'appris ce qu'il fallait négliger dans mon étude
De l'abîme de la mort. Et quand nous perdîmes notre enfant,
Je savais qu'il n'y aurait rien : aucun soi-disant
Esprit ne frapperait sur un clavier de bois sec
Pour épeler son nom ; nul fantôme ne s'élèverait
Gracieusement pour nous accueillir, toi et moi,
Dans le jardin obscur, près du hickory.

« Quel est cet étrange grincement... entends-tu ?
— C'est le volet de l'escalier, ma chérie. »

« Si tu ne dors pas, faisons de la lumière.
J'ai horreur de ce vent ! Jouons un peu aux échecs. —
D'accord. »

« Je suis sûre que ce n'est pas le volet. Tiens... encore.
— C'est la vrille d'une plante frappant contre la vitre. »

« Qu'est-ce qui a glissé sur le toit avec ce bruit sourd ?
— C'est le vieil hiver qui roule dans la boue. »

« Et maintenant, que vais-je faire ? Mon cavalier est cloué. »

Qui erre si tard dans la nuit et le vent ?
C'est la douleur de l'écrivain. C'est le sauvage
Vent de mars. C'est le père avec son enfant.

Puis vinrent des minutes, des heures, des jours entiers enfin
Où elle serait absente de nos pensées, tellement
La vie, la chenille poilue, courait vite.
Nous allâmes en Italie. Étendus au soleil
Sur une plage blanche avec d'autres Américains
Roses ou bruns. Nous revînmes à notre petite ville en avion
J'appris que ma série d'essais *L'Hippocampe*
Indompté était « universellement acclamée »
(Il s'en vendit trois cents exemplaires en un an).
Puis, la rentrée scolaire, et sur les flancs des collines
Sillonnés de routes lointaines, on voyait le flot continu
Des phares de voitures retournant toutes au rêve
De l'éducation universitaire. Tu continuas à
Traduire Marvell et Donne en français.
Ce fut une année de tempêtes : le Cyclone
Lolita souffla de la Floride au Maine.
Mars rutila. Des chahs se marièrent. De sombres Russes
Espionnèrent. Lang fit ton portrait. Et un soir, je mourus.

Le Crashaw Club m'avait payé pour expliquer
Pourquoi la Poésie a du Sens pour Nous.
Je prononçai mon sermon, qui fut ennuyeux mais bref.
Comme je me hâtais de partir, pour éviter
La prétendue « période de questions » à la fin,
Un de ces individus atrabilaires qui vont à de telles causeries

Simplement pour dire qu'ils ne sont pas d'accord
Se leva et pointa sa pipe dans ma direction.

Et la chose se produisit — l'attaque, la transe,
Ou une de mes anciennes crises. Il se trouva par chance
Qu'un médecin était assis dans la première rangée. A ses pieds
Je tombai avec à-propos. Mon cœur avait cessé de battre,
Semble-t-il, et plusieurs moments s'écoulèrent avant
Qu'il ne palpite et s'achemine péniblement vers une
Destination plus concluante. Prêtez-moi maintenant
Toute votre attention.
Je ne puis vous dire comment
Je le savais — mais je savais que j'avais traversé
La frontière. Tout ce que j'aimais était perdu
Mais nulle sorte ne pouvait signaler le moindre regret.
Un soleil de caoutchouc convulsé se coucha ;
Et le néant noir sang commença à tisser
Un système de cellules enchaînées à l'intérieur
De cellules enchaînées à l'intérieur de cellules enchaînées
A l'intérieur d'un unique stémon. Et affreusement distincte
Sur le noir, une grande fontaine blanche jouait.

Je me rendis compte, bien sûr, qu'elle n'était pas faite
De nos atomes ; que le sens derrière la scène
N'était pas notre sens. Dans la vie, l'esprit
De tout homme est prompt à reconnaître
Les illusions de la nature, et alors, devant ses yeux,
Le roseau devient un oiseau, la brindille noueuse
Une chenille géomètre, et la tête du cobra, une grosse
Phalène méchamment repliée. Mais pour ce qui était de
Ma fontaine blanche, ce qu'elle remplaçait
Perceptuellement était quelque chose qui, je le sentais,
Ne pouvait être compris que par celui qui résidait

Dans le monde étrange où je n'étais qu'un simple animal égaré.

Et bientôt, je la vis se dissoudre :
Bien qu'encore inconscient, j'étais de retour sur la terre.
L'histoire que je racontai provoqua l'hilarité de mon médecin.
Il ne croyait pas que dans l'état
Où il m'avait trouvé, « l'on puisse avoir des hallucinations
Ou rêver de quelque façon. Plus tard, peut-être,
Mais pas durant l'affaissement véritable.
Non, Mr. Shade ».
Mais, Docteur, j'étais mort !
Il sourit. « Pas tout à fait : juste la moitié d'une ombre », dit-il.

Cependant, j'hésitais. Je continuais à revoir
Mentalement toute la scène. Je redescendais
De la tribune, et je me sentais étrange et brûlant,
Et je voyais ce type se lever, et je m'écroulais, non pas
Parce qu'un questionneur pointait avec sa pipe,
Mais probablement parce que le temps était mûr
Pour ce sursaut précis et cette défaillance de la part
D'un ballon dégonflé, un vieux cœur instable.

Ma vision suait la vérité. Elle avait le bon,
La quiddité et la singularité de sa propre
Réalité. Elle *était*. A mesure que les jours s'écoulaient,
Sa verticale constante brillait triomphalement.
Souvent, troublé par l'éclat extérieur de la
Rue et de son agitation, je retournais en moi-même, et
Elle se trouvait là, là, dans l'arrière-plan de mon âme,
Le « vieux geyser fidèle » ! Et sa présence me consolait toujours
Merveilleusement. Puis, un jour, je tombai sur
Ce qui semblait être une manifestation identique.

C'était un article dans un magazine
A propos d'une Mrs. Z. dont le cœur
Avait été ranimé par la main preste d'un chirurgien.
Elle parlait à son interviewer de « La Terre
Au-delà du Voile » et le récit contenait
Une allusion aux anges, et un reflet de vitraux,
Et un peu de musique douce, et un choix
De cantiques, et la voix de sa mère;
Mais à la fin, elle mentionnait un paysage
Lointain, un verger brumeux — et je cite :
« Au-delà de ce verger, à travers une sorte de fumée,
J'aperçus une grande fontaine blanche — et je m'éveillai. »

Si, sur quelque île innommée, le Capitaine Schmidt
Voit un animal inconnu et le capture,
Et si, un peu plus tard, le Capitaine Smith
Ramène une peau, cette île cesse d'être un mythe.
Notre fontaine était un poteau indicateur et un repère
Objectivement durable dans les ténèbres,
Solide comme un os, substantiel comme une dent,
Et presque vulgaire dans sa robuste vérité!

L'article était signé Jim Coates. A Jim
Sur-le-champ j'écrivis. Il me donna l'adresse de Mrs. Z.
Je fis en voiture trois cents milles à l'ouest pour lui parler.
J'arrivai. Je fus accueilli par un ronronnement passionné.
Je vis ces cheveux bleus, ces mains tavelées,
Cet air d'orchidée extasiée — et je sus que j'étais pris au piège.
« Qui raterait l'occasion de rencontrer
Un si éminent poète ? » C'était gentil de ma
Part d'être venu! J'essayai désespérément de
Poser mes questions. Elles furent écartées.
« Une autre fois peut-être. » Le journaliste

Avait encore ses gribouillages. Je ne devrais pas insister.
Elle me bourra de gâteaux aux fruits, tournant la chose
En une stupide visite de politesse
« Je ne puis croire, disait-elle, que c'est *vous !*
J'ai adoré votre poème dans la *Blue Review*
Celui sur le mont Blanc. J'ai une nièce qui a
Escaladé le Cervin. Je n'ai pu comprendre
L'autre morceau. Je veux dire le sens.
Car bien sûr, la sonorité. — Mais je suis tellement bête ! »

Elle l'était. J'aurais pu persévérer. J'aurais pu
La forcer à m'en dire plus long sur la fontaine
Blanche que nous avions tous deux aperçue « au-delà du voile »,
Mais si (je me disais) je mentionnais ce détail
Elle bondirait dessus comme sur une douce
Affinité, un lien sacramentel,
Nous unissant, elle et moi, mystiquement,
Et en un rien de temps, nos deux âmes seraient
Comme frère et sœur frémissant au bord
D'un tendre inceste. « Bien, dis-je, je crois
Qu'il se fait tard... »
Je rendis également visite à Coates.
Il craignait d'avoir égaré ses notes.
Il sortit son article d'un fichier en fer :
« C'est très fidèle. Je n'ai pas changé son style.
Il y a une faute d'impression — sans importance :
Montagne, pas *fontaine.* La touche majestueuse. »

Vie éternelle — fondée sur une faute d'impression !
En revenant à la maison, je réfléchis : accepter la suggestion
Et cesser de sonder mon abîme ?
Mais soudain, il m'apparut que c'était *là*
La véritable question, le thème en contrepoint ;
Rien que ça : pas le texte, mais la texture ; pas le rêve

Mais la coïncidence renversée,
Pas l'absurdité creuse, mais un tissu de sens.
Oui ! Il suffisait que je puisse trouver dans la vie
Quelque lien dédalien, une sorte
De structure concordante à l'intérieur du jeu,
Un art plexiforme, et quelque chose du même
Plaisir que ceux qui jouaient y trouvaient.
Il importait peu de savoir qui ils étaient. Aucun bruit,
Aucune lumière furtive ne parvenaient de leur demeure
Involutée, mais ils étaient là, à l'écart et silencieux,
Jouant un jeu de mondes, transformant des pions
En unicornes d'ivoire et en faunes d'ébène ;
Entretenant ici une longue vie, en éteignant
Une brève là-bas ; tuant un roi des Balkans ;
Faisant tomber du ciel un grand morceau de glace
Formé sur un avion volant à haute altitude
Et occasionnant la mort d'un fermier ; cachant mes clés,
Mes verres ou ma pipe. Coordonnant ces événements
Et ces objets avec de lointains événements et des
Objets disparus. Faisant des ornements
Avec des accidents et des possibilités.

J'entrai à la maison sans ôter ma pelisse : Sybil, c'est
Ma ferme conviction — « Chéri, ferme la porte.
Un bon voyage ? » Splendide — mais mieux encore,
Je suis revenu convaincu que je puis avancer à tâtons
Vers quelque — vers quelque — « Oui, chéri ? » Vague espoir.

CHANT QUATRE

Il me faut maintenant épier la beauté comme jusqu'alors
Personne ne l'a épiée. Il me faut maintenant crier
Comme personne n'a crié. Il me faut maintenant tenter ce que personne
N'a tenté. Il me faut maintenant faire ce que personne n'a fait.
Et, pour parler de cette merveilleuse machine :
Je suis intrigué par la différence entre
Deux modes de composition : A, le mode
Qui ne se passe que dans le cerveau du poète,
Un essai des tours que peuvent exécuter les mots tandis
Qu'il se savonne pour la troisième fois une jambe, et B,
L'autre mode, bien plus digne, quand
Il se trouve dans son bureau, écrivant avec une plume.

Dans le mode B, la main soutient la pensée,
La bataille abstraite se livre concrètement.
La plume s'arrête en l'air, puis s'abat pour rayer
Un coucher de soleil, ou bien restaurer une étoile,
Et elle guide ainsi physiquement la phrase
Vers une pâle lueur diurne à travers un labyrinthe d'encre.

Mais le mode A est une torture ! Le cerveau
Est bientôt serré dans un casque de douleur.
Une nurse en bleu de travail dirige le vilebrequin
Qui taraude et que nul effort de volonté
Ne peut interrompre, tandis que l'automate
Enlève ce qu'il vient à peine de mettre
Ou va, d'un pas alerte, jusqu'à la boutique du coin
Acheter le journal qu'il a déjà lu.

Pourquoi en est-il ainsi ? Peut-être est-ce parce que,
Dans le travail sans plume, il n'y a pas de pause de plume
Et il faut se servir de trois mains à la fois,
Ayant à choisir la rime nécessaire,
Tenir sous les yeux le vers complété
Et garder à l'esprit les essais précédents ?
Ou bien l'opération est-elle plus profonde sans un bureau
Pour appuyer le faux, hisser le poétique ?
Car il y a ces mystérieux moments où
Trop las pour effacer, je laisse tomber ma plume ;
Je déambule — et, à quelque ordre muet,
Le mot juste gazouille et vient se percher sur ma main.

Mon meilleur moment est le matin ; ma saison
Préférée, le milieu de l'été. Une fois, je m'entendis
Me réveiller, tandis qu'une moitié de moi-même
Dormait encore au lit. Je libérai violemment mon esprit
Et me rattrapai — sur la pelouse
Où les feuilles de trèfle recueillaient dans leur coupe les topazes de l'aube
Et où se tenait Shade, debout, en chemise de nuit et chaussé d'un soulier.
Puis je compris que cette moitié-là aussi
Dormait profondément ; elles rirent toutes deux et je me réveillai

En sécurité dans mon lit au moment où le jour brisait sa coquille,
Et les merles migrateurs marchaient, s'arrêtaient et, sur l'humide
Gazon emperlé, un soulier brun reposait. Mon timbre secret,
L'empreinte de Shade, le mystère inné.
Mirages, miracles, matin de mi-été.

Comme mon biographe est peut-être trop grave
Ou n'en sait pas assez pour pouvoir affirmer que Shade
Se rasait dans son bain, voici :
« Il avait arrangé une sorte
De système avec charnière et vis, un support d'acier
Traversant la baignoire pour maintenir en place
Le miroir à raser droit en face de son visage
Et, de son orteil, renouvelant la chaleur du robinet,
Il trônait comme un roi et saignait comme Marat. »

Plus je pèse, plus fragile est ma peau ;
Elle est par endroits ridiculement mince ;
Ainsi, près de la bouche : la place entre le coin des lèvres
Et ma grimace invite la coupure méchante,
Ou cette bajoue : il me faudra un jour laisser pousser
Une barbe en collier invétérée en moi.
Ma pomme d'Adam est une figue de nopal :
Il me faut maintenant parler du mal, du désespoir,
Comme personne n'en a parlé. Cinq, six, sept, huit,
Neuf coups ne suffisent pas. Dix. Je palpe
A travers la fraise écrasée, la sanglante bouillie
Et ne trouve nul changement dans ce carré d'épines.

J'ai mes doutes sur ce type manchot
Qui, sur les réclames, d'un seul coup glissant
Défriche un sentier étroit de l'oreille au menton
Puis se lave la face et palpe avec amour sa peau.
Moi je suis dans la classe des bimanes maniaques.

Ainsi que, discrètement, un éphèbe en maillot assiste
Une femme dans une danse acrobatique,
Ma main gauche aide, et tient, et change sa position.

Il me faut maintenant parler... Meilleure que le savon
Est la sensation espérée du poète
Quand l'inspiration à la flamme de glace,
L'image soudaine et la phrase immédiate
Font courir sur la peau une triple risée
Qui fait se hérisser tous les petits poils
Comme dans l'agrandissement du dessin animé
De poils tondus quand Notre Crème les dresse.

Il me faut maintenant parler du mal comme
Personne jusqu'alors n'en a jamais parlé. Je hais les choses comme le jazz,
Le crétin en bas blancs torturant un taureau
Noir et strié de rouge ; le bric-à-brac des abstraits,
Les masques rituels primitifs, les écoles progressives ;
La musique dans les supermarchés, les piscines ;
Les brutes, les fâcheux, les philistins à préjugés de classe, Freud, Marx,
Faux penseurs, poètes surfaits, imposteurs et requins.

Et tandis que la lame de sûreté racle et grince
Dans son voyage à travers le pays de ma joue,
Les autos passent sur la grand-route et, gravissant la pente escarpée,
De gros camions contournent mes maxillaires.
Et voici maintenant qu'un paquebot silencieux accoste, et maintenant
Des touristes à lunettes noires visitent Beyrouth, et maintenant, je laboure
Les champs de la vieille Zembla où croît ma barbe grise
Et où des esclaves font les foins entre ma bouche et mon nez.

La vie de l'homme comme commentaire à un poème
Hermétique et inachevé. Note pour un usage ultérieur.

M'habillant dans toutes les chambres, je rime et erre
A travers la maison, tenant un peigne
Ou un chausse-pied qui se mue en cuillère
Avec laquelle je mange mon œuf. L'après-midi,
Nous allons en auto à la bibliothèque. Nous dînons
A six heures et demie. Et mon étrange muse, protéiforme
Qui me dicte mes vers est partout avec moi,
Dans la poussière des livres, dans ma voiture, dans mon fauteuil.

Et tout le temps, tout le temps, mon amour,
Tu es avec moi, toi aussi, sous le mot, dessus
La syllabe, pour souligner, pour intensifier
Le rythme vital. On entendait froufrouter
Une robe de femme dans les jours d'antan. J'ai très souvent perçu
Le soin et le sens de l'approche de ta pensée.
Tout en toi est jeunesse et, en les mentionnant,
Tu rends neuves de vieilles choses que j'ai faites pour toi.

Golfe d'Ombres fut mon premier livre (vers libres), *Ressac nocturne*
Vint ensuite ; puis *La Coupe d'Hébé*, dernier char
De ce carnaval mouillé, car maintenant je nomme
Tout « Poèmes », et cesse de m'exaspérer.
(Mais *cette* élucubration transparente exige
Un titre lunaire. Viens à mon aide, Will ! « *Feu pâle* ».)

Doucement, le jour a passé dans un murmure léger
D'harmonie soutenue. Le cerveau est vide, et un chaton brun d'arbre
Et le substantif dont j'eusse aimé user,
Mais que j'ai rejeté, gisent secs sur le ciment.

Peut-être mon amour sensuel de la *consonne*
D'appui, enfant défunt d'Écho, repose-t-il
Sur le sentiment d'une vie fantastiquement préparée
Et richement rimée.
Je crois comprendre
L'existence, ou du moins une très faible part
De ma propre existence uniquement à travers mon art,
En termes de combinaisons délectables,
Et si mon univers privé se scande comme il faut,
Ainsi fera le vers de galaxies divines
Que je soupçonne fort d'être un vers ïambique.
Je suis raisonnablement sûr que nous survivons
Et que ma chérie vit encore quelque part.
Je suis de même raisonnablement sûr que
Je me réveillerai à six heures demain, le vingt-deux juillet
Dix-neuf cent cinquante-neuf
Et que, sans aucun doute, la journée sera belle;
Aussi que l'on me laisse régler ce réveille-matin,
Bâiller, ranger sur l'étagère les « Poèmes » de Shade.

Mais il n'est pas encore l'heure de me mettre au lit. Le soleil
A touché les deux dernières fenêtres du vieux Docteur Sutton.
Cet homme doit avoir — quoi ? — Quatre-vingts ? Quatre-vingt-deux ans ?
Il avait le double de mon âge l'année que je t'ai épousée.
Où es-tu ? Dans le jardin. Je puis voir
Une partie de ton ombre auprès du hickory.
Quelque part on lance des fers à cheval. Bing, Bang.
(Le fer s'appuie contre son réverbère, comme un ivrogne.)
Une sombre vanesse à la raie cramoisie
Tournoie dans le soleil bas, se pose sur le sable,
Montrant ses ailes aux bouts bleu-noir tachetés de blanc.

Et, à travers les ombres qui se meuvent et la lumière
qui décroît,
Un homme, indifférent au papillon,
Jardinier d'un voisin sans doute, passe,
Remonte l'allée, poussant une brouette vide.

Commentaire

Vers 1-4 : C'était moi l'ombre du jaseur tué, etc.

Dans ces premiers vers, l'image fait sans aucun doute allusion à un oiseau qui vient s'écraser, en plein vol, contre la face extérieure d'une vitre où un ciel réfléchi, d'une teinte légèrement plus foncée et avec un nuage légèrement plus lent, donne l'illusion d'un espace continu. On peut imaginer John Shade au début de son adolescence, un garçon d'un physique sans attrait mais d'autre part admirablement développé, subissant son premier choc eschatologique alors qu'il ramasse sur le gazon avec ses doigts incrédules ce corps ovoïde et compact, et contemple les rayures d'un rouge cire qui décorent ces ailes gris-brun et les élégantes plumes caudales au bout jaune brillant comme de la peinture fraîche. Lorsque j'ai eu la bonne fortune d'être le voisin de Shade, au cours de la dernière année de sa vie, dans les idylliques collines de New Wye (voir l'Introduction), j'ai fréquemment aperçu ces oiseaux particuliers se régaler joyeusement des baies bleu pastel des genévriers qui poussaient au coin de sa maison. (Voir également les vers 181-182.)

Ma connaissance des hôtes de nos jardins s'était arrêtée à ceux de l'Europe du Nord, mais un jeune jardinier de New Wye auquel je m'intéressais (voir note au vers 998) m'a aidé à identifier les profils d'un assez bon nombre de ces petits étrangers ainsi que leurs cris cocasses ; et naturellement, chaque faîte d'arbre dirigeait sa ligne pointillée vers le traité d'ornithologie placé sur mon bureau où je m'élançais de la pelouse, dans une agitation nomenclatrice. Quelles difficultés j'éprouvai à donner le nom de « merle migrateur » à l'imposteur de banlieue, l'oiseau grossier, avec sa livrée négligée d'un rouge terne et la révoltante délectation qu'il montrait en consommant de longs vers tristes et passifs !

Incidemment, il est curieux de remarquer qu'un oiseau à crête appelé en zemblien *sampel* (« queue de soie »), très semblable au jaseur par sa forme et sa couleur, est le modèle d'une des trois créatures héraldiques (les deux autres étant respectivement un renne couleur naturelle et un triton azur, à crinière d'or) sur les armoiries du Roi zemblien, Charles le Bien-Aimé (né en 1915), dont j'ai souvent discuté les glorieuses infortunes avec mon ami.

Le poème fut commencé exactement au milieu de l'année, le 1er juillet, quelques minutes après minuit, pendant que je jouais aux échecs avec un jeune Iranien qui suivait nos cours d'été ; et nul doute que notre poète eût compris la tentation de son commentateur de synchroniser certain fait fatidique, le départ de Zembla du prétendu régicide Gradus, et cette date. En fait, Gradus quitta Onhava par l'avion de Copenhague le 5 juillet.

Vers 12 : cette terre de cristal

Peut-être une allusion à la Zembla, ma chère patrie. Sur le brouillon décousu et à moitié effacé que je ne suis pas du tout certain d'avoir déchiffré correctement, suivent les vers :

Ah, je ne dois pas oublier de dire quelque chose
Que mon ami m'a raconté à propos d'un certain roi.

Hélas, il en aurait dit considérablement plus, si une anticarliste au sein de sa famille n'avait contrôlé chaque ligne qu'il lui communiquait ! Combien de fois ne l'ai-je pas réprimandé sur un ton badin : « Vous devriez vraiment promettre d'employer toutes ces merveilleuses choses, méchant poète grisonnant ! » Et nous pouffions de rire comme deux gamins. Mais alors, après l'inspirante promenade vespérale, nous devions nous séparer et la nuit menaçante tirait le pont-levis entre sa forteresse imprenable et mon humble demeure.

Le règne de ce Roi (1936-1958) demeurera dans le souvenir d'au moins quelques historiens éclairés comme un règne paisible et élégant. Grâce à un système fluide d'alliances judicieuses, Mars ne vint jamais obscurcir les annales de son règne. Questions intérieures, jusqu'à ce que la corruption, la trahison et l'extrémisme ne la pénètrent, la place du Peuple (le Parlement) fonctionna en parfaite harmonie avec le Conseil royal. En effet, harmonie était le mot de passe de ce règne. Les beaux-arts et la science pure florissaient. On permettait à la technologie, à la physique appliquée, à la chimie industrielle et autres de se développer. Un petit gratte-ciel de verre outremer s'élevait doucement à Onhava. Le climat semblait s'améliorer. Les impôts devenaient une œuvre d'art. Les pauvres s'enrichissaient un peu, et les riches s'appauvrissaient un peu (conformément à ce qui sera peut-être appelé un jour la loi de Kinbote). L'Assistance médicale s'étendait jusqu'aux confins de l'État ; au cours de sa visite du pays chaque automne, lorsque les sorbiers ployaient, alourdis de grappes de corail, et que les flaques d'eau tintaient comme du mica, l'éloquent et amical monarque était de moins en moins fréquemment interrompu par une quinte de toux striduleuse dans une foule d'écoliers. Le parachutisme était devenu un sport populaire. En un mot, tout le monde était content — y compris les agitateurs politiques qui étaient contents de provoquer une agitation payée par un *Sosed* content (le gigantesque voisin de la Zembla). Mais qu'on nous permette d'abandonner ce sujet fastidieux.

Pour en revenir au Roi : prenons par exemple le problème de la culture personnelle. Combien de rois se sont-ils intéressés à quelque recherche spéciale ? Chez eux, on peut compter les conchyliologistes sur les doigts d'une main mutilée. Le dernier Roi de Zembla — partiellement sous l'influence de son oncle Conmal, le grand traducteur de Shakespeare (voir les notes aux vers 39-40 et 962) — s'était passionnément adonné, en dépit de fréquentes migraines, à l'étude de la littérature. A l'âge de quarante ans, peu avant la chute de son trône, il avait atteint un tel degré d'érudition qu'il osa accéder au vœu formulé d'une voix rauque par son vénérable oncle mourant : « Enseigne, Karlik ! » Naturellement, il eût été incongru pour un monarque d'apparaître en toge professorale dans une chaire d'université et de présenter à des jeunes gens au teint de rose *Finnegans Wake* comme une monstrueuse extension des « incohérentes transactions » d'Angus Mac Diarmid et du Lingo-Grande de Southey (« Cher Stumparumper », etc.) ou de discuter les variantes zembliennes, réunies en 1798 par Hodinski, du *Kongs-skugg-sio* (Le Miroir royal), un chef-d'œuvre anonyme du XIIe siècle. Il donna donc ses cours sous un nom d'emprunt et complètement maquillé, avec une perruque et une fausse barbe. Tous les Zembliens à barbe brune, aux joues vermeilles et aux yeux bleus se ressemblent, et moi-même qui ne me suis pas rasé depuis un an, je ressemble à mon roi déguisé (voir aussi la note au vers 894).

Durant ces périodes d'enseignement, Charles-Xavier se fit une règle de dormir dans un pied-à-terre qu'il avait loué, comme l'aurait fait tout citoyen érudit, rue Coriolanus : une charmante garçonnière avec chauffage central, salle de bains et cuisinette attenantes. On se remet en mémoire avec un plaisir nostalgique la moquette grise et les murs gris perle (dont l'un était orné d'une copie solitaire du *Chandelier, pot et casserole émaillée* de Picasso), un rayon de bibliothèque garni de poèmes reliés en veau, et un divan d'apparence virginale sous sa couverture en imitation de fourrure de panda. Combien semblaient étrangers à cette limpide simplicité le palais et l'odieuse Salle du Conseil avec ses problèmes insolubles et ses conseillers terrorisés !

Vers 17 : Et puis le bleu graduel ; Vers 29 : Gris

Par une extraordinaire coïncidence (inhérente peut-être à l'art de Shade pour qui le contrepoint était naturel) notre poète semble nommer ici (graduel, gris) un homme qu'il allait entrevoir pour un instant fatidique trois semaines plus tard mais dont il ne pouvait avoir connu l'existence à ce moment (2 juillet). Jakob Gradus se faisait connaître sous plusieurs noms : Jack Degree ou Jacques de Grey, ou encore James de Gray, et il apparaît également dans son casier judiciaire sous le nom de Ravus, Ravenstone et d'Argus. Comme il avait une affection morbide pour la Russie rubiconde de l'ère soviétique, il soutenait que la véritable origine de son nom devait être cherchée dans le mot russe pour raisin, *vinograd,* auquel était venu se coller un suffixe latin, en faisant Vinogradus. Son père, Martin Gradus, avait été pasteur protestant à Riga, mais à part lui et un oncle maternel (Roman Tselovalnikov, officier de police et membre à temps partiel du parti social-révolutionnaire), le reste du clan semble avoir été dans le commerce des spiritueux. Martin Gradus mourut en 1920, et sa veuve vint s'établir à Strasbourg où elle s'éteignit bientôt à son tour. Un autre Gradus, marchand alsacien qui, chose bizarre, n'avait aucun lien de parenté avec notre tueur mais qui avait été une assez intime relation d'affaires de ses parents pendant des années, adopta le garçon et l'éleva avec ses propres enfants. Il semblerait que le jeune Gradus fut étudiant en pharmacie à Zurich pendant une certaine période et qu'il voyagea ensuite par de brumeux vignobles en qualité de dégustateur de vins. On le retrouve ensuite engagé dans d'inoffensives activités subversives — impression de pamphlets aigris, messager d'obscurs groupes syndicaux, organisation de grèves dans les verreries, et ainsi de suite. Dans les années quarante il vint en Zembla comme marchand d'eau-de-vie. Il y épousa la fille d'un aubergiste. Ses rapports avec le parti extrémiste datent de ses premières vilaines contorsions, et lorsque la révolution éclata, ses modestes talents d'organisateur trouvèrent quelque appréciation dans divers milieux. Son départ pour l'Europe de l'Ouest, avec un but sordide dans le cœur et un pistolet chargé dans la poche, eut lieu le jour même où un innocent poète dans une terre innocente commençait le Chant Deux de *Feu pâle*. Notre pensée accompagnera constamment Gradus tandis qu'il fraie son chemin de la triste et distante Zembla jusqu'à la verte Appalachie, tout au long du poème, suivant la route de son rythme, défilant dans une rime, glissant autour d'un enjambement, respirant avec la césure, se balançant jusqu'au bas de la page d'un vers à l'autre comme de branche en branche, se cachant entre deux mots (voir la note au vers 596), réapparaissant à l'horizon d'un nouveau chant, s'approchant régulièrement d'une ïambique démarche, traversant les rues, gravissant avec sa valise l'escalator du pentamètre, en descendant, montant dans un nouveau train de pensée, pénétrant dans le hall d'un hôtel, éteignant la lampe de chevet, tandis que Shade efface un mot, et s'endormant alors que le poète abandonne sa plume pour la nuit.

Vers 27 : Sherlock Holmes

Détective privé plutôt sympathique, efflanqué, avec un nez en bec d'aigle ; personnage principal de diverses nouvelles de Conan Doyle. Je n'ai en ce moment aucun moyen de m'assurer à laquelle de ces nouvelles il est fait allusion ici, mais je soupçonne notre poète d'avoir simplement inventé ce Cas des Traces renversées.

Vers 34-35 : Stylets d'une stalactite de glace (frozen stillicide)

Avec quelle persistance notre poète n'évoque-t-il pas les images de l'hiver au tout début d'un poème qu'il commença à composer par une nuit d'été embaumée ! Le mécanisme des associations est facile à démonter (verre suggérant cristal, et cristal, glace) mais le moteur garde son incognito. Le commentateur est trop modeste pour supposer que le fait que lui et le poète se rencontrèrent pour la première fois un jour d'hiver ait quelque chose à voir dans cet empiétement sur la saison réelle. Dans le ravissant vers qui précède ce commentaire, le lecteur devrait attacher une attention particulière au dernier mot. Mon dictionnaire définit *stillicide* comme « une succession de gouttes tombant des gouttières, chandelles de glace, stalactite ». Je me rappelle l'avoir rencontré pour la première fois dans un poème de Thomas Hardy. Le gel étincelant a éternisé l'étincelante chandelle de glace. Nous devrions également remarquer l'allusion en style de cape et d'épée qui se reflète dans les « sveltes stylets » et l'ombre de régicide dans *stillicide.*

Vers 39-40 : Était de fermer les yeux, etc.

Sur le brouillon ces vers sont représentés par la variante qui suit :

39 ...et mes voleurs se hâtaient de rentrer chez eux,
40 Le soleil avec de la glace volée, la lune avec des feuilles.

On ne peut s'empêcher de se remémorer un passage du *Timon d'Athènes* (acte IV, scène 3) où le misanthrope s'adresse aux trois maraudeurs. Ne disposant d'aucune bibliothèque dans la cabane de bois où je vis comme Timon dans sa caverne, je dois, pour donner une citation rapide, retraduire ce passage en prose anglaise à partir d'une version poétique zemblienne du *Timon* qui, je l'espère, est une assez bonne approximation du texte, ou du moins fidèle à son esprit :

Le soleil est un voleur : il attire la mer
et la dérobe. La lune est une voleuse :
elle ravit sa lumière argentée au soleil.
La mer est une voleuse : elle dissout la lune.

Pour une prudente appréciation des traductions des œuvres de Shakespeare par Conmal, voir la note au vers 962.

Vers 41 : Je pouvais distinguer

Vers la fin du mois de mai, je pouvais distinguer le contour de quelques-unes de mes images dans la forme que le génie de Shade pourrait leur donner ; vers la mi-juin, je me sentais enfin assuré qu'il recréerait dans un poème l'aveuglante Zembla qui flamboyait dans mon cerveau. Je l'en hypnotisai, je le saturai de ma vision, je lui imposai, avec la folle générosité de l'ivrogne, tout ce que j'étais incapable de mettre en vers moi-même. Il est certain qu'on ne trouverait pas facilement dans l'histoire de la poésie un cas semblable — celui de deux hommes, différents par leur origine, leur éducation, leurs associations d'idées, leur intonation spirituelle et leur code mental, l'un, érudit cosmopolite, l'autre, poète sédentaire, concluant un pacte secret de cet ordre. Enfin, j'eus la certitude que ma Zembla avait mûri en lui, qu'il éclatait de rimes appropriées, qu'il était prêt à éjaculer à un frôlement de cils. A chaque occasion, je ne cessais de le presser de surmonter son indolence naturelle et de commencer à écrire. Mon petit agenda de poche contient des notes telles que : « Lui ai suggéré le mètre décasyllabique » ; « re-narré l'évasion » ; « offert l'emploi d'une chambre tranquille chez moi » ; « proposé de faire des enregistrements de ma voix pour son usage » ; et finalement, à la date du 3 juillet : « poème commencé ! »

Bien que je ne me rende que trop clairement compte, hélas, que le résultat, dans sa diaphane et pâle phase finale, ne peut être considéré comme un écho direct de ma narration (dont incidemment seuls quelques fragments sont donnés dans mes notes — surtout celles du Chant Un), on peut difficilement douter que la lueur de soleil couchant du récit n'ait agi comme un catalyseur sur le procédé même de l'effervescence créatrice soutenue qui permit à Shade de produire un poème de mille vers en trois semaines. Plus encore, il y a un air de famille symptomatique dans le coloris du poème et celui du récit. J'ai relu, non sans plaisir, mes commentaires à ses vers, et dans plus d'un cas, je me suis aperçu que j'avais emprunté une certaine lumière opalescente à l'astre flamboyant de mon poète, et inconsciemment imité le style de la prose de ses propres essais critiques. Mais sa veuve et ses collègues peuvent cesser de s'en faire et jouir pleinement du fruit de quelques conseils qu'ils aient pu donner à mon brave homme de poète. Ah oui, le texte final du poème est bien de lui seul.

Si nous négligeons, comme je le crois approprié, trois allusions fortuites à la royauté (605, 822 et 894) et la « Zembla » à la Pope dans le vers 937, on peut conclure que le texte définitif de *Feu Pâle* a été délibérément et rigoureusement nettoyé de toute trace des matériaux que j'ai apportés ; mais nous découvrons aussi qu'en dépit du contrôle exercé sur mon poète par un censeur domestique et par Dieu sait qui d'autre, Shade a donné au fugitif royal un refuge dans les voûtes des variantes qu'il a conservées ; car sur son brouillon, pas moins de treize vers, de magnifiques vers chantants (donnés par moi dans mes notes aux vers 70, 79 et 130, tous dans le Chant Un auquel le poète travailla évidemment avec une plus grande liberté créatrice que celle dont il put jouir par la suite) portent l'empreinte de mon thème, une minuscule mais authentique étoile-fantôme de mes conversations sur la Zembla et sur son malheureux roi.

Vers 47-48 : La maison en bois entre Goldsworth et Wordsmith

Le premier nom se rapporte à la maison de Dulwich Road que m'avait louée Hugh Warren Goldsworth, autorité en matière de droit romain et juge distingué. Je n'ai jamais eu le plaisir de rencontrer mon propriétaire, mais j'en vins à connaître son écriture presque aussi bien que celle de Shade. Le deuxième nom s'applique à l'Université Wordsmith naturellement. Tout en semblant suggérer une situation médiane entre ces deux endroits, notre poète est moins préoccupé par une question d'exactitude spatiale que par un spirituel échange de syllabes qui évoque les deux maîtres du distique décasyllabique au sein duquel il abrite sa propre muse. En fait, la « maison en bois sur son carré de verdure » se situait à cinq milles à l'ouest du campus de Wordsmith, mais à peu près à cinquante mètres de mes fenêtres du côté est.

Dans l'Introduction de cet ouvrage j'ai eu l'occasion de parler des agréments de ma demeure. La dame adorablement vague (voir la note au vers 691), qui l'avait retenue pour moi, sans l'avoir vue, était sans doute pleine de bonnes intentions, tout spécialement parce que cette maison était grandement admirée dans le voisinage pour sa « spaciosité et gracieuseté du vieux monde ». En fait, c'était une vieille maison triste, noir et blanc, à moitié en bois, du genre qu'on appelle *wodnaggen* dans mon pays, avec des pignons sculptés, des fenêtres en saillie pleines de courants d'air et un portique prétendument « mi-noble », surmonté d'une hideuse véranda. Le juge Goldsworth avait une femme et quatre filles. Les photos de famille m'accueillirent dès le vestibule et me poursuivirent d'une chambre à l'autre, et bien que je sois persuadé qu'Alphina (9 ans), Betty (10 ans), Candida (12 ans) et Dee (14 ans) se transformeront bientôt, d'horriblement gentilles petites écolières, en élégantes jeunes filles et en mères incomparables, je dois avouer que leurs photographies moqueuses m'irritèrent à un tel point que je les ramassai finalement une par une et les déposai toutes dans une penderie sous la rangée de gibets de leurs vêtements d'hiver recouverts de leurs housses de cellophane. Dans le cabinet de travail, je découvris une grande photo de leurs parents, sexes inversés, Mrs. G. ressemblant à Malenkov et Mr. G. à une vieille sorcière à chevelure de Méduse, et je remplaçai le tout par la reproduction d'un Picasso de la première époque que j'aime beaucoup : un garçon couleur d'argile menant un cheval couleur de pluie. Cependant, je ne me souciai pas beaucoup de la bibliothèque familiale qui était également éparpillée à travers la maison — quatre séries différentes d'Encyclopédies de la Jeunesse et une, très volumineuse, pour adultes, qui montait d'étagère en étagère le long d'un escalier pour aller crever son appendice dans le grenier. A en juger par les romans qui se trouvaient dans le boudoir de Mrs. Goldsworth, sa curiosité intellectuelle était très étendue, allant de l'Ambre au Zen. Le chef de cette famille alphabétique possédait également une bibliothèque, mais elle consistait surtout en ouvrages de droit et en un tas de dossiers aux titres bien en évidence. Tout ce que le profane pouvait trouver d'instructif et d'amusant était un album relié en maroquin dans lequel le juge avait collé avec amour l'histoire de la vie et les photos des gens qu'il avait envoyés en prison ou condamnés à mort : inoubliables visages de voyous imbéciles, dernières cigarettes et dernières grimaces, les mains d'apparence assez ordinaire d'un étrangleur, une femme qui s'était rendue veuve elle-même, les yeux rapprochés et sans pitié d'un maniaque homicide (ressemblant un peu, je l'admets, à feu Jacques d'Argus), un précoce parricide de sept ans (« Maintenant, mon petit bonhomme, il faut que tu nous racontes »), et un triste vieux pédéraste rondelet qui avait fait sauter son maître chanteur. Je fus plutôt surpris d'apprendre que c'était mon érudit propriétaire et non sa « dame » qui dirigeait le ménage. Non seulement m'avait-il laissé un inventaire détaillé de tous ces objets qui se dressent autour d'un nouveau locataire comme une meute d'indigènes menaçants, mais il s'était encore donné un mal prodigieux pour écrire sur des bouts de papier des recommandations, explications, injonctions et listes supplémentaires. Tout ce que je touchai le jour de mon arrivée m'offrit un spécimen de goldsworthianisme. J'ouvris l'armoire à pharmacie de la deuxième salle de bains et il s'en échappa un message m'annonçant que la fente pour les lames de rasoir usées était trop pleine pour que je m'en serve. J'ouvris le réfrigérateur, et il m'avertit avec un aboiement qu'aucune « spécialité nationale d'une odeur particulièrement tenace » ne devait y être déposée. J'ouvris le tiroir central du bureau dans le cabinet de travail — et je découvris un catalogue raisonné de ses maigres contenus qui comprenaient un assortiment de cendriers, un coupe-papier damasquiné (décrit comme une « dague ancienne rapportée de l'Orient par le père de Mrs. Goldsworth ») et un agenda de poche, ancien mais vierge, qui mûrissait là avec optimisme en attendant que les correspondances du calendrier reviennent. Parmi d'autres notes détaillées, affichées sur un tableau spécial dans l'office, telles que des instructions concernant la plomberie, des dissertations sur l'électricité, des discours sur les cactus, etc., je trouvai le régime du chat noir qui venait avec la maison :

Lun, Mer, Ven : Foie
Mar, Jeu, Sam : Poisson
Dim : Viande hachée

(Tout ce que ce chat obtint de moi, ce fut du lait et des sardines ; c'était une gentille petite créature mais au bout d'un moment ses allées et venues commencèrent à me taper sur les nerfs et je le confiai à Mrs. Finley, la femme de ménage.) Mais la plus drôle de ces notes était peut-être celle concernant les manipulations des rideaux des fenêtres qui devaient être tirés de différentes façons à différentes heures pour éviter que le soleil n'atteigne le tissu des meubles. Une description de la position du soleil, journalière et saisonnière, était établie pour les nombreuses fenêtres, et si je m'étais conformé à ces instructions, j'aurais été aussi occupé qu'un participant à une régate. Cependant, une apostille suggérait avec générosité qu'au lieu de manœuvrer les rideaux, je trouverais peut-être préférable de pousser hors de la portée du soleil les pièces d'ameublement les plus précieuses (deux fauteuils brodés et une lourde « console royale ») et puis de les replacer, mais je devrais le faire avec beaucoup de précautions pour ne pas rayer les moulures des murs. Il m'est impossible, hélas, de reproduire le méticuleux horaire de ces transpositions, mais je crois me souvenir que je devais roquer en faisant le grand détour à gauche avant de me coucher, et en faisant le petit détour à droite, dès que je m'éveillais. Mon cher Shade s'esclaffa quand je lui fis faire une tournée d'inspection et qu'il découvrit lui-même quelques-uns de ces œufs de Pâques. Dieu merci, sa franche hilarité dissipa l'atmosphère de *damnum infectum* dans laquelle j'étais censé vivre. De son côté, il me régala d'un bon nombre d'anecdotes concernant l'esprit caustique et les maniérismes de prétoire du juge ; la plupart de ces anecdotes étaient sans doute des exagérations folkloriques, quelques-unes étaient évidemment des inventions, et toutes étaient inoffensives. Il ne fit pas allusion, mon aimable vieil ami ne le faisait jamais, aux ridicules histoires à propos des ombres terrifiantes que la robe du juge Goldsworth projetait sur le monde de la pègre, ou à propos de telle ou telle bête croupissant en prison et mourant positivement de *raghdirst* (soif de vengeance) — grossières banalités répandues par les êtres vils et sans cœur — par tous ceux pour qui le romanesque, le distant, les cieux écarlates doublés de loutre, les dunes obscurcissantes d'un fabuleux royaume n'existent simplement pas. Mais en voilà assez. Tournons-nous vers les fenêtres de notre poète. Je n'ai nullement le désir de tordre et de bossuer un *apparatus criticus* sans ambiguïté en un monstrueux simulacre de roman.

Aujourd'hui, il me serait impossible de décrire la maison de Shade en termes architecturaux, ou en quelque autre terme que ceux de coups d'œil furtifs ou visions momentanées, et occasions limitées par les châssis des fenêtres. Comme je l'ai déjà mentionné (voir l'Introduction), la venue de l'été présentait un problème d'optique : le feuillage usurpateur n'était pas toujours d'accord avec moi : il confondait un monocle vert avec un obturateur opaque, et l'idée de protection avec celle d'obstruction. Sur ces entrefaites (le 3 juillet d'après mon agenda), j'avais appris — non pas de John, mais de Sybil — que mon ami avait commencé à travailler à un long poème. Ne l'ayant pas vu depuis quelques jours, je m'apprêtais à lui apporter quelques imprimés de sa boîte à lettres sur la route, adjacente à celle de Goldsworth (que j'avais l'habitude d'ignorer, bourrée comme elle l'était de papillons, réclames locales, catalogues commerciaux et ce genre d'ordures) quand je me trouvai nez à nez avec Sybil qu'un arbuste avait dérobée à mon œil de faucon. Coiffée d'un chapeau de paille et munie de gants de jardinage, elle était accroupie devant une plate-bande de fleurs en train d'émonder ou d'attacher quelque chose, et ses étroits pantalons bruns me rappelèrent les collants mandoline (comme je les appelais en blaguant) que ma propre femme avait l'habitude de porter. Elle me dit de ne pas déranger Shade avec ces réclames et ajouta l'information qu'il venait de « commencer un vraiment grand poème ». Je sentis le sang me monter à la figure et je marmonnai quelque chose à propos du fait qu'il ne m'en avait encore rien montré, et elle se redressa, et écarta ses cheveux poivre et sel de son front, et me dévisagea, et dit : « Qu'entendez-vous par rien montré ? Il ne montre jamais quelque chose d'inachevé. Jamais, jamais. Il n'en parlera même pas avec vous tant que le poème ne sera pas tout à fait, tout à fait terminé. » Je ne pouvais le croire, mais je découvris bientôt en parlant à mon ami étrangement réticent que son épouse lui avait bien fait la leçon. Quand je m'efforçai de le faire sortir de son mutisme au moyen de boutades joviales telles que : « Les gens qui vivent dans des maisons de verre ne devraient pas écrire de poèmes », il ne faisait que bâiller et secouer la tête, et répliquer que « les étrangers devraient éviter les vieux adages ». Néanmoins, le besoin pressant de découvrir ce qu'il faisait de tout le matériel vivant, fascinant, palpitant, chatoyant que je lui avais prodigué, la démangeaison de le voir au travail (même si le fruit de son travail m'était refusé) s'avérèrent tout à fait atroces et incontrôlables et m'amenèrent à me livrer à une orgie d'espionnage que nulle considération d'orgueil ne pouvait arrêter.

Il est bien connu que les fenêtres ont été la consolation de la littérature à la première personne à travers les âges. Mais l'observateur que voici ne put jamais rivaliser en pure chance avec le *Héros de notre Temps* pour ce qui est d'écouter aux portes, ni avec celui, omniprésent, du *Temps perdu.* Il me fut pourtant accordé de temps à autre des moments de chasse heureuse. Quand ma croisée cessa de fonctionner à cause de la croissance exubérante d'un orme, je découvris, au bout de la véranda, un coin garni de lierre d'où je pouvais avoir une vue assez ample de la façade de la maison du poète. Si je voulais voir le côté sud, je pouvais descendre à l'arrière de mon garage et observer derrière un tulipier, au-delà du chemin sinueux à flanc de colline, plusieurs précieuses fenêtres illuminées, car il ne baissait jamais les stores (c'était elle qui le faisait). Si je voulais voir le côté opposé, tout ce que j'avais à faire était de gravir la colline jusqu'au point le plus élevé de mon jardin où ma garde du corps de genévriers surveillait les étoiles, et les présages, et la tache de lumière pâle sous le lampadaire solitaire de la route en contrebas. Expédié ici au début de la saison, j'avais surmonté les craintes très particulières et très personnelles qui sont discutées plus loin (voir la note au vers 62) et je prenais plutôt plaisir à suivre dans les ténèbres un prolongement envahi de mauvaises herbes et rocailleux de mon terrain à l'est, qui se terminait dans un bosquet d'acacias à un niveau légèrement plus élevé que le côté nord de la maison du poète.

Un jour, il y a trois décennies, dans ma tendre et terrible enfance, j'eus l'occasion de voir un homme dans l'acte même d'entrer en contact avec Dieu. J'avais erré sans but jusque dans ce qu'on appelait la Cour des Roses, derrière la Chapelle ducale, dans ma ville natale d'Onhava, durant une période de récréation à la répétition des hymnes. Comme je flânais là, dressant et rafraîchissant mes mollets nus tour à tour contre une colonne polie, je pouvais entendre les agréables voix distantes qui s'entremêlaient en discrète gaieté puérile et auxquelles une fortuite animosité, une querelle de jalousie avec un certain garçon, m'empêchait d'aller me joindre. Un bruit de pas rapides détourna mon regard morose de la mosaïque sécable de la cour, de réalistes pétales de roses taillées dans de la pierre de sang et de grandes épines presque palpables taillées dans du marbre vert. Une ombre noire s'avança au milieu de ces roses et de ces épines : un jeune pasteur aux cheveux noirs, au long nez, grand, pâle, que j'avais déjà vu une ou deux fois dans les alentours, sortit à grands pas de la sacristie et, sans me voir, s'arrêta au milieu de la cour. Un dégoût coupable pinçait ses lèvres minces. Il portait des verres. Ses mains crispées semblaient agripper les barreaux invisibles d'une prison. Mais il n'y a pas de limite à la grâce qu'un homme peut être capable de recevoir. Son apparence se transforma soudainement en celle de l'extase et de la vénération. Je n'avais encore jamais vu une telle flambée de béatitude, mais j'allais retrouver un peu de cette splendeur, de cette énergie spirituelle et de cette vision divine, aujourd'hui, dans un autre pays, réfléchie sur le visage rude et laid du vieux John Shade. Combien j'étais heureux que les veilles que je m'étais imposées durant tout le printemps m'eussent préparé à l'observer à sa miraculeuse tâche du milieu de l'été ! J'avais appris exactement quand et où trouver les meilleurs postes d'observation d'où je pourrais suivre les contours de son inspiration. Mes jumelles allaient le dénicher et se concentraient sur lui à distance dans les divers endroits de son labeur : la nuit, dans la lueur violette de son cabinet de travail à l'étage supérieur où un miroir bienveillant me renvoyait ses épaules voûtées et le crayon dont il se servait constamment pour se curer l'oreille (inspectant la mine de temps à autre, et y goûtant même) ; durant la matinée, caché parmi les ombres brisées de son cabinet de travail du rez-de-chaussée où un verre d'alcool voyageait tranquillement du classeur au lutrin, et du lutrin au rayon de livres, pour y disparaître, si nécessaire, derrière le buste de Dante ; les jours de grande chaleur, parmi les plantes grimpantes d'un petit portique en forme de tonnelle, dont les guirlandes me laissaient entrevoir un bout de toile cirée où reposait le coude du poète, et son poing grassouillet de chérubin soutenant et frottant sa tempe. Des questions de perspective et de lumière, l'interférence de la charpente ou des feuilles m'empêchaient habituellement d'avoir une vue nette de son visage ; la nature disposait peut-être le tout de cette façon pour cacher à un pillard éventuel les mystères de la création ; mais quelquefois, lorsque le poète faisait les cent pas sur la pelouse, ou s'asseyait un moment sur le banc à l'extrémité du gazon, ou s'arrêtait sous son hickory, je pouvais discerner l'expression d'intérêt passionné, d'extase et de vénération, avec laquelle il suivait les images qui se changeaient en vers dans son esprit, et je savais qu'en ce moment Notre-Seigneur était avec lui, quoi que mon agnostique ami pût dire pour le nier.

Certains soirs, quand la maison était obscure de trois côtés, bien avant l'heure habituelle où ses habitants allaient se coucher, je pouvais monter la garde de mes trois postes d'observation ; cette obscurité même me disait qu'ils étaient à la maison. Leur voiture était près du garage — mais je ne pouvais croire qu'ils étaient sortis à pied, car en ce cas, ils auraient laissé la veilleuse du porche allumée. Des considérations ultérieures et des déductions m'ont persuadé que la nuit de grand dénuement où je décidai d'élucider la question fut le 11 juillet, date à laquelle Shade compléta son

Chant Deux. C'était une nuit de grand vent, chaude et ténébreuse. Je m'approchai à pas feutrés à travers le bosquet jusqu'à l'arrière de leur maison. Je crus tout d'abord que ce quatrième côté était obscur lui aussi, scellant ainsi la question, et j'eus le temps de ressentir une étrange sensation de soulagement avant de remarquer un faible carré de lumière sous la fenêtre d'un petit salon où je n'avais jamais été admis. Elle était grande ouverte. Une lampe torchère avec un abat-jour en simili parchemin illuminait le fond de la pièce où je pouvais voir Sybil et John, elle sur le bord d'un divan, en amazone, me tournant le dos, et lui sur un pouf près du divan où il semblait ramasser lentement et rempiler des cartes éparpillées, abandonnées après un jeu de patience. Sybil tressaillait et se mouchait alternativement; le visage de John était rouge et ruisselant. N'étant pas averti à cette époque du genre de papier que mon ami employait pour écrire, je ne pus m'empêcher de me demander ce qui, dans l'issue d'une partie de cartes, peut bien faire fondre en larmes. Comme je m'efforçais de mieux voir, debout jusqu'aux genoux dans une haie de buis horriblement élastique, je fis dégringoler le couvercle sonore d'une poubelle. Bien sûr, on aurait pu croire que c'était l'œuvre du vent, et Sybil détestait le vent. Elle quitta immédiatement son perchoir, ferma la fenêtre avec fracas, et rabaissa le store strident.

Je regagnai à pas de loup mon triste domicile le cœur lourd et l'esprit intrigué. Je gardai le cœur lourd, mais l'intrigue fut résolue quelques jours plus tard, très probablement le jour de la fête de saint Swithin, car je trouve dans mon petit agenda à cette date la note anticipatrice en zemblien (« *promnad vespert mit J.S.* ») biffée avec une pétulance qui cassa la mine du crayon au milieu du trait. Après avoir attendu et attendu que mon ami vienne me rejoindre sur le chemin, jusqu'à ce que le rouge du coucher de soleil se soit fondu avec les cendres du crépuscule, j'allai jusqu'à sa porte, hésitai, soupesai les ténèbres et le silence, et commençai à faire le tour de la maison. Cette fois, pas la moindre lueur ne me parvint du petit salon arrière, mais à la faveur de l'éclatante et prosaïque lumière de la cuisine je distinguai le bout d'une table badigeonnée en blanc et Sybil installée à cette table, le visage empreint d'un tel air d'enchantement qu'on aurait pu croire qu'elle venait tout juste d'inventer une nouvelle recette. La porte de la cuisine était entrebâillée ; je l'ouvris en m'annonçant et me lançai dans quelque phrase désinvolte. Shade, assis à l'autre bout de la table, était en train de lui lire quelque chose que je devinai être une partie de son poème. Ils sursautèrent tous deux. Un juron impubliable lui échappa et il jeta avec vigueur sur la table le lot de fiches qu'il tenait à la main. Il attribua par la suite cette saute d'humeur au fait qu'il avait confondu, avec ses verres de lecture, un ami qui était toujours le bienvenu avec un vendeur importun ; mais je dois avouer que la chose me blessa, très profondément, et me disposa à l'époque à découvrir un sens hideux à tout ce qui advint par la suite. « Eh bien, asseyez-vous, dit Sybil, et prenez une tasse de café » (les vainqueurs sont généreux). J'acceptai, car je voulais voir si la récitation se poursuivrait en ma présence. Il n'en fut rien. « Je croyais, dis-je à mon ami, que vous veniez faire une promenade avec moi. » Il s'excusa en disant qu'il ne se sentait pas très bien, et continua à nettoyer le fourneau de sa pipe aussi férocement que si c'était mon cœur qu'il creusait.

Non seulement compris-je à ce moment que Shade lisait régulièrement à Sybil des passages cumulatifs de son poème, mais je m'aperçois maintenant qu'elle l'obligeait, tout aussi régulièrement, à atténuer ou à enlever de sa copie au propre tout ce qui avait trait au magnifique thème zemblien que je continuais à lui fournir et que, sans être trop familier de l'œuvre en cours, je croyais naïvement devoir devenir le riche fil conducteur de son tissu !

Plus haut sur la même colline boisée se trouvait, et se trouve encore j'imagine, la vieille maison en bardeaux du Docteur Sutton et, tout là-haut, l'éternité ne pourra pas déloger la maison ultra-moderne du Professeur C. ; de sa terrasse on pouvait distinguer, au sud, le plus grand et le plus triste des trois lacs réunis qu'on appelait Omega, Ozero et Zero (noms indiens mutilés par les premiers pionniers de façon à permettre de spécieuses dérivations et des allusions banales). Du côté nord de la colline, Dulwich Road rejoint la grand-route qui mène à l'Université Wordsmith à laquelle je ne consacrerai ici que quelques mots, un peu parce que toutes sortes d'opuscules descriptifs devraient être à la disposition du lecteur en écrivant au Bureau de Publicité de l'Université, mais surtout parce que je désire souligner, en rendant cette référence à Wordsmith plus brève que les notes sur les maisons de Shade et Goldsworth, le fait que l'Université était considérablement plus éloignée d'elles qu'elles ne l'étaient l'une de l'autre. C'est probablement la première fois que la douleur sourde de la distance est rendue par un effet de style et qu'une idée topographique trouve son expression verbale dans une série de phrases raccourcies.

Après avoir serpenté sur une distance de quatre milles dans une direction à peu près Est, à travers un quartier résidentiel magnifiquement sulfaté et irrigué, avec des pelouses à inclinaisons différentes sur les deux versants, la route bifurque : une branche tourne à gauche vers New Wye et son aéroport anxieux ; l'autre continue jusqu'au campus. Voici les grandes demeures de la folie, les dortoirs impeccablement conçus — tintamarre de musique sauvage — le magnifique palais de l'Administration, les murs de brique, les arcades, les cours d'honneur silhouettées en vert velours et chrysoprase, Spencer House et son étang de nénuphars, la Chapelle, la nouvelle Salle de Conférences, la Bibliothèque, l'édifice style prison contenant nos salles de cours et nos bureaux (désormais appelé

Shade Hall), la fameuse avenue bordée de tous les arbres mentionnés par Shakespeare, un vrombissement lointain, un soupçon de brume, le dôme turquoise de l'Observatoire, les pâles plumets d'un cirrus effiloché, et le terrain de football en forme d'amphithéâtre romain ceint d'un rideau de peupliers, désert les jours d'été, à moins qu'un petit garçon rêveur ne vienne y faire voler — au bout d'une longue corde dans un cercle bourdonnant — un avion modèle réduit propulsé par un moteur.

Doux Jésus, faites quelque chose.

Vers 49 : hickory

Notre poète partageait avec les maîtres anglais le talent de transplanter des arbres dans ses vers avec leur sève et leur ombre. Il y a plusieurs années, Disa, la Reine de notre Roi, dont les arbres préférés étaient le jacaranda et le ginkgo transcrivit dans son album un quatrain d'un recueil de vers de John Shade, la *Coupe d'Hébé,* que je ne puis m'empêcher de citer ici (d'une lettre que je reçus le 6 aril 1959, du sud de la France) :

L'ARBRE SACRÉ

La feuille de ginkgo, d'une teinte dorée,
A sa chute, couleur de raisin, à l'odorat, musqué,
Ressemble à un papillon suranné,
Mal éployé.

Lorsque la nouvelle église épiscopale de New Wye (voir la note au vers 549) fut construite, les bulldozers épargnèrent un hémicycle de ces arbres sacrés plantés par un architecte paysagiste de génie (Repburg) au bout de ce qu'on appelle Shakespeare Avenue, sur le campus. Je ne sais trop si la question est pertinente ou non, mais il y a une allusion à un rat musqué dans le deuxième vers, et « arbre » devient *grados* en zemblien.

Vers 57 : Le fantôme de l'escarpolette de ma petite fille

A la suite de ce vers, Shade biffa légèrement sur la copie les vers suivants :

La lumière est bonne ; les lampes de lecture ont de longs cous ;
Toutes les portes ont des clés. Ton architecte moderne
Est de mèche avec les psychanalystes :
En dessinant la chambre des parents, il insiste
Sur des portes sans verrous, afin que le futur patient
Du futur charlatan, examinant son passé,
Puisse trouver, toute prête pour lui, la Scène Primitive.

Vers 61 : L'immense trombone de la télé

Dans la notice nécrologique, par ailleurs vide et assez sotte, que je mentionne dans mes notes aux vers 71-72, on trouve la citation d'un poème manuscrit (reçu de Sybil Shade) que l'on prétend avoir été « composé par notre poète, apparemment à la fin de juin, donc moins d'un mois avant la mort de notre poète, et par conséquent le dernier court poème que notre poète écrivit ».

Le voici :

L'ESCARPOLETTE

Le soleil couchant qui allume les pointes
Des trombones géants de la télé
Sur le toit ;

L'ombre de la poignée de la porte qui, au déclin
Du soleil est une batte de base-ball
Sur la porte;

Le cardinal qui aime se percher
Et faire chip-wit, chip-wit, chip-wit
Sur l'arbre;

La petite escarpolette qui oscille vide
Sous l'arbre : voilà les choses
Qui me brisent le cœur.

Je laisse au lecteur de *mon* poète le soin de décider s'il est vraisemblable que Shade ait écrit ceci quelques jours seulement avant d'en répéter les thèmes en miniature dans cette partie du poème. Je soupçonne ceci d'être une tentative bien antérieure (l'année n'est pas indiquée, mais ceci devrait remonter à peu de temps après la mort de sa fille) que Shade alla dénicher dans ses vieux papiers pour voir ce qu'il pourrait utiliser pour *Feu Pâle* (le poème que notre nécrologue ne connaît pas).

Vers 62 : Souvent

Souvent, presque toutes les nuits, au cours du printemps de 1959, j'ai craint pour ma vie. La solitude est le terrain de jeux de Satan. Je ne puis décrire les abîmes de ma solitude et de ma détresse. Il y avait, naturellement, mon célèbre voisin de l'autre côté de l'allée, et durant une certaine période, je pris un jeune locataire dissipé (qui rentrait à la maison généralement bien après minuit). Cependant, je désire insister sur ce dur et froid noyau de solitude qui est néfaste à un expatrié. Tout le monde sait à quel point les Zembliens sont portés au régicide : deux reines, trois rois et quatorze prétendants moururent de mort violente, étranglés, poignardés, empoisonnés et noyés, en un siècle seulement (1700-1800). Le château Goldsworth devenait particulièrement solitaire après ce point tournant de la brune qui ressemble tellement à la tombée de la nuit de l'esprit. Des bruissements furtifs, les bruits de pas des feuilles de l'année précédente, de paresseuses brises, un chien qui faisait la tournée des poubelles, tout évoquait pour moi l'image d'un rôdeur assoiffé de sang. J'allais d'une fenêtre à l'autre, mon bonnet de nuit en soie trempé de sueur, ma poitrine nue comme un étang à l'époque du dégel, et quelquefois, armé du fusil de chasse du juge, j'affrontais mes terreurs sur la terrasse. J'imagine que c'est alors, pendant ces nuits printanières de mascarade, alors que dans les arbres les bruits de la vie nouvelle imitaient cruellement les crépitements de la vieille mort dans mon cerveau, j'imagine que c'est alors, durant ces nuits redoutables, que je m'habituai à consulter les fenêtres de la maison de mon voisin, dans l'espoir d'un rayon de réconfort (voir les notes aux vers 47-48). Que n'aurais-je pas donné pour que le poète ait une autre crise cardiaque (voir le vers 691 et la note), ce qui aurait requis ma présence chez lui, toutes fenêtres embrasées, au milieu de la nuit, dans un grand jaillissement chaleureux de sympathie, de café et d'appels téléphoniques, de recettes d'herbes médicinales zembliennes (elles font des miracles !), et un Shade ressuscité me pleurant dans les bras (« Du calme, du calme, John »). Mais durant ces nuits de mars, leur maison était noire comme la tombe. Et quand l'épuisement physique et le froid sépulcral me ramenaient finalement dans mon grand lit solitaire, à l'étage supérieur, je restais étendu, éveillé et haletant — comme si c'était maintenant que je traversais consciemment ces périlleuses nuits de mon pays, où, à tout moment, une bande de révolutionnaires excités pouvait arriver et me traîner jusqu'à un mur baigné de lune. Le bruit d'une voiture rapide ou d'un camion gémissant me parvenait comme un étrange mélange : le soulagement d'une vie amicale et l'ombre terrifiante de la mort : cette ombre s'arrêterait-elle à ma porte ? Ces tueurs fantômes venaient-ils pour moi ? m'abattraient-ils immédiatement — ou essaieraient-ils de ramener en fraude l'érudit professeur anesthésié jusqu'en Zembla, Rodnaya Zembla, pour y affronter une aveuglante carafe et une rangée de juges exultants dans leurs fauteuils inquisitoriaux ?

Il m'arrivait de croire que seule l'autodestruction pouvait me donner l'espoir d'échapper aux assassins qui avançaient implacablement en moi, dans mes tympans, dans mon pouls, dans mon crâne, plutôt que sur cette interminable autoroute qui décrivait des boucles au-dessus de moi et autour de mon cœur au moment où je ne m'assoupissais que pour voir mon sommeil réduit à néant par le retour de cet ivrogne, de cet impossible, de cet inoubliable Bob à ce qui avait été le lit de Candida ou de Dee. Comme je l'ai rapidement mentionné dans mon introduction, je le mis finalement à la porte ; par la suite, pendant plusieurs nuits, ni le vin, ni la musique, ni la prière ne purent apaiser mes craintes. D'autre part, ces tendres jours printaniers étaient tout à fait supportables, mes conférences plaisaient à tout le monde, et je me faisais une règle d'assister à toutes les réunions de société qui m'étaient ouvertes. Mais après la joyeuse soirée, revenaient encore l'approche insidieuse, l'oblique démarche traînante, cette ombre qui avance en rampant, et cette pause, et, à nouveau, la crépitation.

Le château Goldsworth avait de nombreuses issues, et, peu importe la minutie avec laquelle je les inspectais ainsi que les volets des fenêtres du rez-de-chaussée avant d'aller me coucher, je découvrais immanquablement le lendemain matin quelque chose déverrouillé, déclenché, un peu détaché, un peu entrebâillé, quelque chose de sournois et d'apparence suspecte. Un soir, le chat noir que j'avais vu, quelques minutes plus tôt, se faufiler au sous-sol où je lui avais installé des lieux d'aisances dans un cadre attrayant, réapparut soudainement sur le pas de la porte de la salle de musique, au milieu de mon insomnie et d'un disque de Wagner, faisant le gros dos et portant un nœud papillon en soie blanche qu'il ne pouvait certainement pas avoir mis tout seul. Je composai le numéro de téléphone 11111 et, quelques minutes plus tard, j'étais en train de parler des coupables possibles avec un policier qui apprécia grandement mon eau-de-vie de cerises, mais, quel qu'ait été l'intrus, il n'avait pas laissé de traces. Il est si facile pour une personne cruelle de faire croire à la victime de son ingéniosité qu'elle souffre de la manie de la persécution, ou qu'elle est traquée par un tueur, ou qu'elle a des hallucinations. Des hallucinations ! Je savais bien que parmi certains jeunes professeurs dont j'avais repoussé les avances, il y avait au moins un mauvais plaisant ; je le savais depuis le jour où, revenant à la maison après une réunion très agréable et très réussie entre professeurs et étudiants (au cours de laquelle j'avais enlevé mon veston de façon exubérante et montré à de nombreux élèves consentants quelques-unes des prises amusantes employées par les lutteurs zembliens) je trouvai dans la poche de mon manteau une brutale note anonyme qui disait : « Quelle mauvaise hal... vous avez, cher ami », signifiant évidemment « hallucination », quoiqu'un critique malveillant eût pu déduire du nombre insuffisant de points que le petit Mr. Anon, bien qu'il fût professeur d'anglais en première année, pouvait à peine épeler.

Je suis heureux de rendre compte que peu après Pâques, mes craintes disparurent pour de bon. Dans la chambre d'Alphina ou de Betty vint s'installer un autre locataire, Balthasar, Prince de Loam, comme je le nommais, qui s'endormait à neuf heures avec une régularité élémentaire, et plantait déjà, à six heures du matin, des héliotropes *(Heliotropium turgenevi)*. C'est la fleur dont l'odeur évoque avec une intensité intemporelle le soleil couchant, et le banc de jardin, et une maison en bois peint dans une lointaine contrée nordique.

Vers 70 : La nouvelle télé

Après ceci, sur le brouillon (daté du 3 juillet), suivent quelques vers non numérotés qui ont pu être destinés à quelques parties ultérieures du poème. Ils ne sont pas vraiment supprimés, mais ils sont accompagnés d'un point d'interrogation dans la marge et encerclés d'une ligne ondulée qui empiète sur quelques-unes des lettres :

Il y a des événements, des cas étranges, qui frappent
L'esprit comme emblématiques. Ce sont comme
Des métaphores perdues, à la dérive, sans liens,
Rattachées à rien. Ainsi ce Roi nordique
Dont l'évasion désespérée de prison ne connut
Une issue heureuse que parce qu'environ
Quarante de ses partisans se firent passer
Pour lui, ce soir-là, et imitèrent sa fuite...

Il n'aurait jamais atteint la côte occidentale si l'idée de se faire passer pour le Roi en fuite ne s'était répandue parmi ses partisans secrets, de romantiques et héroïques casse-cou. Ils s'accoutrèrent de chandails rouges et de bonnets rouges pour lui ressembler, et surgirent ici et là, embrouillant complètement la police révolutionnaire. Quelques-uns des espiègles étaient beaucoup plus jeunes que le Roi, mais cela n'avait aucune importance puisque les photos du Roi dans les huttes des montagnards et dans les boutiques myopes des hameaux, où l'on pouvait acheter des vers, du pain d'épice et des lames *giletka,* n'avaient pas vieilli depuis son couronnement. Une charmante note caricaturale fut ajoutée lors de la fameuse circonstance quand on aperçut, de la terrasse de l'Hôtel Kronblik, dont le télésiège amène les touristes au glacier Kron, un joyeux mime flottant en l'air comme une phalène rouge avec un policier sans veine et sans casquette, deux sièges derrière lui, dans une poursuite au ralenti comme dans un rêve. C'est avec plaisir qu'on ajoute qu'avant d'atteindre l'appontement, le faux roi réussit à s'échapper en descendant le long d'un des pylônes qui soutenaient le câble tracteur (voir également les notes aux vers 149 et 171).

Vers 71 : Parents

Le Professeur Hurley produisit avec un empressement louable une appréciation des œuvres publiées de John Shade moins d'un mois après la mort du poète. Elle parut dans une obscure revue littéraire dont le nom m'échappe momentanément, et on me la montra à Chicago, où j'interrompis pour quelques jours mon périple en automobile de New Wye à Cedarn, dans ces tristes montagnes automnales.

Un commentaire où devrait régner une placide érudition n'est guère l'endroit pour faire ressortir les insuffisances absurdes de cette petite notice nécrologique. Je l'ai mentionnée simplement parce que j'y ai trouvé quelques maigres détails concernant les parents du poète. Son père, Samuel Shade, qui mourut en 1902 à l'âge de cinquante ans, avait étudié la médecine durant sa jeunesse et fut vice-président d'une firme d'instruments chirurgicaux d'Exton. Cependant, sa grande passion était ce que notre éloquent nécrologue appelle « l'étude de la gent emplumée », ajoutant qu'on avait « donné son nom à un oiseau : *Bombycilla Shadei* » (ceci devrait être *shadei*, bien sûr). La mère du poète, née Caroline Lukin, l'aida dans ses travaux et créa les admirables dessins de son ouvrage *Les Oiseaux du Mexique,* que je me souviens avoir vu chez mon ami. Ce que le nécrologue ignore, c'est que Lukin vient de Luke, ainsi que Locock et Luxon et Lukashevich. Ce n'est qu'un des nombreux cas où le patronyme héréditaire, apparemment amorphe mais vivant et personnel, se développe, parfois en formes fantastiques, autour du caillou très ordinaire d'un nom de baptême. Les Lukin sont une très vieille famille de l'Essex. D'autres noms dérivent de professions telles que Rymer, Scrivener, Limner (l'enlumineur de parchemins), Botkin (le bottier, le fabricant de chaussures de fantaisie) et nombre d'autres. Mon précepteur, un Écossais, appelait tout édifice qui tombait en ruine une « maison-hurley ». Mais c'en est assez.

Quelques autres détails concernant les études universitaires de John Shade et les années médianes de sa vie singulièrement peu mouvementée, peuvent être consultés par son lecteur dans l'article du Professeur. Dans l'ensemble, ç'aurait été un article ennuyeux s'il n'avait été animé, si c'est bien le terme, par certains traits particuliers. Ainsi, il y a une seule allusion au chef-d'œuvre de mon ami (dont les piles bien rangées, tandis que j'écris ces lignes, reposent au soleil sur ma table comme autant de lingots d'un fabuleux métal) et je transcris cette allusion avec un plaisir morbide : « Juste avant sa mort prématurée, notre poète semble avoir travaillé à un poème autobiographique. » Les circonstances de cette mort sont complètement déformées par le Professeur, suiveur fidèle de ces messieurs de la presse quotidienne qui — peut-être pour des raisons politiques — avaient falsifié les intentions et les motifs du coupable sans attendre son procès — qui ne devait pas avoir lieu dans ce monde malheureusement (voir éventuellement mon ultime note). Mais, naturellement, la caractéristique la plus frappante de la petite notice nécrologique, c'est qu'elle ne contient pas *une seule référence* à la merveilleuse amitié qui ensoleilla les derniers mois de la vie de John.

Mon ami ne pouvait pas évoquer l'image de son père. Tout comme le Roi qui (lui non plus n'avait pas tout à fait trois ans quand son père, le Roi Alfin, mourut) était incapable de se souvenir de son visage quoiqu'il se rappelât parfaitement bien, chose curieuse, le petit monoplan de chocolat qu'il tenait dans ses mains de bébé joufflu, sur la toute dernière photographie (Noël 1918) du mélancolique aviateur en culotte de cheval, sur le genou duquel il se tenait inconfortablement à contrecœur.

Alfin le Vague (1873-1918) qui régna de 1900 à 1918, mais de 1900 à 1919 dans la plupart des dictionnaires biographiques, confusion due au changement de calendrier du Vieux Style au Nouveau, doit son surnom à Amphitheatricus, un assez aimable auteur de poésie de circonstance des gazettes libérales (qui fut aussi celui qui rebaptisa ma capitale « Uranograd » !). Le Roi Alfin était d'une distraction sans limites. C'était un pitoyable linguiste, ne disposant que de quelques phrases de français et de danois, mais chaque fois qu'il avait à prononcer un discours devant ses sujets — devant un groupe de manants zembliens bouche bée dans quelque lointaine vallée où il avait fait un atterrissage forcé — quelque incontrôlable mécanisme se mettait en branle dans son esprit, et il revenait à ces phrases, les assaisonnant avec un peu de latin pour la circonstance. La plupart des anecdotes qui ont trait à ses naïves crises d'abstraction sont trop niaises et trop inconvenantes pour venir souiller ces pages ; mais l'une d'elles, que je ne trouve pas particulièrement drôle, arracha à Shade de tels éclats de rire (et me revint *via* la salle des professeurs, avec de si obscènes variantes) que je suis enclin à la raconter ici comme exemple (et comme rectification). Un été, avant la Première Guerre mondiale, lorsque l'Empereur d'un grand royaume étranger (je me rends compte que le choix est extrêmement limité) vint rendre une très inhabituelle et très flatteuse visite à notre rude petit pays, mon père l'amena, ainsi qu'un jeune interprète zemblien (dont je ne précise pas le sexe) dans une voiture hors série, récemment acquise, faire une petite randonnée à la campagne. Comme toujours, le Roi Alfin voyageait sans la moindre escorte, et ceci, ajouté à l'allure à laquelle il conduisait, semblait inquiéter son invité. Sur le chemin du retour, à quelque vingt milles d'Onhava, le Roi Alfin décida de s'arrêter pour faire des réparations. Pendant qu'il tripotait le moteur, l'Empereur et l'interprète allèrent se réfugier à l'ombre de pins qui bordaient l'autoroute, et ce n'est qu'à son retour à Onhava qu'il se rendit compte peu à peu, après une répétition de questions plutôt frénétiques, qu'il avait oublié quelqu'un derrière lui (« Quel empereur ? » est demeuré son seul mot mémorable). En général, en ce qui concernait toutes mes contributions (ou ce que je croyais être des contributions), j'enjoignis à plusieurs reprises à mon poète de les consigner par écrit, et comment, mais de ne pas les répandre en bavardages futiles : cependant, même les poètes sont humains.

La distraction du Roi Alfin était étrangement associée à une passion pour les choses mécaniques, particulièrement pour les machines volantes. En 1912, il réussit à s'élever dans un « hydroplan » Fabre qui ressemblait à un parapluie et il faillit se noyer en mer entre Nitra et Indra. Il démolit deux Farmans, trois machines zembliennes, et un Santos Dumont *Demoiselle* qu'il aimait particulièrement. Un monoplan très spécial, le Blenda IV, fut construit pour lui en 1916 par son fidèle « adjudant aérien », le Colonel Peter Gusev (qui devint plus tard un pionnier du parachutisme et, à soixante-dix ans, un des plus grands parachutistes de tous les temps), et ce fut son oiseau fatal. Le matin de décembre, serein et pas trop froid, que les anges avaient choisi pour prendre au filet son âme douce et pure, le Roi Alfin était en train d'essayer solo une boucle verticale compliquée que le Prince Andreï

Kachurine, le célèbre acrobate aérien et héros russe de la Première Guerre mondiale, lui avait apprise à Gatchina. Quelque chose se détraqua, et on vit le petit Blenda désemparé descendre en piqué. Derrière et au-dessus de lui, à bord d'un biplan Caudron, le Colonel Gusev (devenu Duc de Rahl) et la Reine prirent plusieurs photographies de ce qui semblait être au début une noble et gracieuse évolution, mais qui se changea ensuite en quelque chose d'autre. Au dernier moment, le Roi Alfin réussit à redresser son appareil et redevint maître de la gravité lorsqu'il vint, tout de suite après, s'écraser contre l'échafaudage d'un immense hôtel que l'on construisait au milieu d'une lande côtière, comme si on avait eu l'intention bien arrêtée de faire obstacle à un roi. Cet édifice inachevé et tout noirci par le feu fut rasé sur l'ordre de la Reine Blenda qui le fit remplacer par un monument en granit de mauvais goût surmonté d'un invraisemblable avion de bronze. Les épreuves glacées des photographies agrandies dépeignant toute la catastrophe furent découvertes un jour par Charles-Xavier, alors âgé de huit ans, dans le tiroir d'un secrétaire-bibliothèque. Sur quelques-unes de ces épouvantables photographies, on pouvait apercevoir les épaules et le casque de cuir de l'aviateur étrangement insouciant, et sur l'avant-dernière de la série, juste avant l'écrasement fatal dans une buée blafarde, on le voyait distinctement lever un bras triomphant et rassurant. Après cela, le petit garçon eut de hideux cauchemars, mais sa mère ne sut jamais qu'il avait vu ces documents infernaux.

Il se souvenait vaguement d'elle : une grande et vigoureuse écuyère de forte carrure, au visage rubicond. Un cousin royal l'avait assurée que son fils serait heureux et en sécurité sous la tutelle de l'admirable Mr. Campbell qui avait enseigné à de nombreuses petites princesses soumises à éployer des papillons et à apprécier *Lord Ronald's Coronach*. Il avait immolé sa vie, pour ainsi dire, sur les autels portatifs d'un nombre considérable de passe-temps, de l'étude des mites qui dévorent les livres à la chasse à l'ours, et pouvait débiter *Macbeth* d'un bout à l'autre au cours d'excursions à pied ; mais il se désintéressait complètement de la moralité des enfants dont il avait la charge, préférait les dames aux damoiseaux, et ne s'immisçait pas dans les complexités de la pédérastie zemblienne. Après dix ans de service, il partit pour quelque cour exotique en 1932, lorsque notre Prince, âgé de dix-sept ans, eut commencé à partager son temps entre l'Université et son régiment. Ce fut la période la plus agréable de sa vie. Il ne sut jamais ce qu'il préférait : étudier la poésie — spécialement la poésie anglaise — ou assister aux revues militaires, ou danser dans les bals masqués avec des garçons-filles ou des filles-garçons. Sa mère mourut subitement le 21 juillet 1936, d'une obscure maladie du sang dont avaient également souffert sa mère et sa grand-mère. Le jour précédent, elle se sentait beaucoup mieux — et Charles-Xavier était allé à un bal qui devait durer toute la nuit, à ce qu'on appelait le Dôme ducal à Grindelwod : pour la circonstance, une réunion strictement conventionnelle, plutôt rafraîchissante après certains divertissements antérieurs. Vers quatre heures du matin, alors que le soleil enflammait la crête des arbres, et que le mont Falk était devenu un cône rose, le Roi arrêta sa puissante voiture à l'une des portes du palais. L'air était si délicat, la lumière si lyrique, qu'il décida avec les trois amis qui l'accompagnaient de franchir à pied, à travers le bosquet de tilleuls, la distance qui les séparait du Pavillon Pavonien où les invités étaient hébergés. Lui et Otar, un ami platonique, étaient en habit, mais ils avaient perdu leurs hauts-de-forme dans le vent sur la route. Une impression étrange les saisit tous les quatre alors qu'ils se tenaient sous les jeunes tilleuls dans le paysage tracé au compas d'escarpes et de contrescarpes accentuées par les jeux d'ombres. Otar, un gentilhomme plaisant et cultivé avec un nez immense et des cheveux clairsemés, était accompagné de ses deux maîtresses, Fifalda, dix-huit ans (qu'il épousa par la suite) et Fleur, âgée de dix-sept ans (que nous rencontrerons dans deux autres notes), filles de la Comtesse de Fyler, dame de compagnie préférée de la Reine. On s'attarde involontairement sur cette image, comme on le fait lorsqu'on se trouve à un point privilégié dans le temps et qu'on sait rétrospectivement que dans un instant la vie d'un être sera complètement changée. Otar était donc là, observant avec une expression intriguée les fenêtres éloignées des appartements de la Reine, et les deux filles étaient là, côte à côte, les jambes minces, dans leurs châles chatoyants, leurs nez roses de chatons, leurs yeux verts et lourds de sommeil, leurs boucles d'oreilles absorbant et reflétant les feux du soleil. Il y avait quelques personnes alentour, comme il y en avait toujours, quelle que soit l'heure, à cette porte que longeait une route qui rejoignait l'autoroute de l'est. Une paysanne avec un petit gâteau qu'elle avait cuit elle-même, sans doute la mère de la sentinelle qui n'était pas encore venue relever le jeune *nattdett* aux cheveux noirs (enfant de la nuit) et mal rasé dans sa lugubre guérite, était assise sur une bouteroue et observait avec une fascination féminine les bougies qui allaient d'une fenêtre à l'autre comme des lucioles ; deux ouvriers, debout près de leurs bicyclettes, observaient aussi ces étranges lumières ; et un ivrogne avec une moustache de phoque titubait et caressait les troncs des tilleuls. On s'arrête à ces détails mineurs lors de tels ralentis de la vie. Le Roi remarqua qu'un peu de boue rougeâtre tachetait les cadres des deux bicyclettes et que leurs roues avant étaient toutes deux tournées dans la même direction, parallèles l'une à l'autre. Soudainement, la Comtesse accourut en trébuchant sur le bord de sa robe de chambre ouatée, le long d'un sentier fortement incliné parmi les buissons de lilas — le chemin le plus court en venant des appartements de la Reine, et au même moment, d'un autre côté du palais, les sept conseillers, vêtus de leurs costumes de cérémonie et portant comme des plum-cakes les répliques des différents insignes de la royauté, descendirent les escaliers de pierre avec une célérité majestueuse, mais elle les battit d'une longueur et cracha la nouvelle. L'ivrogne commença à chanter une chanson obscène sur le thème « Karlie-Garlie » et tomba dans le fossé de la demi-lune. Il est difficile de décrire clairement dans de courtes notes à un poème les diverses approches d'un château fort, et, comme j'étais conscient du problème, je préparai pour John Shade, dans le courant du mois de juin, alors que je lui racontais les événements brièvement esquissés dans quelques-uns de mes commentaires (voir la note au vers 130, par exemple) un plan assez joliment dessiné des appartements, terrasses, bastions et jardins d'agrément du palais d'Onhava. A moins qu'il n'ait été détruit ou volé, ce plan minutieux tracé avec des encres de couleurs variées sur un grand morceau (trente pouces sur vingt) de carton pourrait bien se trouver au même endroit où je l'aperçus pour la dernière fois à la mi-juillet, sur le couvercle de la grosse malle noire, face à la vieille lessiveuse, dans une des niches du petit couloir qui conduit à ce qu'on nomme la fruiterie. S'il n'est pas là, on pourrait le chercher dans le cabinet de travail de Shade à l'étage supérieur. J'ai écrit à ce propos à Mrs. Shade, mais elle ne répond pas à mes lettres. Au cas où il existerait encore, je désire la supplier, sans élever la voix, et très humblement, aussi humblement que le dernier des sujets du Roi pourrait plaider pour un rétablissement immédiat de ses droits (le plan est à moi et clairement signé avec une couronne noire de roi d'échecs à la suite de « Kinbote »), de l'envoyer, bien emballé, avec la mention *ne pas plier* sur l'enveloppe, et par lettre recommandée, à mon éditeur pour reproduction dans les éditions ultérieures de cet ouvrage. Le peu d'énergie que je possédais a baissé récemment, et ces horribles maux de tête me rendent maintenant impossible l'effort mnémonique et visuel que demanderait l'élaboration d'un autre plan semblable. La malle noire se trouve sur une autre malle brune ou brunâtre encore plus grande, et je crois qu'il y a un renard ou un coyote empaillé près d'elles dans leur noir recoin.

Vers 79 : un prétériste

Vis-à-vis de ceci, on trouve dans la marge du brouillon deux vers dont seul le premier est déchiffrable. Comme suit :

Le soir est le moment de louer le jour

Je suis presque certain que mon ami essayait d'incorporer ici quelque chose que lui et Mrs. Shade m'avaient entendu citer dans un de mes moments euphoriques, notamment un charmant quatrain tiré de la contrepartie zemblienne du Elder Edda, dans une traduction anglaise anonyme (celle de Kirby ?) :

Les sages louent le jour à la tombée de la nuit,
L'épouse, lorsqu'elle est morte,
La glace, lorsqu'elle est traversée, la mariée
Lorsqu'elle est renversée, le cheval une fois essayé.

Vers 80 : ma chambre à coucher

Notre Prince aimait Fleur comme une sœur mais sans le plus léger soupçon d'inceste ou de complications homosexuelles au deuxième degré. Elle avait un petit visage pâle avec des pommettes saillantes, des yeux lumineux, et des cheveux noirs bouclés. Le bruit courait qu'après s'être promené pendant des mois avec une coupe en porcelaine et la pantoufle de Cendrillon le sculpteur et poète mondain Arnor avait trouvé en elle ce qu'il cherchait, et qu'il avait employé ses seins et ses pieds dans sa *Lilith rappelant Adam ;* mais je ne suis certainement pas un expert en ces tendres matières. Otar, son amant, disait que lorsqu'on marchait derrière elle, et qu'elle le savait, le balancement et le jeu de ses hanches sveltes était quelque chose d'intensément artistique, quelque chose qu'apprenaient aux jeunes filles arabes, dans des écoles spéciales, des entremetteurs parisiens spéciaux qu'on étranglait par la suite. Ses chevilles fragiles, disait-il, qu'elle tenait très près l'une de l'autre dans sa démarche onduleuse et délicate, étaient les « joyaux attentifs » du poème où Arnor chante une *miragarl* (« fille-mirage »), pour qui « un roi de rêve dans les sablonneux déserts du temps donnerait trois cents chameaux et trois fontaines ».

/ / / /

On sagaren werem tremkin tri stana

/ / / /

Verbalala wod gev ut tri phantana

(J'ai indiqué l'accentuation.)

Le Prince ne prêtait aucune attention à ce bavardage d'assez mauvais goût (sans doute entièrement orchestré par la mère de Fleur) et, qu'on me permette de le répéter, il la considérait simplement comme une demi-sœur, élégante et parfumée, avec une moue peinte et une façon maussade, confuse et gauloise d'exprimer le peu qu'elle désirait exprimer. Son imperturbable rudesse à l'égard de la nerveuse et bavarde Comtesse amusait le Prince. Il aimait danser avec elle — et avec elle seulement. Il se crispait à peine lorsqu'elle caressait sa main ou qu'elle se collait silencieusement, les lèvres ouvertes, contre sa joue que l'aube hagarde d'après le bal avait déjà souillée. Elle ne semblait pas se formaliser lorsqu'il l'abandonnait pour des plaisirs plus virils, et elle le rencontrait de nouveau dans l'obscurité d'une voiture ou dans le clair-obscur d'un cabaret, avec le sourire contenu et ambigu d'une tendre cousine.

L'intervalle de quarante jours qui sépara la mort de la Reine Blenda du couronnement du Prince fut peut-être la période la plus pénible de sa vie. Il n'avait jamais eu le moindre amour pour sa mère, et le remords impuissant et désespéré qu'il ressentait à présent dégénérait en une peur physique maladive de son fantôme. La Comtesse, qui semblait être près de lui et froufrouter constamment à ses côtés, le fit assister à des séances de tables tournantes avec un médium américain chevronné, séances au cours desquelles l'esprit de la Reine, agissant avec le même genre de planchette qu'elle avait employée de son vivant pour bavarder avec Thormodus Torfaeus et A. R. Wallace, écrivait maintenant avec entrain en anglais : « Charles, prends prends chéris aime fleur fleur fleur. » Un vieux psychiatre si complètement à la solde de la Comtesse qu'il avait l'air, même extérieurement, d'une poire putride, assura le Prince que ses vices avaient subconsciemment tué sa mère et continueraient à « la tuer en lui » s'il ne renonçait pas à la sodomie. Une intrigue de palais est une araignée spectrale qui vous empêtre plus méchamment à chaque tentative désespérée que vous faites. Notre Prince était jeune, sans expérience, et à moitié fou d'insomnie. Il se débattit à peine. La Comtesse dépensa une fortune pour acheter son *kamergrum* (valet de chambre), son garde du corps, et même la plus grande partie du chambellan de la cour. Elle se mit à dormir dans une petite antichambre attenante à la chambre de célibataire du Prince, une splendide et spacieuse pièce circulaire au sommet de la haute et massive tour du Sud-Ouest. Cette pièce avait été la retraite de son père et communiquait encore, par une agréable glissoire cachée dans le mur, avec une piscine circulaire dans la salle inférieure, de telle sorte que le jeune Prince pouvait commencer la journée comme son père avait l'habitude de le faire, en ouvrant un panneau à côté de son lit de camp et en se jetant dans le puits d'où il tombait tout droit dans l'eau limpide. Pour des besoins autres que le sommeil, Charles-Xavier avait fait installer au milieu du parquet couvert de tapis persans ce qu'on appelle un batifolia, c'est-à-dire un immense oreiller en duvet de cygne, ovale, voluptueusement garni de volants, et trois fois la dimension d'un lit. C'était dans cet ample nid que Fleur dormait à présent, blottie dans son creux central, sous un couvre-lit de véritable fourrure de panda géant qui venait juste d'être hâtivement expédié du Tibet par un groupe d'amis asiatiques à l'occasion de l'accession du Prince au trône. L'antichambre où la Comtesse était nichée avait un escalier intérieur et une salle de bains particulière, mais communiquait également par une porte coulissante avec la Galerie occidentale. Je ne sais trop quel ordre ou conseil Fleur avait reçu de sa mère; mais la pauvre petite s'avéra une piètre séductrice. Elle essayait constamment, comme dans une folie douce, de réparer une viole d'amour brisée, ou s'asseyait dans des attitudes douloureuses en comparant deux flûtes anciennes, toutes deux d'un son triste et faible. Pendant ce temps, vêtu à la turque, il se prélassait dans l'ample chaise de son père, les jambes par-dessus le bras du fauteuil, feuilletant un volume de l'*Historica Zemblica*, en copiant des passages, et sortant occasionnellement des recoins inférieurs de son siège une paire de vieilles lunettes d'automédon, une bague d'opale noire, une boule de papier argent pour l'emballage des chocolats, ou l'étoile d'un ordre étranger.

Il faisait chaud dans le soleil vespéral. Le deuxième jour de leur ridicule cohabitation, elle ne portait rien d'autre que le haut d'un pyjama sans boutons et sans manches. La vue de ses quatre membres nus et de ses trois nids de souris (anatomie zemblienne) l'irritait, et tandis qu'il marchait de long en large en réfléchissant à son discours du couronnement, il lançait dans sa direction, sans regarder, ses pantalons ou un peignoir en tissu-éponge. De temps à autre, lorsqu'il retournait au vieux fauteuil confortable, il l'y trouvait, contemplant avec tristesse l'image d'un *bogtur* (guerrier d'autrefois) dans le livre d'histoire. Il la chassait de son fauteuil, sans lever les yeux de son bloc-notes, et elle allait s'étendre sur la banquette dans le rayon de soleil où dansait la poussière ; mais un instant plus tard, elle essayait de venir se blottir contre lui, et il lui fallait repousser d'une main sa tête à chevelure noire, bouclée et fouisseuse, tandis qu'il écrivait de l'autre, ou bien encore, détacher une à une de sa manche ou de son écharpe ses petites griffes roses.

La nuit, sa présence ne chassait pas l'insomnie, mais, au moins, tenait en échec le puissant fantôme de la Reine Blenda. Entre l'épuisement et l'assoupissement, il s'amusait de misérables fantaisies : par exemple, il se levait et versait un peu de l'eau froide d'une carafe sur l'épaule nue de Fleur, comme pour y éteindre la faible lueur d'un rayon de lune. Dans son repaire, la Comtesse ronflait comme un stentor. Au-delà de l'antichambre de son insomnie (à ce point, il commença à s'endormir), dans la froide et obscure galerie, couchés sur le marbre peint et empilés en trois et quatre épaisseurs contre la porte verrouillée, les uns somnolant, les autres geignant, se trouvaient ses nouveaux pages, toute une montagne de garçons reçus en cadeaux de Troth, de la Toscane et de l'Albanoland.

En s'éveillant, il l'aperçut debout, un peigne à la main, devant sa psyché — ou plutôt celle de Thurgus III — un triptyque d'insondable lumière, un miroir vraiment fantastique, signé avec un diamant par son artisan, Sudarg de Bokay. Elle tournait devant le miroir : un secret dispositif de réflexion recueillit dans les profondeurs du miroir un nombre infini de nus, des guirlandes de filles en groupes tristes et gracieux, s'estompant dans le lointain limpide, ou se divisant en nymphes individuelles dont quelques-unes, murmura-t-elle, devaient ressembler à ses ancêtres quand elles étaient jeunes — de petites *garlien* paysannes coiffant leur chevelure dans l'eau peu profonde, aussi loin que l'œil pouvait voir, et puis la pensive sirène surgie d'un vieux conte, et puis rien.

La troisième nuit, un grand bruit de pas et un cliquetis d'armes se fit entendre dans l'escalier intérieur ; le Premier Conseiller, trois Représentants du Peuple, et le chef d'une nouvelle garde du corps firent irruption. Le plaisant de l'affaire, c'est que l'idée d'avoir pour reine la petite-fille d'un violoneux indignait surtout les Représentants du Peuple. Ce fut la fin du chaste épisode entre Charles-Xavier et Fleur qui était assez jolie sans être pour autant repoussante (de même que certains chats répugnent moins que d'autres au chien au bon naturel à qui on a dit de supporter les amers effluves d'une espèce étrangère). Les deux dames s'en retournèrent aux dépendances du Palais avec leurs valises blanches et leurs antiques instruments de musique. Il y eut une douce résonance de soulagement — et puis la porte de l'antichambre s'ouvrit avec un joyeux fracas, et tout un tas de *putti* dévala dans la pièce.

Il devait traverser une épreuve beaucoup plus tragique treize ans plus tard avec Disa, Duchesse de Payn, qu'il épousa en 1949, comme je le raconte dans les notes aux vers 275 et 433-434, que le lecteur du poème de Shade rencontrera en temps voulu ; rien ne presse. Puis vint une série d'étés froids. La pauvre Fleur était toujours dans les parages, bien que presque invisible. Elle devint la protégée de Disa après que la vieille Comtesse eut péri dans le hall bondé de l'Exposition des Animaux de Verre en 1950, lorsqu'une partie du hall fut presque détruite par le feu, Gradus aidant les pompiers à dégager un espace au centre pour lyncher les incendiaires non syndiqués ou, du moins, les personnes (deux touristes danois déconcertés) qu'on avait prises pour eux. Notre jeune Reine peut avoir ressenti quelque subtile sympathie pour sa pâle dame de compagnie que le Roi apercevait de temps en temps enluminant un programme de concert à la lumière diagonale d'une fenêtre en ogive, ou qu'il écoutait tirer des sons grêles d'un instrument dans le boudoir B. Une autre allusion est faite à sa magnifique chambre à coucher de célibataire dans une note au vers 130, comme l'endroit de sa « luxueuse captivité » au début de la fastidieuse et inutile révolution zemblienne.

Vers 85 : Qui avait vu le Pape

Pie X, Giuseppe Melchiorre Sarto, 1835-1914 ; Pape de 1903 à 1914.

Vers 86-90 : Tante Maud

Maud Shade, 1869-1950, sœur de Samuel Shade. A sa mort, Hazel (née en 1934) n'était pas exactement un « bébé » comme semble l'impliquer le vers 90. J'ai trouvé ses toiles déplaisantes mais intéressantes. Tante Maud n'avait rien d'une vieille fille, et son extravagante et sardonique tournure d'esprit doit avoir scandalisé plus d'une fois les dames conformistes de New Wye.

Vers 90-93 : Sa chambre, etc.

Sur le brouillon, au lieu du texte définitif :

. . . . .nous avons gardé
Sa chambre intacte. Son bric-à-brac
Reconstitue pour nous son style. La feuille-sarcophage
(Le cocon mort et desséché d'une luna)

Référence à ce que mon dictionnaire définit comme « un grand papillon nocturne vert pâle à queue, dont la chenille est un parasite du hickory ». Je soupçonne Shade d'avoir altéré ce passage parce que le nom de son papillon s'opposait à « Lune » dans le vers suivant.

Vers 91 : bric-à-brac

Il y avait dans ce bric-à-brac un album dans lequel tante Maud avait collé, durant un certain nombre d'années (1937-1949), des coupures de journaux d'une teneur involontairement ridicule ou grotesque. John Shade me permit un jour de prendre note de la première et de la dernière de la série ; j'ai trouvé qu'elles se complétaient de la plus plaisante façon. Toutes deux émanaient du même magazine familial *Life,* si justement célèbre pour sa pudibonderie quant aux mystères du sexe masculin ; on peut donc imaginer à quel point ces familles furent étonnées ou chatouillées. La première provient du numéro du 10 mai 1937, page 67 ; c'est une réclame pour la Fermeture à griffe pour Pantalons (incidemment, un nom assez tenace et pénible). On y voit un jeune homme éclatant de virilité parmi de nombreuses amies extasiées : et la légende dit : *Vous serez renversés de voir que la braguette de vos pantalons pouvait être si spectaculairement améliorée.* La deuxième provient du numéro du 28 mars 1949, page 126, et fait de la réclame pour le Slip Feuille de Vigne Hanes. On y voit une Ève moderne abritée derrière un arbre de la connaissance empoté ; elle jette un coup d'œil furtif sur un jeune Adam polisson portant un sous-vêtement assez ordinaire mais propre ; le devant de son slip est ombragé d'une manière évidente et précise, et la légende publicitaire dit : *Rien ne vaut une feuille de vigne.*

Je crois qu'il doit y avoir un groupe subversif spécial de pseudo-cupidons — des diablotins chauves et rondelets chargés par Satan de faire des espiègleries dégoûtantes dans des lieux sacro-saints.

Vers 92 : le presse-papiers

L'image de ces horreurs démodées hantait étrangement notre poète. J'ai découpé, dans un journal qui l'a republié récemment, un de ses anciens poèmes où la boutique de souvenirs conserve également un paysage admiré par le touriste :

VUE DE MONTAGNE

Entre la montagne et l'œil,
L'esprit de la distance tire
Un voile d'amoureuse gaze bleue,
La texture même du ciel.
Une brise atteint les pins, et je
Me joins à l'applaudissement général.

Mais nous savons tous que ça ne peut durer,
La montagne est trop faible pour attendre —
Même si elle est reproduite et sous verre
En moi comme dans un presse-papiers.

Vers 98 : Sur l'Homère de Chapman

Référence au titre du fameux sonnet de Keats (fréquemment cité en Amérique) qui, à la suite d'une distraction d'imprimeur, a été transposé, d'une manière cocasse, de quelque autre article, dans le compte rendu d'une rencontre sportive. Pour d'autres éclatantes coquilles, voir la note au vers 802.

Vers 101 : Nul homme libre n'a besoin d'un Dieu

Quand on considère les innombrables penseurs et poètes dans l'histoire de la création humaine dont la liberté d'esprit a été accrue plutôt que diminuée par la Foi, on est obligé de remettre en question la sagesse de cet aphorisme facile (voir également la note au vers 549).

Vers 109 : iridule

Un petit nuage irisé, le *muderperlwelk* zemblien. Je crois que le terme « iridule » est une invention de Shade. Sur la copie au propre (fiche 9, 4 juillet), au-dessus de ce mot, il a écrit au crayon « peacock-herl ». Le « peacock-herl » est le corps d'une certaine sorte de mouche artificielle aussi appelée « alder ». C'est ce que me dit le propriétaire de ce motel, un fervent de la pêche. (Voir également les « étranges lueurs nacrées » au vers 634.)

Vers 119 : Docteur Sutton

Il s'agit ici d'une combinaison de lettres prises dans deux noms, l'un commençant en « Sut », et l'autre se terminant en « ton ». Deux médecins distingués, retraités depuis longtemps, vivaient sur notre colline. Tous deux étaient de très vieux amis des Shade ; l'un avait une fille, présidente du cercle de Sybil — et c'est le Docteur Sutton que j'évoque dans mes notes aux vers 181 et 1000. Il est également mentionné dans le vers 986.

Vers 120-121 : cinq minutes étaient égales à quarante onces, etc.

Dans la marge de gauche, et parallèle à ces vers : « Au Moyen Age, une heure était égale à 480 onces de sable fin, ou 22,560 atomes. »

Il m'est impossible de vérifier cette affirmation ou les calculs du poète pour cinq minutes, i. e., trois cents secondes, puisque je ne vois pas comment 480 peut être divisé par 300 ou vice versa, mais peut-être suis-je simplement fatigué. Le jour (le 4 juillet) où John Shade écrivit ceci, Gradus le Flingueur se préparait à quitter la Zembla pour ses bourdes incessantes à travers deux hémisphères (voir la note au vers 181).

Vers 130 : Je n'ai jamais fait rebondir une balle ou manié une batte

Franchement, je n'ai jamais, moi non plus, excellé au football et au cricket ; je suis assez bon cavalier, skieur vigoureux quoique assez peu orthodoxe, bon patineur, lutteur astucieux, et alpiniste enthousiaste.

Sur le brouillon, le vers 130 est suivi de quatre vers que Shade rejeta en faveur de ceux qu'il a gardés sur la copie au propre (vers 131, etc.). Ce faux départ s'amorce ainsi :

Comme des enfants qui jouent dans un château trouvent
Dans quelque vieux placard plein de jouets, derrière
Les animaux et les masques, une porte coulissante
(quatre mots biffés complètement) *un couloir secret —*

La comparaison est demeurée en suspens. Il est probable que notre poète avait l'intention de l'associer au compte rendu de quelque mystérieuse vérité sur laquelle il avait trébuché lors des syncopes de son enfance. Je ne puis dire à quel point je suis attristé qu'il ait rejeté ces vers. Je le regrette, non seulement à cause de leur beauté intrinsèque, qui est grande, mais aussi parce que l'image qu'ils renferment fut suggérée à Shade par quelque chose qu'il avait reçu de moi. Au cours de ces notes, j'ai déjà fait allusion aux aventures de Charles-Xavier, dernier Roi de Zembla, et à l'intérêt particulier que mon ami portait aux nombreuses histoires que je lui racontais au sujet de ce roi. La fiche sur laquelle la variante a été conservée porte la date du 4 juillet : cette variante est un écho direct de nos promenades au coucher de soleil par les chemins embaumés de New Wye et de Dulwich. « Continuez », disait-il en vidant sa pipe contre le tronc d'un hêtre, et, tandis que le nuage coloré s'attardait et qu'au loin, dans la maison aux fenêtres éclairées, sur la colline, Mrs. Shade était tranquillement assise, absorbée par une pièce télévisée, j'accédais volontiers à la requête de mon ami.

Je décrivais avec des mots simples la curieuse situation où se trouvait le Roi durant les premiers mois de la rébellion. Il avait la sensation amusante d'être la seule pièce noire dans ce qu'un inventeur de problèmes d'échecs pourrait appeler un blocus avec un roi-dans-le-coin du type *solus rex*. Les royalistes, ou du moins les demmods (Démocrates Modérés), auraient pu empêcher l'État de se transformer en une banale tyrannie moderne, s'ils avaient été capables de faire face à l'or corrompu et aux troupes automates qu'un puissant État despotique jetait dans la révolution zemblienne de son poste avantageux, quelques milles en mer. Quoique la situation fût désespérée, le Roi refusait d'abdiquer. Captif altier et morose, il était encagé dans son palais de pierre rose ; d'une des tourelles d'angle, on pouvait distinguer, avec des lunettes d'approche, de souples jeunes gens qui plongeaient dans la piscine d'un centre sportif de conte de fées, et l'ambassadeur anglais au costume de flanelle démodé qui jouait au tennis avec l'entraîneur basque sur un court d'argile aussi lointain que le paradis. Que les montagnes étaient sereines, avec quelle tendresse elles étaient peintes sur la voûte occidentale du ciel !

Il y avait tous les jours, quelque part dans le brouillard de la cité, de dégoûtantes éruptions de violence, des arrestations et des exécutions, mais la grande ville continuait à marcher comme sur des roulettes, les cafés étaient bondés, on donnait de splendides représentations au Théâtre Royal, et c'était vraiment le palais qui contenait la plus forte concentration de ténèbres. Des *komizars* aux visages de pierre et aux épaules carrées faisaient observer une discipline rigoureuse parmi les troupes qui étaient de garde à l'intérieur et à l'extérieur. Une prudence puritaine avait scellé les caves à vin et renvoyé toutes les servantes de l'aile sud. Naturellement, les dames de compagnie étaient parties depuis longtemps, depuis l'époque où le Roi avait exilé sa Reine dans sa villa sur la Côte d'Azur. Dieu merci, ces jours affreux dans le palais souillé lui furent épargnés.

La porte de chaque chambre était gardée. La salle des banquets avait trois gardiens et pas moins de quatre autres traînaient dans la bibliothèque dont les sombres recoins semblaient donner asile à toutes les ombres de la trahison. Chacune des chambres à coucher des quelques domestiques qui restaient avait son parasite armé qui buvait du rhum interdit avec un vieux laquais, ou prenait des libertés avec un jeune page. Et dans la grande Salle des Hérauts, on pouvait toujours être certain de trouver des farceurs obscènes qui essayaient de se glisser dans la panoplie de fer de ses chevaliers évidés. Et quelle odeur de cuir et de bouc dans les pièces spacieuses qui embaumaient autrefois l'œillet et le lilas !

Cette épouvantable compagnie consistait en deux groupes principaux : d'ignorants conscrits de Thulé aux mines patibulaires mais assez inoffensifs, et de taciturnes extrémistes, très polis, de la fameuse verrerie où la révolution avait clignoté pour la première fois. On peut révéler maintenant (puisqu'il est en sécurité à Paris) que ce contingent comprenait au moins un royaliste héroïque déguisé avec une telle virtuosité que tous ses compagnons de garde sans méfiance ressemblaient à de médiocres imitateurs. En fait, Odon était un des acteurs les plus en vue de la Zembla, et il se faisait applaudir au Théâtre Royal tous les soirs où il n'était pas de garde. C'est par son entremise que le Roi pouvait demeurer en contact avec de nombreux partisans, jeunes nobles, artistes, athlètes d'université, joueurs, paladins de la Rose Noire, membres de clubs d'escrime, et autres gens de condition et d'aventure. Les rumeurs grondaient. On disait que le captif serait bientôt jugé par un tribunal spécial ; mais on disait aussi qu'il serait assassiné pendant son prétendu transfert à un autre lieu de réclusion. Quoiqu'on parlât quotidiennement de fuite, les plans des conspirateurs avaient plus de valeur esthétique que pratique. Un puissant canot automobile avait été préparé dans une grotte côtière près de Blawick (Anse Bleue) dans l'ouest de la Zembla, au-delà de la chaîne de hautes montagnes qui séparait la ville de la mer ; les reflets imaginés de l'eau tremblante et transparente sur la paroi rocheuse et sur le bateau étaient tentants, mais aucun des comploteurs ne pouvait suggérer comment le Roi pourrait s'échapper de son château et en traverser, sain et sauf, les fortifications.

Un jour d'août, au début de son troisième mois de luxueuse captivité dans la tour du Sud-Ouest, on l'accusa d'avoir employé la glace à main d'un dameret et les rayons coopératifs du soleil pour émettre des signaux de sa haute croisée. L'ampleur de la vue qu'elle commandait fut jugée non seulement favorable à la trahison, mais génératrice, chez l'observateur, d'un hautain sentiment de supériorité à l'égard de ses geôliers logés au bas de la tour. En conséquence, un soir on transféra l'équipage du Roi dans une lugubre chambre de débarras dans la même aile du palais, mais au premier étage. De nombreuses années auparavant, cette pièce avait été le cabinet de toilette de son grand-père, Thurgus III. Après la mort de Thurgus (en 1900), sa chambre à coucher abondamment décorée devint une sorte de chapelle, et la chambre adjacente, dépouillée de ses multiples miroirs en pied et de son canapé en soie verte, dégénéra bientôt en ce qu'elle était maintenant depuis un demi-siècle, un vieux trou avec un coffre fermé à clé dans un coin, et une machine à coudre démodée dans l'autre. On y accédait par une galerie dallée de marbre, qui longeait la pièce du côté nord et tournait immédiatement en angle droit vers le sud pour former un vestibule dans le coin sud-ouest du palais. L'unique fenêtre donnait sur une cour intérieure du côté sud. Cette fenêtre avait été autrefois un splendide vitrail en rayère, avec un oiseau de feu et un chasseur ébloui, mais un ballon de football avait récemment détruit la fabuleuse scène sylvestre, et sa nouvelle vitre ordinaire était à présent grillée de l'extérieur. Sur le mur du côté ouest, au-dessus d'un placard blanchi à la chaux, pendait une grande photographie dans un cadre de velours noir. L'action fugitive et légère, mais mille fois répétée, du soleil, le même qui était accusé d'émettre des messages de la tour, avait peu à peu patiné cette photo qui montrait le profil romantique et les larges épaules nues de l'actrice oubliée, Iris Acht, qu'on disait avoir été, pendant plusieurs années, jusqu'à sa mort subite en 1888, la maîtresse de Thurgus. De l'autre côté, dans le mur est, une porte d'apparence frivole, de la même teinte turquoise que la seule autre porte de la chambre (donnant sur la galerie), mais solidement cadenassée, conduisait autrefois à la chambre à coucher du vieux roué ; aujourd'hui, elle avait perdu son bouton de cristal, et se trouvait flanquée, sur le mur du côté est, de deux gravures bannies appartenant à la période de décadence de la chambre. Elles étaient du genre qu'on ne doit pas vraiment regarder, de ces images qui existent simplement comme notions générales d'images, pour répondre aux humbles besoins ornementaux de quelque couloir ou antichambre; l'une était une vilaine et lugubre *Fête Flamande* d'après Teniers; l'autre avait déjà été suspendue dans la nursery dont les hôtes ensommeillés avaient toujours cru qu'elle représentait des vagues écumeuses en premier plan au lieu des formes floues des mélancoliques moutons qu'elle révélait maintenant.

Le Roi soupira et commença à se déshabiller. Son lit de camp et une table de chevet avaient été placés, face à la fenêtre, dans le coin nord-est. La porte turquoise se trouvait à l'est; au nord, la porte donnant sur la galerie : à l'ouest, la porte du placard; au sud, la fenêtre. Son blazer noir et ses pantalons blancs furent enlevés par le valet de son ancien valet. Le Roi s'assit en pyjama sur le bord de son lit. L'homme revint avec une paire de pantoufles en maroquin, en chaussa les pieds indifférents de son maître, et disparut avec les escarpins qu'il venait d'enlever. Le regard errant du Roi s'arrêta à la croisée qui était à demi ouverte. On pouvait voir une partie de la cour faiblement éclairée où, sous un peuplier encerclé d'une grille, deux soldats jouaient au lansquenet sur un banc de pierre. La nuit d'été était sans étoiles et immobile, avec de lointains spasmes d'éclairs silencieux. Un papillon nocturne à forme de chauve-souris tournait aveuglément autour de la lanterne placée sur le banc — jusqu'à ce que le ponte le rabatte au sol avec sa casquette. Le Roi bâilla et les joueurs de cartes illuminés frissonnèrent et se fondirent dans le prisme de ses larmes. Son regard ennuyé se promenait d'un mur à l'autre. La porte de la galerie était légèrement entrouverte et on pouvait entendre le bruit des pas du garde qui allait et venait. Au-dessus du placard, Iris Acht bombait le torse et détournait les yeux. Un grillon chantait. La lampe de chevet était juste assez forte pour déposer un rayon brillant sur la clé dorée de la serrure de la porte du placard. Et, soudainement, cet éclair sur cette clé fit qu'une merveilleuse conflagration se répandit dans le cerveau du prisonnier.

Nous allons maintenant remonter dans le temps, de la mi-août 1958 à un certain après-midi de mai, trois décennies plus tôt, alors qu'il était un sombre et vigoureux garçon de treize ans avec une bague d'argent à l'index de sa main bronzée. La Reine Blenda, sa mère, venait de partir pour Vienne et Rome. Il avait de nombreux compagnons de jeux favoris, mais nul ne pouvait rivaliser avec Oleg, Duc de Rahl. A cette époque, les adolescents de haut lignage portaient, les jours de fête — qui étaient si nombreux durant notre long printemps nordique — des jerseys sans manches, des socquettes blanches avec des chaussures noires à boucle, et des shorts très collants et très courts appelés *hotinguens*. J'aimerais fournir au lecteur des figurines à découper et des vêtements comme dans ces livres de poupées de papier pour enfants armés de ciseaux. Ça animerait un peu ces sombres soirées qui me détraquent le cerveau. Les deux garçons étaient de beaux spécimens, aux longues jambes, de l'adolescence varangienne. A douze ans, Oleg était le meilleur centre-avant de l'École Ducale. Quand il était dévêtu et luisant dans la vapeur des bains, les attributs hardis de son sexe contrastaient fortement avec sa grâce de fille. C'était un vrai petit faune. Cet après-midi-là, une averse copieuse laquait le feuillage printanier du jardin du palais, et, oh comme les lilas persans en tumultueux épanouissement se bousculaient et se balançaient derrière les vitres ruisselantes de vert et éclaboussées d'améthyste ! Il faudrait jouer à l'intérieur. Oleg était en retard. Viendrait-il ?

Le jeune Prince eut l'idée de déterrer une collection de jouets précieux (don d'un potentat étranger récemment assassiné) qui les avaient amusés Oleg et lui lors de vacances de Pâques antérieures, et qui avaient été abandonnés par la suite comme il arrive à ces jouets artistiques spéciaux qui laissent leur illusion de plaisir rendre d'un coup toute sa saveur avant de disparaître dans un oubli de musée. Ce qu'il désirait particulièrement retrouver maintenant, c'était un cirque modèle réduit, très compliqué, et renfermé dans une boîte aussi grande que la boîte d'un jeu de croquet. Il le désirait ardemment ; ses yeux, son cerveau, et ce qui, dans son cerveau, correspondait au bout de son pouce, se rappelaient vivement les jeunes acrobates bruns aux fesses pailletées, un élégant et mélancolique clown à collerette, et spécialement trois éléphants de bois poli de la taille de petits chiens et dont les articulations étaient si perfectionnées qu'on pouvait faire tenir l'éléphant à la robe polie debout sur une patte de devant ou le faire se dresser solidement sur le couvercle d'un petit baril blanc encerclé de rouge. Quinze jours à peine s'étaient écoulés depuis la dernière visite d'Oleg, alors qu'on avait permis aux deux garçons de partager le même lit pour la première fois, et l'aiguillon de leur inconduite, et la perspective d'une autre nuit semblable se confondaient à présent en notre jeune Prince avec un embarras qui suggérait le refuge dans des jeux plus anciens et plus innocents.

Son précepteur anglais qui était alité après s'être foulé une cheville lors d'un pique-nique dans la forêt de Mandevil ne savait pas où pouvait bien se trouver ce cirque ; il conseilla de le chercher dans une chambre de débarras au bout de la Galerie Ouest. Le Prince s'y rendit. Ce coffre noir tout poussiéreux ? Il semblait sinistrement négatif. La pluie était plus perceptible ici à cause de la proximité d'une gouttière prolixe. Et le placard ? Sa clé dorée tourna avec difficulté. Les trois tablettes et l'espace en dessous étaient bourrés d'objets disparates : une palette avec les résidus de plusieurs couchers de soleil ; une tasse pleine de jetons ; un gratte-dos en ivoire ; une édition in-trente-deux du *Timon d'Athènes* traduit en zemblien par son oncle Conmal, le frère de la Reine ; une *situla* de plage (seau d'enfant) ; un diamant bleu de soixante-cinq carats provenant de la collection de bibelots de feu son père, accidentellement ajouté durant son enfance aux cailloux et aux coquillages de ce seau ; un bout de craie ; et une planche carrée avec un motif de figures entrelacées servant à quelque jeu oublié depuis longtemps. Il allait tourner ses regards vers une autre partie du placard, lorsqu'en essayant de dégager un morceau de velours noir dont un coin s'était pris d'une façon inexplicable derrière la tablette, quelque chose céda, la tablette bougea, s'avéra démontable, et révéla juste sous son rebord intérieur, au fond du placard, un trou de serrure dans lequel la même clé dorée entrait parfaitement.

Il débarrassa avec impatience les deux autres tablettes de tout ce qu'elles contenaient (surtout de vieux vêtements et de vieilles chaussures), les retira comme il avait fait avec celle du milieu, et ouvrit la porte coulissante au fond du placard. Les éléphants étaient oubliés, il était debout au seuil d'un passage secret. Les ténèbres y étaient totales, mais quelque chose dans la caverneuse acoustique du passage dont les raclements de gorge sonnaient creux, présageait de grands événements, et le Prince se précipita vers ses appartements pour y prendre quelques lampes de poche et un podomètre. Comme il retournait, Oleg arriva. Il portait une tulipe. Ses douces mèches blondes avaient été coupées depuis sa dernière visite au palais, et le jeune Prince pensa : « Oui, je savais qu'il serait différent. » Mais lorsqu'il fronça ses sourcils dorés et se pencha pour apprendre la découverte, le jeune Prince sut par la chaleur duveteuse de cette oreille empourprée et par le mouvement de tête plein d'entrain qui accueillit l'enquête proposée, qu'aucun changement ne s'était produit dans son cher compagnon de lit.

Aussitôt que M. Beauchamp se fut installé pour une partie d'échecs au chevet de Mr. Campbell et qu'il eut élevé ses poings fermés, pour le choix des pièces, le jeune Prince conduisit Oleg au placard magique. Les silencieuses et circonspectes marches au tapis vert d'un escalier dérobé menaient à un passage souterrain pavé de pierres. A proprement parler, ce passage n'était souterrain que pour quelques courts intervalles, où, après avoir creusé son chemin sous le vestibule du sud-ouest à côté de la chambre de débarras, il continuait sous une série de terrasses, sous l'avenue de bouleaux du parc royal, et puis sous les trois rues transversales, boulevard de l'Académie, rue Coriolanus et passage Timon, qui le séparaient encore de sa destination finale. Autrement, dans sa course angulaire et secrète, il s'adaptait aux diverses structures qu'il suivait, profitant ici d'un rempart pour se glisser dans son côté comme un crayon dans la gaine d'un agenda de poche, et là, traversant les caves d'une grande demeure trop riche en sombres passages pour remarquer l'intrusion furtive. Peut-être, au cours des années survenues, certaines communications arcanes avaient-elles été établies entre le passage abandonné et le monde extérieur par les répercussions accidentelles de travaux de maçonnerie dans des couches avoisinantes ou par les aveugles interventions du temps lui-même ; car, ici et là, des ouvertures magiques et des pénétrations, assez étroites et profondes pour faire perdre l'esprit, pouvaient être devinées par une flaque d'eau stagnante douce et fétide, annonçant une douve, ou par une obscure odeur de terre et de gazon, marquant la proximité d'un glacis ; et, à un endroit où le passage se glissait à travers le sous-sol d'une immense villa ducale, dont les serres chaudes étaient célèbres pour leurs collections de flore du désert, une légère couche de sable altérait momentanément le bruit des pas. Oleg ouvrait la marche : ses fesses bien faites, enserrées dans un étroit coton indigo, se déplaçaient alertement, et sa propre splendeur dressée, plutôt que son flambeau, semblait éclairer d'une lumière jaillissante le plafond bas et les parois étroites. Derrière lui, la lampe de poche du jeune Prince dansait sur le sol et donnait une couche farineuse aux cuisses nues d'Oleg. L'air était froid et sentait le moisi. Le terrier fantastique continuait toujours. Il amorçait une légère pente. Le podomètre marquait 1 888 mètres quand ils arrivèrent enfin au bout. La clé magique du placard de la chambre de débarras glissa avec une agréable facilité dans le trou de serrure d'une porte verte qui leur faisait face, et elle aurait accompli l'acte promis par son introduction aisée, si une explosion de sons étranges venant de derrière la porte n'avait forcé nos explorateurs à s'arrêter. Deux voix terribles, celle d'un homme et celle d'une femme, s'élevant à un niveau passionné, puis se transformant en murmures rauques, échangeaient des insultes en gutnais tel que le parlent les pêcheurs de la Zembla occidentale. Une abominable menace fit crier la femme de terreur. Il s'ensuivit d'un silence soudain, rompu par l'homme qui murmurait quelque courte phrase d'approbation (« Très bien, ma chère », ou : « Ça ne pourrait être mieux ») plus effrayante encore que tout ce qui avait précédé.

Sans se consulter, le jeune Prince et son ami firent volte face dans une panique absurde et, avec le podomètre qui tournait furieusement, ils reprirent en courant le chemin qu'ils avaient emprunté pour venir. « Ouf ! » fit Oleg une fois que la dernière tablette eut été replacée. « Tu es tout blanc dans le dos », dit le jeune Prince comme ils se dirigeaient vers l'étage supérieur. Ils trouvèrent Beauchamp et Campbell qui achevaient une partie nulle. L'heure du dîner approchait. On ordonna aux garçons de se laver les mains. Le frisson récent de l'aventure avait déjà fait place à un autre genre d'excitation. Ils s'enfermèrent. Le robinet coulait inutilement. Ils étaient tous deux dans un état de virilité et roucoulaient comme des colombes.

Ce souvenir détaillé, dont la structure et la maculation ont demandé un certain temps à décrire dans cette note, traversa la mémoire du Roi en un instant. Certains phantasmes du passé, et c'en était un, peuvent demeurer en veilleuse pendant trente ans comme l'avait fait celui-ci, tandis que leur habitat naturel subit de désastreuses altérations. Peu de temps après la découverte du passage secret, le Prince faillit mourir d'une pneumonie. Dans son délire, il s'efforçait un instant de suivre un disque lumineux qui sondait un interminable tunnel et, l'instant d'après, il essayait d'enlacer les hanches fondantes de son beau giton. On l'envoya en convalescence pendant quelques saisons en Europe du Sud. La mort d'Oleg à l'âge de quinze ans dans un accident de toboggan contribua à oblitérer la réalité de leur aventure. Il fallait une révolution nationale pour restituer à ce passage secret sa réalité.

S'étant assuré que le craquement des pas du garde s'était éloigné à une certaine distance, le Roi ouvrit le placard. Il était vide à l'exception du minuscule volume du *Timon Afinsken* qui traînait toujours dans un coin, et de quelques vieux vêtements de sport et d'espadrilles fourrés dans le compartiment du bas. Le bruit des pas se rapprochait maintenant. Il n'osa pas poursuivre son inspection et referma à clé la porte du placard.

Il était évident qu'il aurait besoin de quelques instants de sécurité parfaite pour exécuter avec un minimum de bruit une succession de petits gestes : entrer dans le placard, le fermer à clé de l'intérieur, enlever les tablettes, ouvrir la porte secrète, replacer les tablettes, se glisser dans l'obscurité béante, fermer la porte secrète et lui donner un tour de clé. Disons quatre-vingt-dix secondes.

Il s'aventura dans la galerie, et le garde, un extrémiste assez bien de sa personne mais incroyablement stupide, s'avança immédiatement vers lui. « J'ai un certain désir assez urgent, dit le Roi. Je désire, mon cher Hal, jouer du piano avant d'aller me coucher. » Hal (si c'était là son nom) ouvrit la marche vers la salle de musique où, comme le savait le Roi, Odon montait la garde près de la harpe recouverte de sa housse. C'était un grand gaillard d'Irlandais aux sourcils roux, avec une tête rose actuellement recouverte de la casquette désinvolte d'un ouvrier russe. Le Roi prit place devant le Bechstein et, dès qu'ils furent seuls, il expliqua brièvement la situation tout en pianotant d'une main : « Jamais entendu parler d'un passage », marmonna Odon avec la mine contrariée d'un joueur d'échecs à qui on montre comment il aurait pu sauver la partie qu'il vient de perdre. Sa Majesté était-elle absolument certaine ? Sa Majesté l'était. Supposait-elle qu'il conduisait hors du palais ? Certainement hors du palais.

De toute façon, Odon devait partir dans quelques instants puisqu'il jouait ce soir-là dans *Le Triton*, un bon vieux mélodrame qui n'avait pas été représenté, disait-il, depuis au moins trois décennies. « Mon propre mélodrame me suffit amplement », remarqua le Roi. « Hélas », dit Odon. Tout en fronçant les sourcils il revêtit lentement sa veste de cuir. On ne pouvait rien faire ce soir. S'il demandait au commandant d'être laissé de garde, ça ne ferait que provoquer des soupçons, et le moindre soupçon pouvait être fatal. Le lendemain, il trouverait une occasion d'inspecter cette nouvelle voie d'évasion, *si* c'en était une et non pas un cul-de-sac. Charlie (Sa Majesté) promettait-il de ne rien tenter d'ici là ? « Mais ils se rapprochent de plus en plus », dit le Roi, faisant allusion aux coups secs et au bruit de déchirures qui parvenaient de la Galerie de Peinture. « Pas réellement, fit Odon, un pouce à l'heure, peut-être deux. Il faut vraiment que je file à présent », ajouta-t-il en indiquant avec un clignement d'œil le garde solennel et corpulent qui venait le remplacer.

Fermement convaincue, mais tout à fait à tort, que les joyaux de la Couronne étaient cachés quelque part dans le palais, la nouvelle administration avait engagé deux spécialistes étrangers (voir la note au vers 681) pour les trouver. Ce beau travail se poursuivait depuis un mois. Après avoir pratiquement démonté la Salle du Conseil et plusieurs autres salles de réception, les deux Russes avaient transféré leurs recherches à cette partie de la galerie où se trouvaient les immenses toiles d'Eystein qui avaient fasciné plusieurs générations de princesses et de princes zembliens. Tout en étant incapable de rendre une ressemblance, et se limitant donc sagement à un style conventionnel de portrait d'hommage, Eystein s'était révélé un prodigieux maître du trompe-l'œil dans le traitement de divers objets entourant ses dignes modèles défunts et en les faisant paraître encore plus défunts par le contraste avec le pétale tombé ou le panneau poli qu'il rendait avec un tel amour et une telle habileté. Mais, dans quelques-uns de ces portraits, Eystein avait également eu recours à une étrange forme de supercherie : au milieu de ses décorations de bois ou de laine, d'or ou de velours, il en insérait une qui était réellement faite du matériau qu'il imitait ailleurs en peinture. Ce stratagème qui avait apparemment pour but de rehausser l'effet de ses valeurs tactiles et tonales avait cependant quelque chose d'ignoble et révélait non seulement une faille essentielle dans le talent d'Eystein, mais le fait fondamental que la « réalité » n'est ni le sujet ni l'objet de l'art véritable qui crée sa propre réalité spéciale qui n'a rien à voir avec la « réalité » moyenne perçue par l'œil du commun. Mais revenons à nos techniciens dont les coups secs s'approchent le long de la galerie vers l'angle où se trouvent le Roi et Odon sur le point de se séparer. A cet endroit pendait un portrait représentant un ancien garde du Trésor, le sénile Comte

Kernel, qui était peint, les doigts reposant légèrement sur un coffret bosselé et blasonné dont le côté faisant face au spectateur consistait en un médaillon oblong fait de bronze véritable, tandis que sur le couvercle ombré du coffret dessiné en perspective, l'artiste avait peint une assiette avec l'intérieur d'une noix divisée en deux, admirablement rendue, avec deux lobes, comme un cerveau.

« Ils vont avoir une surprise », murmura Odon dans sa langue maternelle tandis que, dans un coin, le gros garde remplissait par devoir quelques formalités plutôt solitaires de claquement de crosse de fusil.

On pouvait excuser les deux professionnels soviétiques d'avoir supposé qu'ils trouveraient un réceptable réel derrière le métal réel. A ce moment précis, ils étaient sur le point de décider s'ils allaient arracher la plaque ou descendre le tableau ; mais nous pouvons anticiper un peu et assurer le lecteur que le réceptacle, un trou oblong dans le mur, se trouvait bien là ; cependant, il ne contenait rien d'autre que les morceaux cassés d'une coque de noix.

Un rideau de fer s'était levé quelque part, en révélant un autre qui était peint avec des nymphes et des nénuphars. « Je vous apporterai votre flûte demain », lança Odon d'un air entendu, dans l'idiome national, et il sourit, fit un signe de la main, disparaissant déjà dans la brume, s'enfonçant dans son lointain monde thespien.

Le gros garde reconduisit le Roi à sa chambre et le remit entre les mains du beau Hal. Il était neuf heures trente. Le Roi se mit au lit. Le valet, un sombre coquin, lui servit son grog habituel composé de lait et de cognac, et emporta ses pantoufles et sa robe de chambre. L'homme était presque sorti de la chambre lorsque le Roi lui commanda d'éteindre la lumière ; un bras se réintroduisit, une main gantée trouva et tourna le bouton.

Des éclairs lointains venaient encore se jeter contre

la vitre de temps à autre. Le Roi acheva de boire son grog dans l'obscurité et replaça le verre vide sur la table de nuit où il vint tinter faiblement contre une lampe de poche en acier préparée par les autorités prévenantes au cas où il y aurait une panne de courant comme cela arrivait de temps à autre.

Il ne pouvait s'endormir. En tournant la tête, il observa le rai de lumière sous la porte. Elle s'ouvrit à ce moment précis, et son agréable jeune geôlier apparut. Une petite idée bizarre traversa l'esprit du Roi ; mais le jeune homme désirait simplement avertir son prisonnier qu'il avait l'intention de rejoindre ses compagnons dans la cour adjacente, et que la porte serait fermée à clé jusqu'à son retour. Cependant, si l'ex-Roi désirait quoi que ce soit, il pouvait appeler de sa fenêtre. « Pendant combien de temps vous absenterez-vous ? demanda le Roi. — *Yeg ved ik* (Je n'en sais rien), répondit le garde. — Bonne nuit, méchant garnement », dit le Roi.

Il attendit que la silhouette du garde apparaisse dans la lumière de la cour où les autres Thuléens l'invitèrent à leur jeu. Alors dans l'obscurité rassurante, le Roi fouilla sur le plancher du placard pour trouver quelques vêtements et enfila, par-dessus son pyjama, ce qui semblait être, au toucher, un fuseau, et quelque chose qui semblait être, à l'odeur, un vieux chandail. D'autres tâtonnements ramenèrent une paire d'espadrilles et une coiffure en laine avec des pattes. Il exécuta alors les gestes qu'il avait mentalement répétés auparavant. Comme il enlevait la deuxième tablette, un objet tomba avec un petit bruit sourd ; il devina ce que c'était et le prit avec lui comme talisman.

Il n'osait presser le bouton de sa lampe de poche avant de s'être suffisamment engouffré, et il ne pouvait se permettre un faux pas bruyant ; il descendit donc les dix-huit marches invisibles plus ou moins dans une position assise comme un novice timide qui s'érafle le derrière en glissant le long des rochers moussus du mont Kron. La faible lumière qu'il projeta enfin était son plus cher compagnon, le spectre d'Oleg, le fantôme de la liberté. Il ressentit un mélange d'angoisse et d'exaltation, une sorte de joie amoureuse qu'il n'avait plus ressentie depuis le jour de son couronnement, alors que, comme il marchait vers son trône, quelques mesures d'une musique incroyablement riche, profonde et abondante (dont il ne put jamais établir la paternité et la source physique) avaient frappé son oreille, et il avait aspiré la brillantine du joli page qui s'était penché pour enlever un pétale de rose sur le tabouret ; et maintenant, à la lueur de sa lampe, le Roi s'aperçut qu'il était hideusement vêtu d'un rouge éclatant.

Le passage secret semblait être devenu plus sordide. L'intrusion de ses alentours était encore plus évidente que le jour où deux garçons frissonnants dans leurs minces jerseys et leurs shorts l'avaient exploré. La mare opalescente d'eau stagnante s'était agrandie ; au bord de la mare, une chauve-souris malade marchait comme un infirme avec un parapluie brisé. Une étendue de sable coloré dont il se souvenait portait l'empreinte modelée, vieille de trente ans, du soulier d'Oleg, aussi immortelle que les traces de la gazelle apprivoisée d'un enfant égyptien faite trente siècles plus tôt sur des briques bleues du Nil séchant au soleil. Et, à l'endroit où le passage traversait le soubassement d'un musée, s'étaient égarés, on ne sait trop comment, en exil et au rebut, la statue décapitée de Mercure, guide des âmes aux Enfers, et un cratère craquelé orné de deux personnages noirs jouant aux dés sous un palmier noir.

Le dernier coude du passage qui se terminait à la porte verte contenait une accumulation de planches en vrac que le fugitif enjamba en trébuchant. Il déverrouilla la porte et, l'ayant ouverte, il fut arrêté par une lourde draperie noire. Comme il commençait à tâtonner parmi ses plis verticaux pour trouver une sorte d'entrée, la faible lueur de sa lampe roula un œil désespéré et s'éteignit. Il la laissa tomber : elle glissa dans un néant sourd. Le Roi plongea ses deux bras dans les plis profonds du tissu à l'odeur de chocolat et, en dépit de l'incertitude et du danger du moment, son propre mouvement lui rappela physiquement, en quelque sorte, les comiques ondulations, de prime abord contrôlées puis frénétiques, d'un rideau de théâtre qu'un comédien nerveux essaie en vain de traverser. Cette sensation grotesque, à cet instant diabolique, résolut le mystère du passage avant même que le Roi se soit enfin faufilé à travers la draperie dans la *lumbarkamer* faiblement éclairée et encombrée d'objets vagues, qui avait été autrefois la loge d'Iris Acht au Théâtre Royal. C'était toujours ce que c'était devenu après sa mort : un trou poussiéreux communiquant avec un genre de salle où les comédiens se promenaient parfois durant les répétitions. Les éléments d'un décor mythologique appuyés contre le mur cachaient à demi une grande photographie poussiéreuse du Roi Thurgus dans un cadre en velours — moustache touffue, pince-nez et médailles — tel qu'il était à l'époque où le corridor long d'un mille lui fournissait un moyen extravagant de venir à ses rendez-vous avec Iris.

Le fugitif vêtu d'écarlate cligna des yeux et se dirigea vers la salle. Elle conduisait à un certain nombre de loges. Quelque part, au loin, une tempête d'applaudissements s'amplifia avant de mourir. D'autres bruits éloignés marquèrent le début de l'entracte. Plusieurs acteurs costumés passèrent devant le Roi, et il reconnut Odon en l'un d'eux. Il portait un veston de velours avec des boutons de cuivre, des culottes et des bas rayés, le costume du dimanche des pêcheurs gutniens, et son poing serrait encore le couteau de carton avec lequel il venait juste d'expédier sa bien-aimée dans l'autre monde. « Bon Dieu », dit-il en apercevant le Roi.

Saisissant deux capes sur un tas de vêtements fantastiques, Odon poussa le Roi vers un escalier qui donnait sur la rue. Au même instant, il se produisit une grande agitation dans un groupe de personnes qui fumaient sur le palier. Un vieil intrigant qui avait obtenu la charge de directeur scénique à force de lécher les bottes de divers hauts fonctionnaires extrémistes, pointa soudain un doigt vibrant vers le Roi, mais, comme il était affligé d'un fort bégaiement, il ne pouvait articuler les mots de reconnaissance indignée qui faisaient claquer son dentier. Le Roi essaya de rabattre sur son visage la visière de sa casquette — et il faillit perdre pied au bas de l'escalier étroit. Il pleuvait. Une flaque d'eau réfléchit sa silhouette écarlate. De nombreux véhicules se trouvaient dans un passage transversal. C'était là qu'Odon laissait habituellement sa voiture de course. Pendant une redoutable seconde, il crut qu'elle avait disparu, mais il se souvint alors avec un soulagement délicieux qu'il l'avait garée, ce soir-là, dans une allée adjacente. (Voir la note intéressante au vers 149.)

Vers 131-132 : C'était moi l'ombre du jaseur tué
Par la profondeur factice de la vitre.

L'exquise mélodie des deux premiers vers du poème est reprise ici. La répétition de cette note prolongée donne à l'oreille une sorte de plaisir langoureux comme le ferait l'écho de quelque chanson triste à demi oubliée dont les accents ont plus de sens que les mots. Aujourd'hui, alors que la « profondeur factice » a en effet rempli son sombre devoir et que le poème que nous avons est la seule « ombre » qui demeure, on ne peut s'empêcher de lire dans ces vers quelque chose de plus qu'un jeu de miroir ou le reflet d'un mirage. Nous sentons un destin funeste dans l'image de Gradus qui dévore les milles et les milles de « profondeur factice » qui le séparent du pauvre Shade. Il doit rencontrer lui aussi dans son vol urgent et aveugle un reflet qui le réduira en miettes.

Bien que Gradus se soit servi de toutes sortes de moyens de locomotion — voitures louées, trains omnibus, escalators, avions — l'œil de l'esprit le voit, inexplicablement, et les muscles de l'esprit le sentent, toujours en train de traverser le ciel comme un éclair, avec un sac de voyage noir sous un bras, et un parapluie mal fermé sous l'autre, dans un haut vol soutenu au-dessus de la mer et de la terre. La force qui le pousse est l'action magique du poème de Shade, le mécanisme même et le mouvement du vers, le puissant moteur ïambique. Jamais auparavant l'inexorable poussée du destin n'avait reçu une forme si sensuelle (pour d'autres images de l'approche transcendante de ce vagabond, voir la note au vers 17).

Vers 137 : lemniscate

« Une courbe unique et bicirculaire du quatrième degré », dit mon vieux dictionnaire fatigué. Je ne réussis pas à comprendre ce que cela peut bien avoir à faire avec une bicyclette, et je soupçonne la phrase de Shade de ne pas avoir de sens réel. Comme d'autres poètes avant lui, il semble avoir été victime ici du charme d'une euphonie fallacieuse.

Pour prendre un exemple frappant : quel mot pourrait être plus résonnant, plus resplendissant, suggérer plus de beauté plastique et chorale que *coramen ?* En vérité, cependant, il désigne simplement la courroie grossière avec laquelle le bouvier zemblien attache ses humbles provisions et sa couverture en lambeaux sur le dos de la plus paisible de ses vaches quand il les mène au *vebodar* (pâturages de montagne).

Vers 143 : un jouet mécanique

Par un coup de chance, je l'ai vu. Un soir de mai ou juin, je fis un saut chez mon ami pour lui rappeler une collection de pamphlets écrits par son grand-père, un pasteur excentrique ; Shade m'avait déjà dit qu'il les avait déposés dans la cave. Je le trouvai qui attendait d'un air sombre quelques personnes (je crois qu'il s'agissait de collègues de sa section et de leurs épouses) invitées à un dîner privé. Il me conduisit volontiers à la cave, mais après avoir fouillé parmi les piles de livres poussiéreux et de magazines, il me dit qu'il essaierait de les trouver une autre fois. C'est alors que je l'ai aperçu sur une tablette entre un chandelier et un réveille-matin sans aiguilles. Et, croyant que je pourrais penser que ce jouet avait appartenu à sa fille morte, il m'expliqua hâtivement que ce jouet était aussi vieux que lui. C'était un petit nègre en plomb peint avec un trou de clé dans le côté ; il n'avait pour ainsi dire aucune épaisseur, consistant en deux profils plus ou moins fondus ensemble, et sa brouette était maintenant toute tordue et cassée. Tout en secouant la poussière de ses manches, il me dit qu'il le gardait comme un genre de *memento mori* — il avait eu un jour, durant son enfance, un étrange évanouissement en s'amusant avec ce jouet. Nous fûmes interrompus par la voix de Sybil qui nous appelait d'en haut ; mais peu importe, maintenant la mécanique rouillée fonctionnera encore, car j'ai la clé.

Vers 149 : Un pied sur la cime d'une montagne

Les monts Bera, une chaîne de rudes montagnes, longue de deux cents milles, qui n'atteint pas tout à fait la pointe nord de la péninsule zemblienne (coupée à sa base du continent de la folie par un canal impraticable), la divise en deux parties : la florissante région orientale d'Onhava et d'autres communes telles qu'Aros et Grindelwod, et la partie occidentale, beaucoup plus étroite, avec ses pittoresques villages de pêcheurs et ses agréables stations balnéaires. Les deux côtes sont réunies par deux autoroutes goudronnées : la plus ancienne évite les difficultés en s'engageant tout d'abord vers le nord, le long des pentes orientales, en direction d'Odevalla, Yeslove et Embla, et ne tourne qu'à ce moment vers l'ouest à la pointe la plus au nord de la péninsule ; la plus récente, une route merveilleusement aménagée, élaborée et sinueuse, traverse la chaîne de montagnes vers l'ouest, du nord d'Onhava à Bregberg, et les guides touristiques la désignent comme une « route panoramique ». De nombreuses pistes traversent les montagnes à divers endroits et conduisent à des cols dont aucun ne dépasse une altitude de cinq mille pieds ; quelques sommets s'élèvent à deux mille pieds plus haut et demeurent couverts de neige au milieu de l'été ; et de l'un de ces sommets, le plus haut et le plus ardu, le mont Glitterntin, on peut distinguer, par temps clair, au loin à l'est, au-delà du golfe de la Surprise, une vague iridescence que certains affirment être la Russie.

Après s'être échappés du théâtre, nos amis s'étaient proposé de suivre la vieille autoroute pendant vingt milles vers le nord, et puis de tourner à gauche sur une route de campagne peu fréquentée qui les aurait éventuellement amenés au principal repaire des carlistes, un château baronnial dans un bois de sapins, sur le versant est des monts Bera. Mais le vigilant bègue avait enfin explosé en un discours spasmodique ; les téléphones avaient fonctionné avec frénésie ; et les fugitifs avaient à peine parcouru une douzaine de milles quand une lueur confuse, face à eux, dans l'obscurité, à l'intersection de l'ancienne et de la nouvelle autoroute, révéla un barrage routier qui avait au moins le mérite de supprimer les deux routes d'un seul coup.

Odon fit demi-tour avec la voiture et, à la première occasion, il bifurqua à l'ouest vers les montagnes. Le chemin étroit et cahoteux qui les engloutit dépassa un bûcher, arriva à un torrent, le traversa avec un grand claquement de planches, et dégénéra bientôt en une percée encombrée de souches d'arbres. Ils étaient à l'orée de la forêt de Mandevil. Le tonnerre grondait dans un terrible ciel brun.

Pendant quelques secondes, les deux hommes restèrent immobiles à fixer le haut de la montagne. La nuit et les arbres dissimulaient la montée. A partir de ce point, un bon grimpeur pourrait atteindre le col Bregberg à l'aube — s'il s'arrangeait pour rencontrer une piste praticable après avoir traversé le mur noir de la forêt. On décida de se séparer, Charlie procédant vers le lointain trésor de la grotte marine, et Odon demeurant à l'arrière comme appât. Il dit qu'il leur offrirait une joyeuse poursuite ; il allait emprunter des déguisements sensationnels, et il entrerait en contact avec le reste de la bande. Sa mère était une Américaine, de New Wye en Nouvelle-Angleterre. On dit qu'elle fut la première femme au monde à descendre des loups, et d'autres animaux je crois, du haut d'un avion.

Une poignée de main, un éclair. Comme le Roi s'engageait dans les sombres fougères humides, leur odeur, leur élasticité de dentelle, et le mélange de molle végétation et de sol escarpé lui rappelèrent les fois où il avait pique-niqué dans ces parages — dans une autre partie de la forêt mais sur le même versant de la montagne, et plus haut, durant son enfance, dans le champ de grosses pierres où Mr. Campbell s'était un jour foulé une cheville et avait dû être ramené, fumant sa pipe, par deux domestiques costauds. Souvenirs plutôt ennuyeux en général. N'y avait-il pas un pavillon de chasse tout près, juste au-delà de la cascade de

Silfhar ? Excellent pour la chasse au coq de bruyère et à la bécasse — sport hautement apprécié de feu sa mère, la Reine Blenda, une reine toujours vêtue de tweed et toujours à cheval. Aujourd'hui comme à cette époque, la pluie crépitait dans les arbres noirs, et si l'on s'arrêtait, on entendait son cœur battre à se rompre, et le grondement lointain du torrent. Quelle heure est-il, *kot or ?* Il pressa le bouton de sa montre à répétition et, imperturbable, elle siffla et tinta dix heures vingt et une.

Quiconque a essayé d'escalader une pente escarpée, par une nuit ténébreuse, à travers un enchevêtrement de végétation hostile, sait à quelle tâche formidable notre montagnard avait à faire face. Il s'acharna plus de deux heures, trébuchant sur des troncs, tombant dans des ravins, s'agrippant à des buissons invisibles, résistant à une armée de conifères. Il perdit sa cape. Il se demanda s'il ne ferait pas mieux de se blottir sous les broussailles pour y attendre le lever du jour. Tout à coup, une lumière grosse comme une tête d'épingle brilla devant lui et il se trouva bientôt chancelant sur la pente glissante d'une prairie dont l'herbe venait d'être fauchée. Un chien aboya. Une pierre dévala sous son pied. Il se rendit compte qu'il était près d'une *bore* de montagne (ferme). Il se rendit également compte qu'il était tombé dans un fossé profond et plein de boue.

Le fermier au corps noueux et son épouse rondelette qui avaient offert un abri agréable au fugitif trempé jusqu'aux os, comme les personnages d'un vieux conte fastidieux, le prirent pour un campeur excentrique qui s'était séparé de son groupe. On lui permit de se sécher dans une cuisine chaude où on lui offrit un repas de conte de fées composé de pain et de fromage, et un bol d'hydromel de montagne. Ses sentiments (reconnaissance, épuisement, agréable chaleur, assoupissement et ainsi de suite) étaient trop évidents pour avoir besoin d'être exprimés. Un feu de racines de mélèzes crépitait dans le poêle, et toutes les ombres de son royaume perdu s'assemblaient pour danser autour de son fauteuil à bascule, tandis qu'il s'assoupissait entre cette flambée et la lumière tremblotante d'un petit fanal en terre cuite, un instrument avec un bec dans le genre des lampes romaines, suspendu au-dessus d'une étagère où de pauvres babioles en verre et des morceaux de nacre devenaient des soldats microscopiques qui se pressaient dans une bataille désespérée. Il s'éveilla avec un torticolis au premier tintement de clochette de l'aube ; il trouva son hôte dehors, dans un coin humide affecté aux humbles besoins de la nature, et il pria le bon *grunter* (fermier alpin) de lui indiquer le chemin le plus court pour atteindre le col. « J'vais réveiller cette larve de Garh », dit le fermier.

Un escalier rudimentaire conduisait à un grenier. Le fermier posa sa main noueuse sur la balustrade noueuse et lança un appel guttural en direction des ténèbres supérieures : « Garh ! Garh ! » Bien qu'on l'applique aux deux sexes, ce nom est, à proprement parler, masculin, et le Roi s'attendait à voir émerger du grenier un petit montagnard aux genoux nus comme un ange bronzé. Au lieu de cela, apparut une petite friponne échevelée, ne portant rien d'autre qu'une chemise d'homme qui descendait jusqu'à ses jarrets roses et une paire de chaussures trop grandes pour elle. Un instant plus tard, comme dans un changement à vue, elle réapparut, ses cheveux jaunes tombant toujours plats, mais la chemise sale remplacée par un pull-over sale, et les jambes revêtues d'un pantalon en velours côtelé. On lui dit de conduire l'étranger à un endroit d'où il pourrait facilement atteindre le col. Une expression endormie et maussade effaçait tout l'attrait que sa figure ronde au nez retroussé aurait pu avoir pour les bergers du pays ; mais elle se plia d'assez bonne grâce au désir de son père. L'épouse fredonnait une chanson ancienne tout en s'affairant à la cuisine.

Avant de prendre congé, le Roi pria son hôte dont le nom était Griff d'accepter une vieille pièce d'or qu'il se trouvait avoir en poche, le seul argent qu'il possédât. Griff refusa énergiquement et, protestant toujours, il entreprit la tâche laborieuse d'ouvrir et de déverrouiller deux ou trois lourdes portes. Le Roi lança un regard furtif à la vieille femme ; il reçut un clin d'œil approbatif, et il déposa en sourdine le ducat sur le manteau de la cheminée, près d'un coquillage violet contre lequel était appuyée une photo en couleurs représentant un élégant officier de la garde avec son épouse aux épaules nues — Karl le Bien-Aimé, tel qu'il était quelque vingt ans plus tôt, et sa jeune Reine, une jeune vierge courroucée avec une chevelure noire comme le charbon et des yeux bleus comme de la glace.

Les étoiles venaient juste de disparaître. Derrière la fille et un joyeux chien de berger, il gravit la piste herbeuse qui scintillait sous la rosée vermeille dans la lumière théâtrale d'une aube alpine. L'air même semblait coloré et lustré. Une froideur sépulcrale émanait du rocher escarpé au flanc duquel montait la piste ; mais du côté opposé qui tombait à pic, ici et là entre les faîtes des sapins qui croissaient plus bas, des rayons arachnéens de lumière commençaient à tisser des réseaux de chaleur. Au tournant suivant, cette chaleur enveloppa le fugitif, et un papillon noir descendit en dansant une pente caillouteuse. Le sentier devint encore plus étroit et se détériora peu à peu au milieu d'un fouillis de grosses pierres. La fille montra du doigt les pentes au-delà de la piste. Il fit un signe de la tête. « A présent, retourne chez toi, dit-il. Je vais me reposer ici et puis je continuerai seul. »

Il s'affaissa dans l'herbe près d'un conifère rampant, et il aspira l'air éclatant. Le chien pantelant était couché à ses pieds. Garh sourit pour la première fois. Les jeunes montagnardes zembliennes sont en général de simples mécanismes de luxure insouciante et Garh n'était pas une exception. Aussitôt qu'elle se fut installée près de lui, elle se pencha et glissa par-dessus ses cheveux ébouriffés l'épais chandail gris, révélant son dos nu et ses seins de blanc-manger, et elle inonda son compagnon embarrassé de toute l'âcreté d'une féminité peu soignée. Elle était sur le point de continuer à se déshabiller, mais il l'arrêta d'un geste et se leva. Il la remercia de toute sa bonté. Il caressa le chien innocent ; et sans se retourner une seule fois, d'un pas élastique, le Roi commença à gravir la pente gazonneuse.

Il riait encore tout bas de la déconfiture de la jeune paysanne quand il arriva aux immenses roches entassées autour d'un petit lac qu'il avait atteint une ou deux fois du versant rocheux de Kronberg plusieurs années auparavant. Puis il aperçut la lueur du petit lac par l'ouverture d'une voûte naturelle, un chef-d'œuvre d'érosion. La voûte était basse et il pencha la tête pour descendre vers l'eau. Il aperçut son reflet écarlate dans le miroir limpide des eaux, mais, assez étrangement, à cause de ce qui semblait être, à première vue, une illusion d'optique, ce reflet n'était pas à ses pieds mais beaucoup plus loin ; ce qui plus est, il était accompagné du reflet, déformé par les ondulations, d'une corniche qui surplombait de haut sa position actuelle. Et finalement, la tension exercée sur la magie de l'image fit qu'elle se brisa, tandis que le double du Roi vêtu d'un tricot rouge et d'une casquette rouge se retournait et disparaissait alors que lui, l'observateur, demeurait immobile. Il s'avança alors tout au bord de l'eau et il y fut rencontré par un reflet authentique, beaucoup plus grand et plus net que celui qui l'avait trompé. Il contourna le petit lac. Tout là-haut, dans le ciel d'un bleu profond, la corniche vide où le faux roi s'était trouvé quelques instants plus tôt s'avançait en saillie. Un frisson d'*alfear* (peur incontrôlable causée par les elfes) courut entre ses omoplates. Il murmura une prière familière, se signa et s'engagea résolument vers le col. A un haut point, sur une arête adjacente, un *steinmann* (tas de pierres érigé en mémento d'une ascension) s'était coiffé d'une casquette de laine rouge en son honneur. Il continua péniblement. Mais son cœur était une douleur conique qui le piquait d'en bas dans la gorge, et après un moment, il s'arrêta de nouveau pour étudier les conditions et décider s'il allait grimper à quatre pattes le long de la pente escarpée et couverte de roches devant lui, ou bien s'il allait couper vers la droite le long d'une bande d'herbe égayée de gentianes qui serpentait entre des rochers moussus. Il choisit la seconde route et finit par atteindre le col.

De grands éboulis rocheux rompaient la monotonie des alentours. Au sud, les *nippern* (collines arrondies ou *reeks*) étaient brisées en zones d'ombre et de lumière par une pente couverte d'herbe et de roches. Vers le nord, se perdaient les montagnes vertes, grises, bleuâtres — le Falkberg avec son capuchon de neige, le Mutraberg avec son cône d'avalanche, le Paberg (mont du Paon) et d'autres —, séparées par d'étroites vallées, avec des nuages intercalés comme des morceaux d'ouate qui semblaient placés entre les lignes fuyantes des crêtes pour empêcher leurs flancs de s'érafler mutuellement. Derrière elles, dans le bleu final, s'élevait le mont Glitterntin, crête dentelée de clinquant étincelant : et, vers le sud, une fine brume enveloppait des crêtes plus lointaines qui communiquaient entre elles dans un alignement interminable, passant par toutes les nuances d'une douce évanescence.

Le col avait été atteint, le granite et la gravité avaient été vaincus; mais restait encore la partie la plus dangereuse. Vers l'ouest, une succession de pentes couvertes de bruyère descendait jusqu'à la mer lumineuse. Jusqu'à maintenant, la montagne l'avait séparé du golfe ; à présent, il était exposé à cette voûte de feu. Il commença à descendre.

Trois heures plus tard, il marchait sur un terrain

plat. Deux vieilles femmes qui travaillaient dans un verger se dressèrent comme au ralenti et le dévisagèrent. Il avait dépassé les bois de pins de Boscobel et il approchait du quai de Blawick quand une voiture noire de la police sortit d'une rue transversale et vint s'arrêter près de lui : « La blague a assez duré, dit le chauffeur. Il y a déjà une centaine de clowns bouclés dans la prison d'Onhava, et l'ex-Roi devrait être parmi eux. Notre prison est trop petite pour loger d'autres rois. Le prochain imposteur sera abattu à vue. Quel est ton vrai nom, Charlie ? — Je suis sujet britannique. Je suis un touriste, dit le Roi. — Bon, de toute façon, enlève cette *fufa* rouge. Et la casquette aussi. Donne-les-moi. » Il lança les vêtements à l'arrière de la voiture et démarra.

Le Roi continua sa route ; le haut de son pyjama bleu rentré dans son fuseau pourrait facilement passer pour une chemise de fantaisie. Il avait un caillou dans sa chaussure gauche, mais il était trop exténué pour s'en préoccuper.

Il reconnut le restaurant de bord de mer où il avait déjeuné incognito plusieurs années auparavant avec deux marins très très amusants. Plusieurs extrémistes lourdement armés buvaient de la bière sur la galerie bordée de géraniums, parmi d'inévitables vacanciers dont quelques-uns étaient occupés à écrire à de lointains amis. A travers les géraniums, une main gantée tendit au Roi une carte postale sur laquelle il trouva quelques mots gribouillés : *Allez aux G. R. Bon voyage !* Feignant une promenade insouciante, il atteignit le bout du quai.

C'était un bel après-midi avec un peu de vent. A l'ouest, l'horizon était comme un vide lumineux qui aspirait les cœurs avides. Maintenant qu'il en était au point le plus critique de son voyage, le Roi jeta un coup d'œil alentour ; il examina les quelques promeneurs et essaya de reconnaître ceux qui pourraient être des agents de police déguisés, prêts à fondre sur lui aussitôt qu'il sauterait par-dessus le parapet et qu'il se dirigerait vers les grottes Rippleson. Une seule et unique voile teinte en rouge royal venait tacher l'étendue marine de quelque intérêt humain. Nitra et Indra (signifiant « intérieur » et « extérieur »), deux îlots noirs qui semblaient s'entretenir en une conférence secrète, étaient photographiés du parapet par un touriste russe trapu avec plusieurs mentons et la nuque charnue d'un général. Son épouse flétrie, enveloppée d'une ample écharpe fleurie, remarqua en moscovien chantant : « Chaque fois que je vois ce genre d'effroyable défigurement, je ne puis m'empêcher de penser au fils de Nina. La guerre est une chose horrible. — La guerre ? demanda son époux. Ça a dû être l'explosion de la verrerie en 1951 — pas la guerre. » Ils passèrent lentement devant le Roi dans la direction d'où il était venu. Face à la mer, sur un banc public, un homme, ses béquilles à côté de lui, lisait l'*Onhava Post* qui présentait en première page Odon en uniforme extrémiste et Odon dans le rôle du Triton. Aussi incroyable que cela puisse paraître, les gardes du palais ne s'étaient jamais rendu compte de cette identité auparavant. A présent, une bonne somme était offerte pour sa capture. Les vagues léchaient les galets à un rythme régulier. Le lecteur du journal avait été atrocement défiguré lors de l'explosion récemment mentionnée, et tout l'art de la chirurgie plastique n'avait eu pour résultat qu'une hideuse texture en mosaïque avec des parties du dessin et des parties du contour qui semblaient changer, se fondre ou se séparer, comme des joues et des mentons fluctuants dans un miroir déformant.

Le petit bout de plage entre le restaurant à une extrémité de la promenade, et les rochers de granite à l'autre extrémité, était presque désert : au loin, à gauche, trois pêcheurs chargeaient une chaloupe de filets brun varech, et directement en bas du trottoir, une femme d'un certain âge portant une robe à pois, et, comme coiffure un chapeau de gendarme en papier

(EX-ROI APERÇU) était assise et tricotait sur les galets, le dos à la rue. Ses jambes couvertes de bandages étaient étendues sur le sable ; à l'un de ses côtés se trouvait une paire de pantoufles en tapisserie, et de l'autre, une boule de laine rouge dont elle tirait de temps à autre le fil conducteur avec l'immémorial coup de coude de la tricoteuse zemblienne pour donner un tour à sa pelote de laine et relâcher le fil. Enfin, sur le trottoir, une petite fille vêtue d'une jupe ballonnée faisait un tintamarre énergique en évoluant maladroitement sur ses patins à roulettes. Un nain engagé dans le corps de la police pouvait-il se faire passer pour un enfant avec des nattes ?

En attendant que le couple russe se soit éloigné, le Roi s'arrêta près du banc. L'homme au visage en mosaïque plia son journal, et une seconde avant qu'il ne parle (dans l'intervalle neutre entre la bouffée de fumée et la détonation), le Roi sut que c'était Odon. « C'est tout ce qu'on pouvait faire en si peu de temps », dit Odon, tirant sur sa joue pour montrer comment la pellicule semi-transparente aux couleurs variées adhérait à son visage, altérant ses contours selon la tension. « Normalement, une personne bien élevée, ajouta-t-il, n'examine pas de trop près un pauvre type défiguré. — Je cherchais les *chpiks* » (policiers en civil), dit le Roi. — Toute la journée, dit Odon, ils ont patrouillé sur le quai. Ils sont en train de dîner à présent. — J'ai soif et faim, dit le Roi. — Il y a de quoi manger dans le bateau. Laissez disparaître ces Russes. On n'a pas à se préoccuper de l'enfant. — Et la femme sur la plage ? — C'est le jeune Baron Mandevil — le type qui a eu ce duel l'an dernier. Partons maintenant. — Est-ce qu'on ne pourrait pas l'emmener lui aussi ? — Viendrait pas — une femme et un bébé. Allons Charlie, allons Votre Majesté. — C'était mon page de trône le jour du Couronnement. » Bavardant de la sorte, ils atteignirent les grottes Rippleson. J'espère que le lecteur a apprécié cette note.

Vers 162 : Sa langue pure, etc.

C'est une façon étrangement détournée de décrire le baiser timide d'une jeune paysanne ; mais le passage entier est très baroque. Ma propre enfance fut trop heureuse et trop saine pour contenir la moindre chose qui ait une lointaine ressemblance avec les évanouissements dont Shade souffrit. Dans son cas, cela dut être une forme bénigne d'épilepsie, un déraillement des nerfs au même endroit, à la même courbe du rail, chaque jour, pendant plusieurs semaines, jusqu'à ce que la nature ait réparé les dommages. Qui pourrait oublier les visages bienveillants et brillants de sueur des cheminots au torse de cuivre, appuyés sur leurs bêches et suivant des yeux les fenêtres du grand express qui passe doucement avec précaution ?

Vers 167 : Il fut un temps, etc.

Le poète a commencé le Chant Deux (sur la quatorzième fiche) le 5 juillet, jour de son soixantième anniversaire (voir note au vers 181, « aujourd'hui »). Je me trompe — c'est soixante et unième.

Vers 169 : survie après la mort

Voir note au vers 549.

Vers 171 : Une grande conspiration

Pendant presque une année entière après la fuite du Roi, les extrémistes restèrent convaincus qu'Odon et lui n'avaient pas quitté la Zembla. L'erreur ne peut être attribuée qu'à la couche de stupidité que l'on trouve fatalement dans la plus compétente tyrannie. Les engins aériens et tout ce qui s'y rattache jetèrent un véritable sort dans l'esprit de nos nouveaux dirigeants à qui l'aimable histoire avait donné brusquement une pleine boîte de ces trucs fendant l'air et montant droit afin qu'ils puissent s'en amuser. Il leur semblait inconcevable qu'un fugitif important pût s'enfuir autrement que par la voie des airs. En quelques minutes, après que le Roi et l'acteur eurent dégringolé les marches du Théâtre Royal, on avait fait le recensement de toutes les ailes dans le ciel et sur la terre — telle était l'efficacité du gouvernement. Pendant les semaines qui suivirent, nul avion, privé ou commercial, ne fut autorisé à décoller, et l'inspection des voyageurs en transit devint si rigoureuse et si longue que les lignes internationales décidèrent de supprimer les arrêts à Onhava. Il y eut quelques morts. Un ballon rouge fut abattu avec enthousiasme, et l'aéronaute (météorologue fort connu) se noya dans le golfe de la Surprise. Un pilote de la base de Laponie, en mission de secours, se perdit dans le brouillard et fut si violemment harassé par les bombardiers zembliens qu'il dut atterrir sur le pic d'une montagne. On pourrait trouver quelque excuse à tout cela. L'illusion de la présence du Roi dans la brousse de Zembla fut entretenue par des conspirateurs royalistes qui amenèrent ainsi des régiments entiers à fouiller les montagnes et les bois de notre sauvage péninsule. Le gouvernement gaspilla une somme d'énergie aberrante à inspecter les centaines d'imposteurs entassés dans les prisons du pays. La plupart trouvèrent des filons pour recouvrer leur liberté, mais quelques-uns, hélas, tombèrent. Puis, au printemps de l'année suivante, une ahurissante nouvelle arriva de l'étranger. L'acteur zemblien, Odon, dirigeait un film à Paris.

On conjectura alors, fort justement, que si Odon avait fui, le Roi avait fui également. A une session extraordinaire du gouvernement extrémiste on se passa de main en main, dans un silence consterné, un numéro d'un journal français avec la manchette : L'EX-ROI DE ZEMBLA EST-IL À PARIS ? L'exaspération vindicative plutôt que la stratégie d'État poussa l'organisation secrète dont Gradus était un membre obscur à comploter la destruction du fugitif royal. Méprisables tueurs ! On peut les comparer à ces voyous qui ne rêvent que de pouvoir torturer l'invulnérable gentleman dont le témoignage les a envoyés en prison à perpétuité. On cite le cas de condamnés de cette espèce qui sont devenus fous furieux à la pensée que leur imprenable victime, dont ils aimeraient tordre les testicules et les déchirer de leurs ergots, festoye assis sous une pergola dans quelque île ensoleillée ou caresse entre ses genoux une jeune et jolie créature en sereine sécurité — tout en se moquant d'eux. On peut s'imaginer qu'il n'y a point de pire enfer que la rage impuissante qu'ils ressentent lorsque la certitude de cette douce et implacable joie leur parvient, les inonde et détruit lentement leur cervelle de brutes. Un groupe d'extrémistes particulièrement dévoués qui s'étaient baptisés les Ombres s'étaient réunis et avaient juré de pourchasser le Roi et de le tuer où qu'il fût. C'étaient, en un sens, les ombres jumelles des carlistes et, du reste, plusieurs d'entre eux avaient des cousins, et même des frères, parmi les partisans du Roi. Sans aucun doute on peut retrouver l'origine de ces deux groupes dans divers rites violents des clubs d'étudiants et des cercles militaires et leur développement peut être examiné en termes de modes et antimodes ; mais, alors qu'un historien objectif associe au carlisme un éclat noble et romantique, le groupe qui en est l'ombre ne peut que nous frapper comme quelque chose de nettement gothique et déplaisant. La silhouette grotesque de Gradus, croisement entre une chauve-souris et un crabe, n'était pas plus étrange que bien des Ombres, comme Nodo, par exemple, le demi-frère épileptique d'Odon, qui trichait aux cartes, ou un Mandevil fou qui avait perdu une jambe en essayant de faire de l'antimatière. Gradus était depuis longtemps membre de toutes sortes d'organisations anémiques de gauche. Il n'avait jamais tué bien qu'il eût été à deux doigts de le faire plusieurs fois au cours de sa vie terne. Il soutint plus tard que, lorsqu'il se trouva désigné pour découvrir les traces du Roi et le tuer, le choix fut décidé par un jeu de cartes — mais n'oublions pas que les cartes avaient été mêlées et données par Nodo. Peut-être les origines étrangères de notre homme furent-elles secrètement la source d'une nomination qui ne risquerait pas de faire peser sur un fils de Zembla le déshonneur d'un véritable régicide. On peut facilement imaginer la scène : l'affreux éclairage au néon du laboratoire dans une annexe de la Verrerie où les Ombres se trouvaient avoir leur réunion ce soir-là ; l'as de pique sur le sol carrelé ; la vodka servie dans des éprouvettes ; les nombreuses mains qui frappaient Gradus sur son dos rond, et la sombre exultation de l'homme en recevant ces félicitations quelque peu traîtresses. Nous plaçons ce moment fatidique à 0 h 05, le 2 juillet 1959 — date qui se trouve être également celle où un innocent poète écrivit les premiers vers de son dernier poème.

Gradus était-il vraiment la personne indiquée pour cette besogne ? Oui et non. Un jour, étant encore très jeune, lorsqu'il était garçon de courses dans une grande et déprimante fabrique de boîtes en carton, il aida tranquillement trois camarades à guetter un jeune homme de la localité qu'ils désiraient rosser parce qu'il avait gagné une motocyclette dans une foire. Le jeune Gradus se procura une hache et dirigea l'abattage d'un arbre : la chute en fut mauvaise, cependant, car il ne bloqua pas complètement la petite route de campagne sur laquelle roulait généralement au crépuscule leur insouciante victime. Le pauvre jeune homme filant à toute allure vers l'endroit où ces durs étaient tapis, était un mince Lorrain de frêle apparence et il fallait avoir l'âme bien vile pour lui en vouloir de son inoffensive distraction. Chose assez curieuse, pendant qu'ils l'attendaient, notre futur régicide tomba endormi dans un fossé et manqua ainsi la brève échauffourée au cours de laquelle deux des assaillants furent assommés et mis hors de combat par le brave Lorrain dont la moto écrasa le troisième, le laissant estropié pour le restant de ses jours.

Gradus ne réussit jamais très bien dans l'industrie du verre à laquelle il revenait sans cesse entre ses occupations de placier en vins et d'imprimeur de pamphlets. Il commença par fabriquer des ludions — figurines en verre à bouteille montant et descendant dans des tubes remplis de méthylène et que l'on vendait sur les boulevards pendant la semaine des Rameaux. Il fut également fondeur et, plus tard, plaqueur dans des usines du gouvernement — et c'est lui, je crois, qui fut plus ou moins responsable des très laides fenêtres rouge et ambre du grand W.-C. public de Kalixhaven lieu chahuteur mais haut en couleur que fréquentent les marins. Il prétendait avoir perfectionné la luminosité et le bruissement de ce que l'on appelle *feuilles-d'alarme* employées par les viticulteurs et les propriétaires de vergers pour épouvanter les oiseaux. J'ai classé les notes qui lui sont consacrées de façon telle que la première (voir la note au vers 17 où quelques-unes de ses autres activités sont esquissées) est la plus vague alors que celles qui suivent deviennent graduellement plus claires à mesure que le graduel Gradus s'approche dans l'espace et le temps.

De simples ressorts et spirales produisaient les mouvements internes de cet homme-horloge. On aurait pu le qualifier de puritain. Une haine essentielle, formidable dans sa simplicité emplissait son âme obtuse : il haïssait l'injustice et la fourberie. Il haïssait leur union — elles étaient toujours ensemble — avec une passion têtue qui ne trouvait pas de mots, et n'en avait nul besoin pour s'exprimer. Une telle haine aurait mérité des louanges si elle n'avait pas été un sous-produit de l'irrémédiable stupidité du personnage. Il appelait injuste et fourbe tout ce qui dépassait sa compréhension. Il adorait les idées générales et le faisait avec un aplomb pédantesque. Toute généralité était divine, toute spécificité, diabolique. Si une personne était pauvre et l'autre riche, peu importait ce qui avait causé la ruine de l'un et la richesse de l'autre ; la différence elle-même était injuste, et le pauvre qui ne la dénonçait pas était aussi mauvais que le riche qui ne s'en souciait pas. Les gens qui en savaient trop, savants, écrivains, mathématiciens, cristallographes et cætera ne valaient pas mieux que les rois et les prêtres : tous détenaient une part injuste de pouvoir dont les autres étaient frustrés. Un brave homme tout simple devait s'attendre constamment à quelque vacherie retorse de la part de la nature et de son voisin.

La révolution zemblienne avait donné bien des satisfactions à Gradus, mais lui avait aussi causé des frustrations. Un épisode particulièrement irritant prend, avec le recul, un sens des plus nets comme appartenant à un ordre de choses que Gradus aurait dû apprendre à prévoir, ce qu'il ne fit jamais. Un homme qui faisait des imitations particulièrement brillantes du Roi, l'as de tennis Julius Steinmann (fils du philanthrope bien connu) avait, pendant plusieurs mois, éludé la police exaspérée jusqu'aux extrêmes limites par ses excellentes parodies de la voix de Charles le Bien-Aimé, faites à la radio clandestine, dans une série de discours où le gouvernement était tourné en ridicule. Quand on l'eut enfin capturé, il fut jugé par une commission spéciale, dont Gradus faisait partie, et condamné à mort. Le peloton d'exécution bousilla son travail et, un peu plus tard, le courageux jeune homme fut retrouvé dans un hôpital de province où il se remettait de ses blessures. Quand Gradus apprit cela, il fut pris d'un de ses rares accès de colère — non parce que le fait présupposait des machinations royalistes, mais parce que le cours propre, honnête et ordonné de la mort avait été contrarié d'une façon impropre, déshonnête et désordonnée. Sans consulter personne, il se précipita à l'hôpital, y pénétra en trombe, découvrit Julius dans une salle encombrée et parvint à tirer deux fois, manquant son coup à chaque fois, avant que son pistolet lui fût arraché par un infirmier costaud. Il retourna en hâte au quartier général et revint avec une douzaine de soldats, mais son malade avait disparu.

Ce sont là choses qui s'enveniment — mais que peut faire un Gradus ? De concert, les Parques ourdissent une grande conspiration contre Gradus. On remarque avec un plaisir excusable que ses semblables ne jouissent jamais de l'ultime privilège d'expédier eux-mêmes leurs victimes. Oh, indubitablement, Gradus est actif, capable, utile, souvent indispensable. Au pied de l'échafaud, par une froide et grise matinée, c'est Gradus qui, avec un balai, enlève des marches étroites la poudre de neige de la nuit ; mais son long visage tanné n'est pas le dernier que verra dans ce monde l'homme qui gravit ces marches. C'est Gradus qui achète la misérable valise en fibre qu'un gars plus heureux ira placer, avec, à l'intérieur, une bombe à retardement, sous le lit d'un ancien partisan. Personne ne sait mieux que Gradus comment tendre un piège au moyen d'une fausse annonce, mais la vieille richarde qu'il entôle est courtisée et assassinée par un autre. Quand le tyran déchu, nu et hurlant, est attaché à une planche sur la place publique et tué lentement par le peuple qui le coupe en tranches et le mange, et se partage son corps vivant (comme je l'ai lu, dans mon enfance au sujet d'un despote italien, chose qui m'a rendu végétarien pour le restant de mes jours), Gradus ne prend pas part à ce sacrement infernal : il indique l'instrument qu'il faut prendre et dirige le dépeçage.

Il doit en être ainsi ; le monde a besoin de Gradus. Mais Gradus ne devrait jamais tuer de rois. Vinogradus ne devrait jamais, jamais provoquer Dieu. Leningradus ne devrait pas viser les gens avec sa sarbacane, même dans ses rêves, car s'il le fait, une paire de bras d'une grosseur colossale et anormalement velus viendra par-derrière le saisir et serrer, serrer, serrer.

Vers 172 : Livres et gens

Dans un carnet noir que, par bonheur, j'ai sur moi, je trouve, notés çà et là parmi divers extraits qui, par hasard m'avaient plu (une annotation dans la *Vie de Samuel Johnson* par Boswell, les inscriptions sur les arbres de la célèbre avenue de Wordsmith, une citation de saint Augustin, etc.), quelques exemples de la conversation de John Sade que j'avais recueillis à seule fin de m'y référer en présence de gens que mon amitié avec le poète pouvait intéresser ou ennuyer. Son lecteur, et le mien, voudront bien m'excuser, j'espère, de briser le cours ordonné de ces commentaires et de laisser la parole à mon illustre ami.

Des critiques ayant été mentionnés, il dit : « Je n'ai jamais accusé réception de louanges imprimées bien que parfois j'eusse éprouvé un violent désir d'embrasser l'image resplendissante de tel ou tel parangon de discernement ; et je n'ai jamais pris la peine de me pencher à ma fenêtre pour vider mon skoramis sur le crâne de quelque pauvre scribouillard. Je regarde avec un détachement égal l'éreintement et le dithyrambe. » Kinbote : « Je suppose que vous écartez le premier comme le bredouillage d'un crétin et le second comme l'action amicale d'une bonne âme ? » Shade : « Exactement. »

Parlant du chef de la section de russe, pleine à craquer, le Professeur Pnine, véritable garde-chiourme vis-à-vis de ses subalternes (heureusement, le Professeur Botkin qui enseignait dans une autre section n'était pas le subalterne de ce grotesque « perfectionniste »). « Comme c'est étrange que les intellectuels russes n'aient aucun sens de l'humour alors qu'ils ont des humoristes aussi merveilleux que Gogol, Dostoïevski, Tchekhov, Zochtchenko et ce couple d'auteurs de génie Ilf et Petrov. »

Parlant de la vulgarité d'un certain rustre que nous connaissions tous les deux : « Cet homme est aussi farfelu que le tablier orné du mot « chef » dont s'affuble Monsieur lorsqu'il lui plaît de faire la cuisine », Kinbote (riant) : « Merveilleux. »

Le sujet de l'enseignement de Shakespeare au niveau supérieur ayant été amené : « Pour commencer, laissez de côté les idées et le milieu social et apprenez aux étudiants de première année à frissonner, à s'enivrer de la poésie de *Hamlet* ou de *Lear* à lire avec leur épine dorsale et non pas avec leur cerveau. » Kinbote : « Vous appréciez tout particulièrement les passages éclatants ? » Shade : « Oui, mon cher Charles, je me roule dessus, comme un chien bâtard reconnaissant se roule sur un coin de gazon souillé par un danois. »

Comme nous parlions de l'impact et de l'interpénétration du marxisme et du freudisme, je dis : « De deux doctrines fausses la pire est toujours celle qui est la plus difficile à extirper. » Shade : « Non, Charlie, il y a des critères plus simples : le marxisme a besoin d'un dictateur, et un dictateur a besoin d'une police secrète, et ça, c'est la fin du monde ; mais le freudien, quelle que soit sa stupidité, peut encore déposer son bulletin dans l'urne, même s'il appelle cela (souriant) *pollinisation politique.* »

Sur les travaux écrits des étudiants : « Je suis en général très bienveillant (dit Shade), mais il y a certaines bagatelles que je ne pardonne pas. » Kinbote : « Par exemple ? — N'avoir pas lu le livre exigé. L'avoir lu comme un idiot. Y avoir cherché des symboles ; par exemple : " L'auteur emploie l'image frappante de *feuilles vertes* parce que le vert est le symbole du bonheur et de la frustration. " J'ai également l'habitude de baisser catastrophiquement la note d'un étudiant s'il emploie les mots " simple " et " sincère " dans un sens élogieux ; exemples : " Le style de Shelley est toujours très simple et bon " ; ou : " Yeats est toujours sincère. " C'est un usage très répandu et quand j'entends un critique parler de la sincérité d'un auteur, je sais que soit le critique, soit l'auteur est un imbécile. » Kinbote : « Mais je me suis laissé dire qu'on enseigne cette manière de penser dans les écoles secondaires. — C'est là où il faudrait donner le premier coup de balai. Un enfant devrait avoir trente spécialistes qui lui enseigneraient trente sujets au lieu d'une institutrice excédée qui lui montre l'image d'une rizière et lui dit que c'est la Chine, parce qu'elle ne sait rien de la Chine, pas plus que d'autre chose du reste, et ne pourrait expliquer la différence entre la longitude et la latitude. » Kinbote : « Oui, je suis de votre avis. »

Vers 181 : Aujourd'hui

C'est-à-dire le 5 juillet 1959, le sixième dimanche après la Trinité. Shade commença à écrire le Chant Deux « le matin, de bonne heure » (ainsi qu'il l'indique en haut de la fiche 14). Il continua (jusqu'au vers 208) dans le cours de la journée. Il consacra presque toute la soirée et une partie de la nuit à ce que ses auteurs favoris du XVIIIe siècle désignaient sous le nom d' « Agitation et Vanité du Monde ». Après le départ (à bicyclette) du dernier invité, et quand les cendriers eurent été vidés, toute lumière disparut des fenêtres pendant deux heures environ ; puis, vers trois heures, je vis, de ma salle de bains du premier, que le poète était revenu à sa table de travail dans la lumière lilas de son bureau, et cette séance nocturne amena le chant jusqu'au vers 230 (fiche 18). Lors d'un second voyage à ma salle de bains, une heure plus tard, au soleil levant, je constatai que la lumière s'était transportée dans la chambre à coucher, et je souris avec indulgence, car, selon mes déductions, deux nuits seulement s'étaient écoulées depuis la trois mille neuf cent quatre-vingt-dix-neuvième fois — mais peu importe. Quelques minutes plus tard, tout était redevenu noir, et je me remis au lit.

Le 5 juillet, à midi, dans l'autre hémisphère, sur la piste d'envol, balayée par la pluie, de l'aéroport d'Onhava, Gradus, nanti d'un passeport français, se dirigeait vers un avion commercial russe à destination de Copenhague, et cet événement se synchronisait avec la conduite de Shade commençant, au petit matin (heure de la côte Atlantique), à composer ou s'installant à son bureau après avoir composé au lit les premiers vers du Chant Deux. Quand, environ vingt-quatre heures plus tard, il arriva au vers 230, Gradus, après une nuit de repos dans la maison de campagne de notre consul à Copenhague — une Ombre importante — était entré, avec l'Ombre, dans un magasin de confection pour se transformer conformément à sa description dans les notes futures (aux vers 286 et 408). Migraine plus forte encore aujourd'hui.

Quant à mes propres activités, elles furent, je dois le confesser, des moins satisfaisantes à tous les points de vue — émotionnel, créateur et social. Cette passe de déveine avait commencé la veille quand j'avais eu l'obligeance d'offrir à un jeune ami, candidat à ma troisième table de ping-pong qui, après une série de sensationnelles infractions au code de la route s'était vu enlever son permis de conduire — de le mener, dans ma puissante Kramler, jusqu'à la propriété de ses parents, une bagatelle de deux cents milles. Au cours d'une soirée qui se prolongea toute la nuit, parmi une foule d'étrangers — jeunes, vieux, filles outrageusement parfumées — dans une atmosphère de feux d'artifice, de fumées de grillades, de pitreries, de jazz et de baignades aurorales, je perdis tout contact avec le petit sot, fus contraint de danser, fus contraint de chanter, me trouvai mêlé à des babillages d'un ennui inimaginable avec divers parents du jeune garçon et, finalement, de la manière la plus inconcevable, me laissai traîner à une autre soirée, dans une autre propriété où, après d'indescriptibles jeux de société où ma barbe fut presque coupée, on me servit un petit déjeuner de fruits et de céréales et je fus emmené par mon hôte anonyme, un vieux soûlard en smoking et culottes de cheval, faire en titubant le tour de ses écuries. Quand je retrouvai ma voiture (à quelques mètres de la route dans un bois de pins), je débarrassai le siège du chauffeur d'un caleçon de bain trempé et d'un soulier de femme argenté. Les freins s'étaient usés pendant la nuit, et bientôt je me trouvai à court d'essence sur une partie désolée de la route. Six heures sonnaient aux horloges de Wordsmith College quand j'arrivai à Arcady, me jurant bien qu'on ne m'y reprendrait plus à l'avenir et me réjouissant d'avance à la pensée d'une soirée paisible avec mon poète. Puis, j'aperçus sur une chaise, dans mon vestibule, le carton plat enrubanné, et c'est alors seulement que je me rendis compte que j'avais presque laissé passer son anniversaire.

Quelques jours auparavant, j'avais remarqué cette date sur la couverture d'un de ses livres ; j'avais réfléchi sur l'horrible décrépitude de son costume du matin ; je m'étais, par jeu, mesuré le bras contre le sien et lui avais acheté, à Washington, une robe de chambre en soie des plus somptueuses, une véritable peau de dragon aux couleurs orientales, digne d'un samouraï : voilà ce que contenait le carton.

Je me déshabillai rapidement et, hurlant mon cantique favori, je pris une douche. Mon jardinier-homme à tout faire, tout en m'administrant une friction dont j'avais grand besoin, m'apprit que les Shade donnaient ce soir un dîner par petites tables et que le sénateur Blank (un cousin de John, homme d'État connu pour son franc-parler et fort en vue) était attendu.

Or, il n'y a rien qui fasse plus de plaisir à un homme solitaire qu'une fête d'anniversaire impromptue ; et pensant qu'en mon absence, mon téléphone avait sonné toute la journée, je composai allégrement le numéro des Shade, et naturellement ce fut Sybil qui répondit :

« Bonsoir, Sybil.

— Oh ! allô, Charles. Vous avez fait un bon voyage ?

— Euh, à dire vrai...

— Écoutez, je sais que vous désirez parler à John, mais il se repose en ce moment, et moi, je suis extrêmement occupée. Il vous rappellera plus tard, d'accord ?

— Plus tard, quand... ce soir ?

— Non, demain, je pense. On sonne à la porte. Au revoir. »

Étrange. Pourquoi fallait-il que Sybil écoutât les sonnettes de porte alors qu'en plus de la femme de chambre et de la cuisinière, elle avait deux jeunes extras en veste blanche ? Un faux amour-propre m'empêcha de faire ce que j'aurais dû faire : prendre mon cadeau royal sous le bras et me rendre sereinement à cette maison inhospitalière. Qui sait ? J'aurais peut-être été récompensé à la porte de service par une goutte de sherry de cuisine. J'espérais encore que c'était une erreur et que Shade allait téléphoner. Ce fut une attente amère et le seul effet qu'eut sur moi la bouteille de champagne que je bus seul tantôt à une fenêtre, tantôt à l'autre, fut une violente *crapula* (gueule de bois).

Dissimulé derrière une tenture, derrière un buis, à travers le voile d'or du soir et à travers la dentelle noire de la nuit, je ne cessais de surveiller cette pelouse, cette allée, cette imposte, ces fenêtres aux reflets de joyaux. Le soleil n'était pas encore couché quand, à sept heures et quart, j'entendis la voiture du premier invité. Oh, je les ai tous vus. J'ai vu le vieux Docteur Sutton, un petit homme parfaitement ovale, les cheveux blancs de neige, arriver dans une Ford branlante avec sa grande fille, Mrs. Starr, une veuve de guerre. J'ai vu un couple qu'on me dit plus tard être Mr. Colt, un avocat de la ville, et sa femme dont la Cadillac entra par erreur dans mon allée avant de faire marche arrière dans une gerbe de clignotements lumineux. J'ai vu un vieil écrivain de réputation mondiale, courbé sous l'incube des honneurs littéraires et de sa propre et prolifique médiocrité émerger en taxi des obscurs jours d'antan, quand Shade et lui avaient été coéditeurs éditeurs d'une petite revue. J'ai vu Frank, l'homme à tout faire des Shade, partir dans le break. J'ai vu un professeur d'ornithologie en retraite venir à pied de la grand-route où il avait illégalement garé sa voiture. J'ai vu, blottie dans leur petite Pulex conduite par son amie, sorte de bel éphèbe à chevelure ébouriffée, la protectrice des arts qui avait présidé à la dernière exposition de tante Maud. J'ai vu Frank revenir avec l'antiquaire de New Wye, l'aveugle Mr. Kaplun, et sa femme, un aigle décrépit. J'ai vu un étudiant coréen en smoking arriver à bicyclette, et le président du collège, en complet défraîchi, arriver à pied. J'ai vu, dans l'exercice de leurs fonctions cérémoniales, passant de la lumière à l'ombre et d'une fenêtre à l'autre où, tels des Martiens, évoluaient whiskys et Martinis, les deux jeunes gens, en veste blanche, de l'école hôtelière, et je m'aperçus que je connaissais bien, très bien, le plus mince des deux. Et finalement, je vis à huit heures et demie (quand, je suppose, la maîtresse de maison avait commencé à faire craquer les jointures de ses doigts, manifestation habituelle de son impatience) une longue limousine noire, officiellement astiquée et quelque peu funéraire, se glisser dans le nimbe de l'allée, et pendant que le gros chauffeur noir se hâtait d'ouvrir la portière j'eus le regret de voir mon poète sortir de sa maison, une fleur blanche à la boutonnière, et un sourire niais sur son visage enflammé par l'alcool.

Le lendemain matin, dès que je vis Sybil partir en auto pour aller chercher Ruby la cuisinière, qui ne couchait pas dans la maison, je passai chez eux avec mon carton enveloppé joliment et avec reproche. Je remarquai, par terre, devant leur garage un *buchmann*, une petite pile de livres de la bibliothèque que Sybil y avait évidemment oubliés. Je me penchai poussé par le démon de la curiosité : la plupart étaient de Mr. Faulkner ; et une seconde plus tard Sybil revenait dans un crissement de pneus, sur le gravier, juste derrière moi. J'ajoutai les livres à mon présent et posai toute la pile sur ses genoux. C'était gentil de ma part — mais qu'était ce carton ? Tout simplement un présent pour John. Un présent ? Voyons, n'était-ce pas hier son anniversaire ? Oui, c'est vrai, mais, après tout, les anniversaires ne sont-ils pas de simples conventions ? Conventions ou pas, mais c'était aussi mon anniversaire — une petite différence de seize ans, rien de plus. Oh, mon Dieu ! Mes félicitations. Et votre soirée, comment s'est-elle passée ? Oh, vous savez ce que c'est que ce genre de soirée (à ce moment je cherchai un autre livre dans ma poche — un livre auquel elle ne s'attendait pas). Oui, quel genre ? Eh bien, des gens qu'on a connus toute sa vie et qu'il faut inviter une fois par an, des hommes comme Ben Kaplun et Dick Colt avec qui nous avons été à l'école, et ce cousin de Washington et le type qui écrit des romans que John et vous trouvez si farfelus. Nous ne vous avons pas invité parce que nous savons à quel point ce genre d'affaires vous ennuie. Cela me donna ma réplique.

« A propos de romans, dis-je, vous vous rappelez qu'un jour, vous, votre mari et moi, nous avions décidé que le chef-d'œuvre mal dégrossi de Proust était un énorme conte de fées démoniaque, un rêve de mangeur d'asperges, sans aucune relation avec des gens possibles dans une France historique, un travestissement sexuel et une farce colossale, un vocabulaire et une poésie de génie, mais rien de plus, des hôtesses impossiblement mal élevées, je vous en prie, laissez-moi parler, des invités encore plus mal élevés, des bagarres mécaniquement dostoïevskiennes et des nuances tolstoïennes de snobisme répétées et étirées jusqu'à une longueur intolérable, d'adorables marines, des avenues fondantes, non, ne m'interrompez pas, des effets d'ombre et de lumière rivalisant avec ceux des plus grands poètes anglais, une flore de métaphores qualifiée — par Cocteau, je crois — de " mirage de jardins suspendus ", et, je n'ai pas encore fini, une absurde histoire d'amour entre un jeune et blond vaurien (le fictif Marcel) et une invraisemblable jeune fille qui a une poitrine postiche, le cou épais de Vronski (et de Lyovine) et pour joues des fesses de Cupidon ; mais — et maintenant, laissez-moi finir en douceur — nous avions tort, Sybil, nous avions tort de refuser à notre petit *beau ténébreux* le pouvoir d'évoquer l'" intérêt humain " : il est là, il est là — peut-être sous une forme quelque peu XVIIIe siècle, ou même XVIIe, mais il est là. Je vous en prie, plongez-vous, ou replongez-vous dans ce livre (le lui offrant), vous y trouverez un joli signet, acheté en France ; je désire que John le garde. *Au revoir*, Sybil, il faut que je parte. *Je crois entendre la sonnerie de mon téléphone.* »

Je suis un Zemblien très malin. *Juste en cas*, j'avais apporté avec moi dans ma poche le troisième et dernier tome de l'œuvre de Proust dans l'édition de la *Bibliothèque de la Pléiade*, Paris, 1954, où j'avais marqué certains passages aux pages 269-271. Mme de Mortemart, ayant décidé que Mme de Valcourt ne serait pas parmi les « élus » à sa soirée, comptait lui envoyer une note le lendemain, lui disant : « Chère Édith, je m'ennuie après vous, je ne vous attendais pas trop hier soir (comment aurait-elle pu m'attendre, se serait dit Édith, puisqu'elle ne m'avait pas invitée ?), car je sais que vous n'aimez pas extrêmement ce genre de réunions qui vous ennuient plutôt. »

Tel fut le dernier anniversaire de John Shade.

Vers 181-182. Jaseurs... cigale

L'oiseau des vers 1-4 et 131 est de nouveau avec nous. Il reparaîtra dans le dernier vers du poème ; et une autre cigale, laissant son enveloppe derrière elle, chantera triomphalement aux vers 236-244.

Vers 188 : Starover Blue

Voir note au vers 627. Cela fait penser au Royal Jeu de l'Oie, mais joué ici avec de petits avions en fer-blanc peint (allez à la case 209).

Vers 209 : Désintégration graduelle.

Le temps-espace lui-même est désintégration ; Gradus vole vers l'ouest ; il atteint Copenhague, la ville gris-bleu (voir note au vers 181), après-demain (7 juillet), il continuera sa route vers Paris. Il n'a fait que passer rapidement par ce vers et il est parti — pour revenir bientôt noircir à nouveau nos pages.

Vers 213-214 : Un syllogisme

Cela peut plaire à un tout jeune homme. Plus tard, dans la vie, nous apprenons que nous sommes effectivement ces « autres ».

Vers 230 : un fantôme domestique

L'ancienne secrétaire de Shade, Jane Provost, à qui j'ai récemment rendu visite à Chicago, m'a raconté sur Hazel bien plus de choses que son père ne l'a fait ; il affectait de ne pas parler de sa fille défunte ; et comme je ne prévoyais pas ce travail de recherches et de commentaires, je ne le pressais pas de me parler de ce sujet et de s'épancher avec moi. En fait, dans ce chant, il s'est épanché assez complètement, et son portrait de Hazel est très clair et complet ; peut-être un peu trop complet architectoniquement, car le lecteur ne peut s'empêcher de trouver qu'il a été développé et élaboré au détriment de certaines matières plus riches et plus rares dont il a pris la place. Mais rien ne doit se mettre en travers des obligations d'un commentateur si ennuyeuse que soit l'information qu'il doit récolter et transmettre. D'où cette note.

Il semblerait qu'au début de 1950, bien avant l'incident de la grange (voir note au vers 347), Hazel, âgée de seize ans, fut mêlée à de terrifiantes manifestations « psychokinesthésiques » qui se prolongèrent pendant presque un mois. Au début, sans doute, l'esprit frappeur voulait appliquer à cette perturbation l'identité de tante Maud qui venait juste de mourir ; le premier objet qui joua un rôle fut la corbeille où elle avait autrefois gardé son skye-terrier, à demi paralysé (race qu'on appelle dans notre pays « chien saule pleureur »). Sybil avait fait détruire l'animal aussitôt l'hospitalisation de sa maîtresse et avait encouru la colère de Hazel qui était hors d'elle de douleur. Un matin, la corbeille sortit comme une flèche du sanctuaire « intact » et, longeant le corridor, passa devant la porte ouverte du bureau où Shade travaillait ; il la vit filer et répandre son humble contenu : une couverture en loques, un os en caoutchouc et un coussin en partie décoloré. Le lendemain le champ d'action se transporta dans la salle à manger où une des huiles de tante Maud *(Cyprès et chauve-souris)* fut trouvée retournée face au mur. D'autres incidents suivirent, comme, par exemple, de petits vols de l'album de coupures (voir note au vers 90) et, naturellement, toutes sortes de coups frappés, surtout dans le sanctuaire, qui troublaient le sommeil sans doute paisible de Hazel dans la chambre voisine. Mais l'esprit ne tarda pas à se trouver à court d'idées en relation avec tante Maud et devint, si je puis dire, plus éclectique. Tous les mouvements banals auxquels sont ordinairement limités les objets dans des cas semblables furent accomplis dans celui-ci. Des casseroles tombèrent avec fracas dans la cuisine ; une boule de neige fut trouvée (peut-être prématurément) dans la glacière ; une ou deux fois, Sybil vit une assiette voler comme un disque et aller sans dommage atterrir sur le sofa ; des lampes s'allumaient sans cesse dans différentes parties de la maison ; des chaises allaient, en se dandinant, s'assembler dans l'impénétrable office ; de mystérieux bouts de ficelle apparaissaient sur le plancher ; d'invisibles noceurs dégringolaient l'escalier en titubant au milieu de la nuit ; et, un matin d'hiver, Shade en se levant, ayant jeté un coup d'œil sur le temps, avait vu que la petite table de son bureau, sur laquelle un Webster semblable à une Bible était ouverte à la lettre M, se trouvait, tout ahurie, dehors, dans la neige (ce qui, subconsciemment a pu contribuer à la genèse des vers 5-12).

J'imagine que, durant cette période, les Shade, ou tout au moins John Shade, durent éprouver une sensation d'étrange instabilité, comme si des parties du monde quotidien, au roulement parfait, s'étaient dévissées, vous laissant avec un de vos pneus roulant à côté de vous ou votre volant détaché. Mon pauvre ami ne pouvait éviter de se rappeler les crises dramatiques de sa petite enfance et de se demander si tout cela n'était pas une variante génétique du même thème, transmis par la procréation. Essayer de cacher aux voisins ces phénomènes horribles et humiliants n'était pas le moindre souci de Shade. Il était terrifié et déchiré de pitié. Bien que ne parvenant pas à la coincer — cette fille solennelle, molle, débile et gauche qui semblait plus intéressée qu'effrayée — Sybil et lui ne doutèrent pas une minute qu'elle fût, de quelque façon extraordinaire, l'agent des bouleversements qui d'après eux représentaient (je cite maintenant Jane P.) « une extension externe ou une expulsion d'insanité ». Ils n'y pouvaient pas grand-chose, en partie parce qu'ils n'aimaient pas la psychiatrie — vaudou moderne —, mais surtout parce qu'ils avaient peur de Hazel et peur de la blesser. Néanmoins, ils eurent un entretien secret avec le vieux Docteur Sutton, érudit de la vieille école, et cela leur remonta le moral. Ils envisagèrent la possibilité d'aller habiter dans une autre maison ou, plus exactement, de se dire à tue-tête, afin d'être entendus par quiconque se trouverait aux écoutes, qu'ils avaient l'intention de déménager, quand soudain l'esprit frappeur disparut, tout comme le *moskovett*, ce vent glacial, ce colosse d'air froid qui souffle sur nos côtes orientales pendant le mois de mars, et puis un beau matin on entend les oiseaux, les drapeaux tombent, flasques, et les contours du monde reprennent leur place. Les phénomènes cessèrent complètement et furent sinon oubliés du moins jamais mentionnés ; mais qu'il est donc curieux que nous ne percevions pas quelque mystérieux signe d'équation entre l'Hercule surgissant du corps frêle d'une enfant névrosée et le fantôme exubérant de tante Maud ; qu'il est donc curieux que notre rationalité s'estime satisfaite de la première explication venue, bien que, en réalité, le scientifique et le surnaturel, le miracle du muscle et le miracle de l'esprit soient, l'un et l'autre inexplicables, comme le sont les voies de Notre-Seigneur.

Vers 231 : Combien absurde, etc.

Une belle variante, avec une curieuse omission, s'embrancha à cet endroit dans le brouillon (daté du 6 juillet)

Étrange Au-Delà où demeurent tous nos êtres mort-nés,
Nos bêtes familières, ressuscitées, et nos malades guéris,
Et les esprits qui sont morts avant d'y arriver :
Pauvre vieux Swift, pauvre —, pauvre Baudelaire
Poor old man Swift, poor —, poor Baudelaire

Que peut bien remplacer ce tiret ? A moins que Shade n'ait donné une valeur prosodique à l'*e* muet de « Baudelaire », ce que, j'en suis certain, il n'aurait jamais fait dans un poème anglais. Le nom qui convient ici doit se scander comme un trochée. Parmi les noms de poètes, peintres, philosophes, etc., célèbres que l'on sait être morts fous ou avoir sombré dans le gâtisme sénile, on en trouverait beaucoup qui conviendraient. Shade se trouvait-il devant une trop grande variété sans que rien ne lui indiquât un choix logique et, par suite, confiant en la mystérieuse force organique qui vient au secours des poètes aurait-il laissé un blanc pour le remplir, quand bon lui semblerait ? Ou y avait-il autre chose — quelque obscure intuition, quelque scrupule prophétique — qui l'empêchait d'écrire en toutes lettres le nom d'un homme éminent qui se trouvait être un de ses amis intimes ? Voulait-il, peut-être, éviter de courir des risques parce qu'un lecteur, dans sa famille, aurait pu s'opposer à ce qu'il mentionnât ce nom ? Et si tel est le cas, *pourquoi* le mentionner du tout dans ce contexte tragique ? Sombres, troublantes pensées.

Vers 238 : étui émeraude vide

J'interprète ceci comme étant l'enveloppe semi-transparente laissée sur un tronc d'arbre par une cigale adulte qui a grimpé le long de ce tronc et a mué. Shade m'a dit qu'un jour il avait interrogé une classe de trois cents étudiants et que *trois* seulement connaissaient l'aspect d'une cigale. Des pionniers ignorants avaient donné à cet insecte le nom de « locuste » ce qui, naturellement, est une sauterelle, et la même faute absurde a été commise par des générations de traducteurs de *La Cigale et la Fourmi* de la Fontaine (voir vers 243-244). La compagne de la *cigale*, la fourmi, est sur le point d'être embaumée dans de l'ambre.

Au cours de nos promenades, au coucher du soleil, promenades qui furent si nombreuses, neuf au moins (d'après mes notes) en juin, mais qui se réduisirent à deux dans les trois premières semaines de juillet (elles recommenceront ailleurs), mon ami avait une façon assez coquette de montrer du bout de sa canne divers objets naturels curieux. Il ne se lassait jamais d'illustrer par ces exemples l'extraordinaire fusion de la zone canadienne et de la zone australe qui « obtenait », pour employer son expression, dans cet endroit particulier d'Appalachia, à notre altitude d'environ 1 500 pieds, des espèces septentrionales d'oiseaux, d'insectes et de plantes mêlées à des représentants du Sud. Comme la majorité des célébrités littéraires, Shade ne semblait pas concevoir qu'un humble admirateur qui a fini par le traquer et posséder enfin pour lui seul l'inaccessible homme de génie, soit beaucoup plus intéressé à parler avec lui de littérature et de vie qu'à s'entendre dire que la « diana » (probablement une fleur) se trouve, à New Wye à côté de l' « atlantis » (probablement une autre fleur), et autres choses du même genre. Je me rappelle tout particulièrement une exaspérante promenade vespérale (6 juillet) que mon poète m'accorda avec une majestueuse générosité en dédommagement d'une douloureuse rebuffade (voir, voir fréquemment, la note au vers 181), récompense de mon petit présent (dont il ne s'est jamais servi, je crois) et avec l'assentiment de sa femme qui se crut tenue de nous accompagner pendant une partie de la route jusqu'à Dulwich Forest. Usant d'astucieuses incursions dans le domaine de l'histoire naturelle, Shade ne cessait de m'échapper, moi qui étais la proie d'une curiosité hystérique, d'un désir intense, incontrôlable de savoir avec exactitude quelle portion des aventures du Roi de Zembla il avait complétée au cours des quatre ou cinq derniers jours. Mon défaut habituel, l'orgueil, m'empêchait de lui poser des questions directes, mais je ne cessais de revenir à mes propres thèmes précédents — la fuite du palais, les aventures dans les montagnes — afin de tirer de lui quelque confession. On pourrait penser qu'un poète, alors qu'il compose une œuvre longue et difficile sauterait sur l'occasion de parler de ses triomphes et de ses tribulations. Mais pas du tout ! Tout ce que je récoltais en réponse à mes interrogations infiniment prudentes et réservées, c'étaient des phrases comme : « Oui, ça marche assez bien », ou : « Non, je ne parle pas », et finalement il se débarrassait de moi avec une anecdote plutôt révoltante sur le Roi Alfred qui, disait-on, aimait les histoires que lui contait un courtisan norvégien qu'il renvoyait néanmoins lorsqu'il avait autre chose à faire : « Vous revoilà », disait le discourtois Alfred à l'aimable Norvégien venu pour lui confier une variante subtilement différente de quelque vieux mythe nordique qu'il lui avait déjà conté : « Oh *there* you are again ! » Et c'est ainsi, mes très chers, qu'un conteur exilé, un barde scandinave inspiré par les dieux, est connu aujourd'hui des collégiens anglais sous le surnom trivial de : *Ohthere*.

Enfin ! Une occasion se présenta plus tard où mon capricieux ami subjugué par sa femme fut beaucoup plus aimable (voir note au vers 802).

Vers 240 : Cet Anglais à Nice

Les mouettes de 1933 sont toutes mortes, naturellement. Mais en faisant passer une note dans le *London Times* on pourrait obtenir le nom de leur bienfaiteur — à moins que Shade ne l'ait inventé. Quand je visitai

Nice, un quart de siècle plus tard, il y avait, au lieu de cet Anglais, un personnage local, un vieux clochard barbu toléré ou encouragé comme attraction touristique. Il se tenait debout, comme une statue de Verlaine, une mouette pas dégoûtée, perchée dans sa chevelure crasseuse ou bien il faisait de petits sommes au soleil public, confortablement blotti, le dos à la houle berçante de la mer, sur un banc de la promenade à l'abri duquel il avait soigneusement mis à sécher, ou à fermenter sur un journal, des morceaux multicolores de victuailles indéterminées. Du reste, il n'y avait pas beaucoup de promeneurs anglais ; cependant, je pus en remarquer quelques-uns à l'est de Menton, sur le quai où, en l'honneur de la Reine Victoria, un monument massif avait été érigé mais non encore inauguré, pour remplacer celui que les Allemands avaient emporté. Assez pathétiquement, la corne impatiente de sa licorne favorite se dressait à travers la toile.

Vers 246 : ... ma chère

Le poète s'adresse à sa femme. Le passage qui lui est consacré (vers 246-292) présente cette utilité structurale de servir de transition au thème de sa fille. Je puis affirmer, cependant que, lorsque les pas de la chère Sybil résonnaient, durs et secs, au-dessus de nos têtes, tout n'était pas toujours « très bien » !

Vers 247 : Sybil

Épouse de John Shade, née Irondell (mot qui ne vient pas d'une petite vallée (*dell*) productrice de minerai de fer (*iron*) mais du français « hirondelle »). Elle avait quelques mois de plus que lui. Je crois savoir qu'elle était d'origine canadienne comme l'était également la grand-mère maternelle de Shade (cousine germaine du grand-père de Sybil, si je ne m'abuse).

Dès le début je tentai de me conduire le plus courtoisement possible avec la femme de mon ami, et dès le début elle me prit en grippe et se méfia de moi. J'appris plus tard que, lorsqu'elle faisait allusion à moi en public, elle me traitait de tique éléphantesque, de grand œstre royal, de ver de macaque, de monstrueux parasite d'un génie. Je lui pardonne — à elle et à tout le monde.

Vers 270 : Ma sombre Vanesse

C'est tellement caractéristique d'un véritable érudit en quête d'un gentil sobriquet de donner le nom générique d'un papillon à une divinité orphique au sommet de l'inévitable allusion à *Van*homrigh, *Es*ther ! A ce propos, deux vers des poèmes de Swift (que je ne puis retrouver au fond de cette campagne reculée) me sont revenus en mémoire :

Lorsque soudain Vanessa *épanouie*
*Apparut comme l'étoile d'*Atalante

Pour en revenir à la vanesse, ce papillon — le vulcain — reparaîtra aux vers 993-995 (voir note). Shade se plaisait à dire que, dans le vieil anglais, le nom en était Le Rouge Admirable, corrompu plus tard en Le Rouge Amiral. C'est un des rares papillons que je me trouve connaître. Les Zembliens l'appellent *harvalda* (l'héraldique) peut-être parce qu'on en peut reconnaître la forme sur l'écusson des Ducs de Payn. Certaines années, en automne, on le voyait apparaître assez souvent dans les jardins du palais où il fréquentait les reines-marguerites en compagnie d'une phalène diurne. J'ai vu le vulcain se régaler de prunes gâtées et, une fois, d'un lapin mort. C'est un papillon des plus joueurs. Un spécimen quasi apprivoisé fut le dernier objet naturel que John Shade me fit remarquer alors qu'il marchait à sa perte (voir maintenant ma note aux vers 993-995).

Je remarque un léger parfum de Swift dans quelques-unes de mes notes. Moi aussi, par nature, je suis un mélancolique, un homme mal à l'aise, susceptible et méfiant bien que parfois j'aie mes accès de gaieté et de *fou rire.*

Vers 275 : Il y a quarante ans que nous sommes mariés

Le mariage de John Shade et de Sybil Swallow (voir note au vers 247) eut lieu en 1919 exactement trente ans avant celui du Roi Charles avec Disa, Duchesse de Payn. Dès le début de son règne (1936-1958), des représentants de la nation, pêcheurs de saumons, vitriers non syndiqués, groupes militaires, parents inquiets et surtout l'évêque de Yeslove, un saint vieillard sanguin avaient fait tout leur possible pour persuader le Roi de renoncer à ses abondants mais stériles plaisirs et de prendre femme. Ce n'était pas une question de moralité, mais de succession. Comme dans le cas de ses prédécesseurs, de rudes « rois des aulnes » qui se consumaient pour des jeunes garçons, le clergé ignorait purement et simplement les habitudes païennes du jeune célibataire, mais il voulait qu'il fît ce qu'avant lui avait fait un autre Charles encore plus récalcitrant : disposer d'une nuit et engendrer légalement un héritier.

Il vit, pour la première fois, la jeune Disa, âgée de dix-neuf ans ans, pendant la nuit de fête du 5 juillet 1947, à un bal masqué dans le palais de son oncle. Elle était venue en costume d'homme, travestie en jeune garçon tyrolien, aux genoux un peu en dedans, mais brave et charmante. Plus tard, il l'avait conduite, à travers les rues elle et ses cousins (deux gardes déguisés en marchandes de fleurs) dans sa divine nouvelle voiture décapotable, pour leur montrer les formidables illuminations d'anniversaire et le *fackeltanz* dans le parc et le feu d'artifice et les pâles visages tournés vers le ciel : il hésita pendant presque deux ans, mais fut en butte à des conseillers inhumainement éloquents, il finit par céder. La veille de son mariage, il avait prié une partie de la nuit enfermé seul dans la vaste froideur de la cathédrale d'Onhava. De vieux monarques confortables dans leurs vitraux rubis et améthyste laissaient tomber sur lui des regards satisfaits. Jamais il n'avait demandé à Dieu avec tant de ferveur les conseils et la force (voir plus loin ma note aux vers 433-434).

Après le vers 274 il y a un faux départ dans le brouillon :

J'aime mon nom : Shade, Ombre *presque « homme »*
En espagnol...

Il est regrettable que le poète n'ait pas poursuivi ce thème — ce qui eût épargné au lecteur les embarrassantes intimités qui vont suivre.

Vers 286 : Le sillage rose d'un avion au-dessus des feux du couchant

Moi aussi, j'avais coutume d'attirer l'attention de mon poète sur la beauté idyllique des avions dans un ciel du soir. Qui eût pu deviner que ce même jour (7 juillet), où Shade écrivait ce vers lumineux (le dernier sur la fiche vingt-trois), Gradus, *alias* Degré, avait volé de Copenhague à Paris complétant ainsi la seconde étape de son sinistre voyage ! Même en Arcadie je me trouve, dit la Mort sur l'inscription de la pierre tombale.

Les activités de Gardus à Paris avaient été assez

soigneusement préparées par les Ombres. Ils avaient parfaitement raison de supposer que, non seulement Odon, mais notre ancien consul à Paris, feu Oswin Bretwit, sauraient où on pourrait trouver le Roi. Ils décidèrent d'envoyer Gradus souder d'abord Bretwit. Ce personnage habitait seul un appartement à Meudon. Il ne sortait guère que pour aller à la Bibliothèque Nationale (où il lisait des ouvrages de théosophie et résolvait des problèmes d'échecs dans de vieux journaux) et il ne recevait pas de visiteurs. Le plan précis des Ombres fut le résultat d'un coup de chance. Soupçonnant que Gradus n'était pas outillé mentalement et n'avait pas les dons d'imitation nécessaires pour jouer le rôle d'un royaliste enthousiaste, ils lui suggérèrent de se faire passer pour un commissionnaire totalement apolitique, un petit homme neutre uniquement intéressé à obtenir un bon prix pour divers papiers que des particuliers lui avaient demandé de sortir de Zembla et de remettre à leurs propriétaires véritables. La Chance, dans une de ses passes anticarlistes, leur vint en aide. Une des Ombres de moindre importance, que nous appellerons le Baron A., avait un beau-père, le baron B., un vieux rond-de-cuir inoffensif depuis longtemps à la retraite et parfaitement incapable de comprendre certains aspects Renaissance du nouveau régime. Il avait été, ou croyait qu'il avait été (la distance rétrospective magnifie) un très bon ami de feu le ministre des Affaires Étrangères, le père d'Oswin Bretwit et par suite attendait avec impatience le jour où il pourrait remettre au « jeune » Oswin (qui, lui avait-on laissé entendre n'était pas exactement persona grata auprès du nouveau régime) une liasse de papiers de famille précieux que le vieux baron avait trouvée par hasard dans les archives d'un des bureaux du gouvernement. Brusquement on l'informa que le jour était venu : les documents allaient être envoyés immédiatement à Paris. On lui permit d'y adjoindre la petite note suivante :

Voici quelques papiers précieux qui appartiennent à votre famille. Je ne puis faire mieux que les placer entre les mains du fils du grand homme qui fut mon camarade à Heidelberg et mon maître dans le service diplomatique. Verba volant, scripta manent.

Les *scripta* en question étaient deux cent treize longues lettres qu'avaient échangées, environ soixante-dix ans auparavant, Zule Bretwit, grand-oncle d'Oswin, maire d'Odevalla, et un de ses cousins, Ferz Bretwit, maire d'Aros. Cette correspondance, affligeant échange de platitudes bureaucratiques et de pompeuses plaisanteries, ne présentait même pas l'intérêt limité que les lettres de cette espèce peuvent présenter aux yeux d'un historien local — mais, naturellement, on ne peut jamais prévoir ce qui repoussera ou attirera un descendant sentimental — et tous les anciens subordonnés d'Oswin savaient qu'il était exactement cela. J'aimerais prendre le temps d'interrompre ce sec commentaire pour rendre un bref hommage à Oswin Bretwit.

Physiquement, c'était un petit homme chauve, malingre qui ressemblait à une glande pâle. Son visage manquait singulièrement de caractère. Il avait des yeux café au lait. On l'avait toujours connu portant un brassard de deuil. Mais cet extérieur insipide trahissait la qualité de l'homme. Par-delà l'océan aux scintillantes ondulations, je te salue ici, brave Bretwit. Puisse, pendant un instant, apparaître sa main tenant étroitement la mienne d'une rive de la mer à l'autre au-dessus du sillage doré d'un emblématique soleil. Puisse cet insigne n'être jamais utilisé comme publicité par une compagnie d'assurances ou une compagnie d'aviation dans les pages glacées de quelque magazine, sous l'image d'un homme d'affaires en retraite stupéfait et honoré par la vue du casse-croûte en technicolor que lui offre l'hôtesse de l'air avec tout ce qu'elle est à même de lui donner ; ou plutôt, puisse cette sublime poignée de main être considérée en notre siècle cynique d'hétérosexualité effrénée comme un ultime mais durable symbole de courage et d'abnégation. Avec quelle ferveur on eût souhaité qu'un symbole similaire, mais sous forme verbale, eût imprégné tout le poème d'un autre ami défunt. Mais cela ne devait pas être... C'est en vain que l'on chercherait dans *Feu pâle* (oh, combien pâle, certes) la chaleur de ma main serrant la tienne, pauvre Shade !

Mais revenons aux toits de Paris. Le courage, en Oswin, se joignait à l'intégrité, à la bonté, à la dignité et à ce que, par euphémisme, on pourrait appeler une charmante ingénuité. Quand Gradus lui téléphona de l'aéroport et, pour le mettre en appétit, lui lut le message du Baron B. (moins la citation latine), Bretwit ne pensa qu'à une chose : le régal qui l'attendait. Gradus s'était refusé à lui dire au téléphone ce qu'étaient exactement les « précieux papiers », mais il se trouvait justement que l'ex-consul espérait depuis quelque temps retrouver une collection de timbres d'une certaine valeur que son père avait léguée quelques années auparavant à un cousin qui était mort depuis. Le cousin avait habité la même maison que le Baron B., et l'esprit tout plein de ces questions embrouillées et fascinantes, l'ex-consul, tout en attendant son visiteur ne cessait de se demander, non pas si ce personnage de Zembla était un dangereux imposteur, mais s'il apporterait tous les albums à la fois ou graduellement afin de voir ce que pourrait lui rapporter la peine qu'il avait prise. Bretwit espérait que l'affaire serait réglée cette nuit même car le lendemain matin il devait entrer à l'hôpital et peut-être y subir une opération (il y entra et mourut sous le bistouri).

Si deux agents secrets appartenant à des factions rivales s'affrontent en un duel d'esprit, et si l'un en est dépourvu, l'effet peut être drôle ; il est ennuyeux si tous deux sont des abrutis. Je défie personne de trouver dans les annales des complots et contre-complots rien de plus inepte et de plus assommant que la scène qui occupe le reste de cette note consciencieuse.

Gradus s'assit inconfortablement sur le bord d'un sofa (où un roi fatigué s'était étendu moins d'un an auparavant), plongea la main dans sa serviette et tendit à son hôte un gros paquet enveloppé de papier brun, puis il alla poser ses fesses sur une chaise près du siège de Bretwit pour le regarder, bien à l'aise, se débattre avec la ficelle. Dans un silence étonné, Bretwit contempla ce qu'il venait de déballer et dit :

« Eh bien, voilà donc la fin d'un rêve. Cette correspondance a été publiée en 1906 ou 1907 — non, 1906, finalement — par la veuve de Ferz Bretwit. Il se peut que j'en aie un exemplaire quelque part parmi mes livres. En outre ce n'est pas un olographe, mais un apographe, fait par un scribe à l'usage des imprimeurs — vous remarquerez que les deux maires ont la même écriture.

— Comme c'est intéressant, dit Gradus en le remarquant.

— Naturellement j'apprécie l'aimable pensée qui se cache derrière, dit Bretwit.

— Nous en étions sûrs, dit Gradus, satisfait.

— Le Baron B. doit être un peu gaga, continua Bretwit, mais je le répète, ses bonnes intentions sont touchantes. Je suppose que vous désirez quelque argent pour m'avoir apporté ce trésor ?

— Le plaisir que vous en ressentez devrait être notre seule récompense, répondit Gradus, mais permettez-moi de vous parler franchement : nous nous sommes donné beaucoup de mal pour remplir cette mission comme il faut, et j'arrive de loin. Pourtant je vais vous proposer un petit arrangement. Si vous êtes gentil avec nous, nous serons gentils avec vous. Je sais que vos fonds sont quelque peu... (geste de pénurie et clin d'œil).

— Ce n'est que trop vrai, soupira Bretwit.

— Si vous marchez avec nous, ça ne vous coûtera pas un centime.

— Oh, je pourrais payer *quelque chose.* (Moue et haussement d'épaules.)

— Nous n'aurons pas besoin de votre argent. (Paume d'agent de la circulation.) Mais voici quel est notre plan. J'ai des messages d'autres barons pour d'autres fugitifs. En fait, j'ai des lettres pour le fugitif le plus mystérieux de tous.

— Quoi ?, s'écria Bretwit avec une sincère surprise, on sait dans le pays que Sa Majesté a quitté la Zembla ? (Je l'aurais fouetté, le cher homme.)

— Certes oui », dit Gradus en se frottant les mains et tout haletant de plaisir animal — question d'instinct sans aucun doute car comme de juste l'homme ne pouvait pas concevoir intelligemment que la gaffe de l'ex-consul n'était rien moins que la première confirmation de la présence du Roi à l'étranger : « Certes, répéta-t-il avec un sourire lourd de sens, et je vous serais fort obligé si vous pouviez me recommander à Mr. X. »

A ces mots, une fausse vérité se fit jour dans l'esprit d'Oswin Bretwit et il gémit en lui-même : Naturellement ! Que je suis bête ! C'est un des nôtres. Les doigts de sa main gauche se mirent involontairement à tressaillir, comme s'il y enfilait une marionnette, tandis que ses yeux suivaient attentivement le geste vulgaire de satisfaction de son interlocuteur. Un agent carliste se révélant à un de ses supérieurs était censé faire un signe correspondant à l'X (dans Xavier) de l'alphabet des muets : la main tendue en position horizontale avec l'index courbé assez mollement et le reste des doigts serrés les uns contre les autres (beaucoup ont critiqué ce signe comme étant trop flasque. On l'a remplacé aujourd'hui par une combinaison plus virile). Chaque fois qu'on avait fait ce signe à Bretwit, le geste avait été précédé pendant un instant d'attente — une brèche dans la texture du temps plutôt qu'un retard réel — de quelque chose qui ressemblait à ce que les docteurs appellent aura, une étrange sensation tout à la fois tendue et vaporeuse, une ineffable exaspération de chaud et froid envahissant tout le système nerveux avant le début d'une crise. Et en cette occasion également Bretwit sentit le vin magique lui monter à la tête.

« Très bien, je suis prêt. Donnez-moi le signe », dit-il avidement.

Gradus, décidant de courir le risque, regarda la main sur les genoux de Bretwit. A l'insu de son propriétaire, elle semblait souffler son rôle à Gradus dans un murmure manuel. Il tenta de copier ce qu'elle s'efforçait de faire entendre — simples rudiments du signe demandé.

« Non, non, dit Bretwit avec un sourire indulgent à l'adresse du maladroit novice, l'autre main, mon ami. Sa Majesté est gauchère, vous savez. »

Gradus essaya de nouveau — mais comme une marionnette rejetée la folle petite souffleuse avait disparu. Tout penaud, Gradus, regardant comme s'il ne les reconnaissait pas ses cinq doigts courtauds, accomplit les mouvements d'un faiseur d'ombres incompétent et à demi paralysé, et finalement il forma un vague signe V pour Victoire. Le sourire de Bretwit s'effaça peu à peu.

Quand le sourire eut disparu, Bretwit (le nom signifie compréhension des Échecs) se leva de sa chaise. Dans une pièce plus grande, il aurait fait les cent pas — mais ce n'eût pas été possible dans ce bureau encombré. Gradus le Balourd boutonna les trois boutons de son veston ajusté et secoua la tête plusieurs fois.

« Je crois, dit-il d'un ton bourru, qu'il me faut jouer franc-jeu. Si je vous apporte ces précieux papiers, vous devrez en échange m'arranger une entrevue, ou au moins me donner son adresse.

— Je sais qui vous êtes, cria Bretwit en le montrant du doigt. Vous êtes un reporter. Vous m'êtes envoyé par cette feuille de chou danoise dont je vois le bout sortir de votre poche (Gradus, machinalement, y porta la main et fronça les sourcils). J'avais espéré qu'ils avaient renoncé à venir m'ennuyer. Quelle fastidieuse vulgarité ! Rien n'est sacré pour vous, ni le cancer, ni l'exil, ni la fierté d'un roi » (hélas, cela n'est pas vrai seulement de Gradus — il a des confrères en Arcadie, aussi).

Gradus, assis, regardait ses souliers neufs — rouge acajou avec des bouts ajourés. Trois étages plus bas, une ambulance se frayait à grands coups de sirène un chemin impatient à travers les rues sombres. Bretwit passa sa colère sur les lettres ancestrales placées sur la table. Il en saisit le tas soigneusement disposé dans son papier défait et jeta le tout dans la corbeille à papiers ; la ficelle tomba à côté, aux pieds de Gradus qui la ramassa et l'ajouta aux *scripta*.

— Partez, je vous prie, dit l'infortuné Bretwit. J'ai une douleur dans l'aine qui me rend fou. Voilà trois nuits que je ne dors pas. Vous autres journalistes êtes des gars entêtés, mais je le suis aussi. Jamais je ne vous dirai la moindre chose sur mon roi. Adieu. »

Il attendit sur le palier que les pas de son visiteur soient descendus et arrivés à la porte d'entrée. Elle fut ouverte et refermée et la lumière de l'escalier s'éteignit aussitôt avec un bruit de coup de pied.

Vers 287 : quand tu fredonnes pendant que tu fais une valise

La fiche (la vingt-quatrième) avec ce passage (vers 287-299) est datée du 7 juillet et, sous cette date, je trouve dans mon petit agenda ce gribouillage : Docteur Ahlert, 15 h 30. Me sentant un peu énervé, comme la plupart des gens, à la pensée d'aller voir un docteur, je crus bon d'acheter en me rendant chez lui quelque chose de calmant afin d'empêcher que l'accélération de mon pouls n'induise en erreur la science crédule. Je trouvai les gouttes que je désirais, pris le breuvage aromatique dans la pharmacie et je repartais quand j'aperçus les Shade qui sortaient d'un magasin, la porte à côté. Elle portait un sac de voyage neuf à la main. La terrible pensée qu'ils se disposaient peut-être à partir en vacances neutralisa le remède que je venais d'ingurgiter. On s'habitue tellement à voir la vie d'autrui s'écouler parallèlement à la sienne propre qu'un brusque détour de la part du satellite crée chez son compagnon un sentiment de stupéfaction, de vide, d'injustice. Et qui plus est, il n'avait pas encore fini « mon » poème !

« Vous vous disposez à partir en voyage ? » demandai-je en souriant et en montrant le sac.

Sybil le leva par les poignées comme un lapin et le considéra avec mes yeux : « Oui, à la fin du mois, dit-elle, dès que John aura fini son travail. » (Le poème !)

« Et où, je vous prie ? » (me tournant vers John).

Mr. Shade regarda Mrs. Shade et elle répondit pour lui, de cette façon brusque et dégagée qui lui était habituelle, qu'ils ne savaient pas encore exactement — peut-être le Wyoming, l'Utah ou le Montana et qu'ils loueraient peut-être quelque part un chalet à 6 000 ou 7 000 pieds d'altitude.

« Au milieu des lupins et des trembles », dit le poète gravement, évoquant le paysage.

Je me mis à calculer l'altitude en mètres et la trouvai beaucoup trop élevée pour le cœur de John, mais Sybil le tira par la manche en lui rappelant qu'ils avaient d'autres courses à faire et on me laissa avec 2 000 mètres environ et un rot fleurant la valériane.

Mais il arrive que le destin aux ailes noires fasse preuve d'attentions exquises ! Dix minutes plus tard, le Docteur A. — qui traitait également Shade — me disait avec calme, et en détail, que les Shade avaient loué un petit ranch que des amis qui s'en allaient ailleurs possédaient à Cedarn, en Utana, à la frontière de l'Idoming. Du cabinet du Docteur, je filai à une agence de voyages, y obtins des cartes et des brochures, les étudiai, appris que sur le flanc de la montagne au-dessus de Cedarn il y avait deux ou trois groupes de petits chalets, courus expédier ma demande à la poste de Cedarn. Quelques jours plus tard, j'avais loué pour le mois d'août quelque chose qui, d'après les photographies qu'on m'avait envoyées, ressemblait à un croisement entre une isba de moujik et un refuge Z, mais qui possédait une salle de bains carrelée et coûtait plus cher que mon château appalachien. Ni les Shade ni moi ne soufflâmes mot de nos adresses d'été, mais moi je savais et eux ne savaient pas que c'était la même. Plus je m'indignais de l'intention évidente de Sybil de me la cacher plus je trouvais de douceur à imaginer ma brusque apparition en costume tyrolien de derrière un rocher et l'air penaud, mais heureux de John. Pendant la quinzaine où je laissai mes démons emplir jusqu'au débordement mon miroir goétique de ces falaises roses et mauves, de ces genévriers vert foncé, de ces routes serpentines et de ces armoises se transformant en herbe et en luxuriantes fleurs bleues, et de ces trembles aux pâleurs de mort cependant que des ribambelles de Kinbote en short vert rencontraient une anthologie de poètes, une conglomération de leurs femmes en sabbat la nuit de Walpurgis, je fis sans doute quelque affreuse erreur dans mes incantations car le flanc de la montagne est sec et morne et le ranch délabré des Hurley, sans aucune vie.

Vers 293 : Elle

Hazel Shade, la fille du poète née en 1934, morte en 1957 (voir notes aux vers 230 et 347).

Vers 316 : Le Toothwort White hanta nos bois en mai

Je dois avouer franchement que je ne sais pas trop ce que cela signifie. La variante écrite dans la marge ne m'est pas d'un grand secours :

Dans les bois, la piéride de Virginie apparaissait en mai.

Personnage de folklore, peut-être ? Fées ? Ou papillons de chou ?

Vers 319 : canard carolin

Image fort jolie. Le canard carolin, oiseau aux riches couleurs émeraude, améthyste, cornaline, avec des marques noires et blanches est incomparablement plus beau que le cygne surestimé, oie serpentine au cou de peluche jaune sale et palmé de caoutchouc noir comme un homme-grenouille.

Incidemment, la nomenclature populaire des animaux américains reflète l'esprit simpliste et utilitaire de pionniers ignorants et n'a pas encore acquis la patine des noms de la faune européenne.

Vers 334 : Jamais... ne venait la chercher

« Viendra-t-il jamais me chercher ? » Je me le demandais, attendant, attendant dans certains crépuscules ambre et rose un ami de ping-pong ou le vieux John Shade.

Vers 347 : vieille grange

Cette grange, ou plus exactement cet appentis, où « certains phénomènes » se produisirent en octobre

1956 (quelques mois avant la mort de Hazel Shade) avait appartenu autrefois à un certain Paul Hentzner, fermier excentrique d'origine allemande aux dadas démodés comme la taxidermie et l'herborisation. Par un étrange retour d'atavisme, il était (selon Shade qui aimait parler de lui — seule fois, incidemment, où mon cher vieil ami devenait un tantinet ennuyeux !) un spécimen attardé des « curieux Allemands » qui, trois siècles auparavant, avaient été les pères des premiers grands naturalistes. Bien que, du point de vue académique, ce fût un homme sans éducation, sans connaissance réelle des choses éloignées dans l'espace et le temps, il y avait en lui quelque chose du pittoresque de terroir que Shade préférait de beaucoup aux raffinements de petite ville des membres de la Section anglaise. Lui, qui se montrait si difficile dans le choix de ses compagnons de promenade, aimait déambuler, un soir sur deux, avec le maigre et solennel Allemand, aller, par le sentier des bois jusqu'à Dulwich et faire le tour des champs de son compagnon. Amateur, comme il l'était, du mot juste, il estimait Hentzner parce qu'il savait « le nom des choses » — bien que, sans aucun doute ces mots fussent des monstruosités locales, ou des germanismes, ou de pures inventions de la part du vieux gredin.

Maintenant, il se promenait avec un autre compagnon. Je me rappelle très clairement une soirée parfaite où mon ami étincelait de contrepèteries à la Marrovsky, de saillies, d'anecdotes auxquelles je répondais galamment par des contes de Zembla et d'évasions de justesse. Comme nous contournions la forêt de Dulwich, il m'interrompit pour me montrer une grotte naturelle dans les rochers moussus au bord du sentier sous les cornouillers en fleur. C'était l'endroit où le brave fermier s'arrêtait invariablement, et un jour qu'ils se trouvaient en compagnie de son petit garçon, ce dernier qui trottait à côté d'eux montra du doigt et remarqua pour leur information :

« C'est ici que papa pisse. » Une autre histoire, moins dénuée de sens, m'attendait au sommet de la colline où un carré envahi par les épilobes, les asclépiades et les vernonies où voltigeaient des nuées de papillons, contrastait brutalement avec les gerbes d'or qui croissaient tout autour. Après que la femme de Hentzner l'eut abandonné (environ 1950), emmenant leur enfant, il vendit sa ferme (remplacée aujourd'hui par un cinéma en plein air) et alla habiter en ville ; mais pendant les nuits d'été il avait coutume d'emporter un sac de couchage dans la grange au bout des terres qu'il possédait encore, et c'est là qu'une nuit il mourut.

La grange s'était élevée à l'endroit couvert de mauvaises herbes que Shade fouillait avec la canne favorite de tante Maud. Un samedi soir, un jeune étudiant employé à l'hôtel du collège y alla pour une raison quelconque avec une fille du pays et ils bavardaient ou sommeillaient quand ils crurent devenir fous de peur en entendant des bruits de chaînes et en voyant voltiger les lumières. Pris de panique, ils s'enfuirent. Personne ne s'inquiéta vraiment de ce qui les avait mis en déroute — fantôme outragé ou prétendant évincé. Mais la *Wordsmith Gazette* (le plus vieux journal d'étudiants aux E.-U.) s'empara de l'incident et commença à en extirper le rembourrage, comme un petit chien malfaisant. Plusieurs soi-disant spécialistes de spiritisme vinrent visiter l'endroit et l'affaire se transforma si ouvertement en vaste blague, avec la participation des farceurs les plus notoires du collège, que Shade se plaignit aux autorités et la grange inutile fut démolie comme constituant un danger d'incendie.

Cependant, j'obtins de Jane P. un grand nombre d'informations fort différentes et beaucoup plus pathétiques — ce qui explique pourquoi mon ami avait trouvé convenable de me régaler de banales espiègleries d'étudiants et de me faire regretter de l'avoir empêché d'en arriver au point où il voulait confusément et non sans quelque gêne, en venir (car, comme je l'ai dit dans une note précédente, il n'aimait pas faire allusion à sa fille défunte) en remplissant une pause bienvenue par un épisode extraordinaire de l'histoire de l'Université d'Onhava. Cet épisode date de l'année de grâce 1876. Mais revenons à Hazel Shade. Elle décida de se livrer elle-même à des investigations de ces « phénomènes » pour une dissertation (« sur n'importe quel sujet ») demandée dans son cours de psychologie par un professeur malin qui amassait des informations sur les « Aspects autoneurynologiques parmi les étudiants américains ». Ses parents l'autorisèrent à faire une visite nocturne à la grange à condition qu'elle serait accompagnée par Jane P., le plus convenable des chaperons. Les deux jeunes filles étaient à peine installées qu'un orage qui devait durer toute la nuit s'abattit sur leur refuge avec des ululements et des éclairs si dramatiques qu'il était impossible de prêter attention aux bruits et aux lumières intérieurs. Hazel ne renonça pas et quelques jours plus tard elle demanda à Jane de l'accompagner de nouveau, mais Jane ne put le faire. Elle me dit qu'elle suggéra que les jumeaux White (deux gentils étudiants acceptés par les Shade) la remplacent. Mais Hazel refusa carrément ce nouvel arrangement et, après une dispute avec ses parents elle prit sa lanterne et son carnet de notes et partit seule. On peut imaginer facilement que les Shade craignirent une recrudescence des ennuis de l'esprit frappeur, mais le toujours sage Docteur Sutton affirma — je ne saurais dire en vertu de quelle autorité — que les cas où la même personne se trouvait de nouveau mêlée à cette sorte de manifestations après une période de six ans, sont pratiquement inconnus.

Jane m'autorisa à copier quelques-unes des remarques de Hazel basées sur des notes prises sur les lieux mêmes :

22 h 14. Commencement des investigations.

22 h 23. Grattements et farfouillements.

22 h 25. Un petit cercle de lumière pâle de la taille d'un petit napperon voltigea sur les murs sombres, les fenêtres condamnées et le « plancher », changea de place, s'attarda çà et là, sautillant ; semblait attendre, en taquineries joueuses une « attaque » évitable. Disparu.

22 h 37. Reparu.

Il y avait plusieurs pages de notes, mais, pour des raisons évidentes, il me faut renoncer à les transcrire dans ce commentaire. Il y avait de longues pauses et de nouveau des « grattements et farfouillements » et des retours du petit cercle lumineux. Elle lui parlait. Si elle lui demandait quelque chose qui lui paraissait particulièrement sot (« Es-tu un feu follet ? »), il s'élançait de-ci de-là en extatique négation, et quand il voulait donner une grave réponse à une grave question (« Es-tu mort ? »), il s'élevait lentement comme pour gagner de l'altitude pour une lourde chute affirmative. Pendant quelques instants, il répondit à l'alphabet qu'elle lui récitait en restant immobile jusqu'à ce qu'elle dise la lettre exacte, sur quoi il faisait un petit bond approbateur. Mais ces bonds devinrent de plus en plus distraits et après que deux ou trois mots eurent été épelés lentement, le petit cercle s'affaissa comme un enfant las et s'alla cacher dans une lézarde ; d'où il s'envola soudain avec un brio extravagant pour se mettre à virevolter sur les murs dans sa hâte de reprendre le jeu. Le fouillis de mots coupés et de syllabes dénuées de sens qu'elle parvint enfin à rassembler apparut dans ses notes scrupuleuses sous forme d'une courte ligne de simples groupes de lettres. Je transcris :

« perperi perpira perpa alleral gelgal vortvirt pal feur farrant ».

Dans ses *Remarques,* la transcriptrice déclare qu'il lui fallut réciter l'alphabet, ou du moins commencer à le réciter quatre-vingts fois, dont dix-sept ne donnèrent aucun résultat. Des divisions basées sur des intervalles si variés ne peuvent être qu'arbitraires ; une partie de ces non-sens peut être regroupée en entités lexicologiques différentes qui ne signifieraient pas davantage (par ex. « aller », « gel », « or », « arrant », etc.). Le fantôme de la grange semble s'être exprimé avec la difficulté empâtée de l'apoplexie ou du demi-éveil d'un demi-rêve sabré par la lumière du plafond, désastre militaire aux conséquences cosmiques qui ne peut être exprimé distinctement par l'épaisse langue rétive. Et en ce cas, nous-mêmes aurions pu éprouver le désir de couper court aux questions d'un lecteur ou d'un compagnon de lit en nous enfonçant de nouveau dans un bienheureux oubli — si quelque force diabolique ne nous avait poussé à chercher un secret dessein dans l'abracadabra,

Quelque lien dédalien, une sorte
De structure concordante à l'intérieur du jeu,

J'ai ces jeux en horreur ; ils me donnent d'abominables douleurs dans les tempes — mais je les ai bravement affrontés et ai médité sans fin, avec la patience et le dégoût infinis du commentateur sur les syllabes estropiées du rapport de Hazel espérant y trouver la moindre allusion au destin de la pauvre fille. Je n'ai absolument rien trouvé. Ni le spectre du vieux Hentzner, ni la lampe de poche d'un vaurien aux aguets, ni la propre imagination hystérique de Hazel n'expriment rien ici qu'on puisse interpréter, même de loin, comme un avertissement, ou le moindre rapport avec les circonstances de sa mort prochaine.

Le rapport de Hazel aurait pu être plus long si — comme elle le dit à Jane — une reprise du « grattement » n'était venue soudain ébranler ses nerfs fatigués. Le petit cercle de lumière qui, jusqu'alors, avait gardé ses distances se précipita hostilement vers ses pieds, si bien qu'elle manqua choir du billot qui lui servait de siège. Elle fut accablée par le sentiment qu'elle était seule en compagnie d'un être inexplicable et peut-être fort malfaisant, et avec un frisson qui faillit lui disloquer les omoplates, elle se hâta de regagner l'asile céleste de la nuit étoilée. Un sentier familier, plein de gestes calmants et d'autres petits gages de consolation (grillon solitaire, réverbère solitaire), la conduisait jusque chez elle. Elle s'arrêta et poussa un hurlement de terreur : un système de taches sombres et pâles se coagulant en une silhouette fantastique s'était levé du banc du jardin que la lumière de la véranda atteignait juste. Je n'ai aucune idée de ce que peut être la température d'une nuit d'octobre à New Wye, mais on est surpris que l'inquiétude d'un père puisse être assez grande dans le cas présent pour le faire veiller en plein air vêtu d'un pyjama et de l'indéfinissable « robe de chambre » que mon cadeau d'anniversaire allait remplacer. (Voir note au vers 181.)

Il y a toujours « trois nuits » dans les contes de fées, et dans ce triste conte de fées il y en eut une troisième aussi. Cette fois-ci, elle désira que ses parents fussent témoins avec elle de la « lumière parlante ». Les minutes de cette troisième séance dans la grange n'ont pas été conservées, mais j'offre au lecteur la scène suivante qui, à mon avis, ne doit pas être très éloignée de la vérité :

LA GRANGE HANTÉE

Obscurité complète. On entend le Père, la Mère et la Fille *respirer doucement dans des coins différents. Trois minutes se passent.*

LE PÈRE *(à la Mère) :* Es-tu bien, là-bas ?

LA MÈRE : Euh, euh. Ces sacs de pommes de terre font un parfait...

LA FILLE *(avec la puissance d'une machine à vapeur) :* Chu...u...ut.

Quinze minutes se passent en silence. L'œil commence à distinguer çà et là dans les ténèbres des fentes bleuâtres de nuit et une étoile.

LA MÈRE : Ça, c'était le ventre de papa, je crois... pas un fantôme.

LA FILLE *(avec emphase) :* Très drôle !

Quinze minutes s'écoulent encore. Le Père, plongé dans les pensées de son travail, pousse un soupir neutre.

LA FILLE : Est-il nécessaire de soupirer ainsi continuellement ?

Quinze minutes s'écoulent.

LA MÈRE : Si je me mets à ronfler que le Spectre me pince.

LA FILLE *(exagérant sa maîtrise de soi) :* Maman ! je t'en prie ! Je t'en prie, Maman !

Le Père se racle la gorge mais décide de ne rien dire. Douze minutes s'écoulent encore.

LA MÈRE : Est-ce que l'un de vous se rend compte qu'il reste encore de ces choux à la crème dans la glacière ?

C'en est trop.

LA FILLE *(explosant) :* Pourquoi faut-il que tu gâches tout ? Pourquoi faut-il toujours que tu gâches tout ? Pourquoi ne peux-tu pas laisser les gens tranquilles ? Ne me touche pas.

LE PÈRE : Voyons, voyons, Hazel, ta mère ne dira plus un mot et nous allons continuer... mais voilà une heure que nous sommes assis ici et il commence à se faire tard.

Deux minutes passent. La vie est sans espoir, l'après-vie sans pitié. On entend Hazel qui pleure doucement dans le noir. John Shade allume une lanterne. Sybil allume une cigarette. La séance est levée.

La lumière ne reparut jamais, mais elle luit encore dans un court poème *La Nature de l'Électricité* que John Shade avait envoyé au magazine de New York, *The Beau and the Butterfly*, en 1958, mais qui ne parut qu'après sa mort :

Les morts, les pauvres morts — qui sait ?
Demeurent dans les fils de tungstène,
Et sur ma table de nuit luit
La fiancée disparue d'un autre homme

Et Shakespeare peut-être illumine
Toute une ville de lumières innombrables,
Et l'âme incandescente de Shelley
Attire les phalènes pâles des nuits sans étoiles.

Les réverbères portent des numéros et peut-être
Le numéro neuf cent quatre-vingt-dix-neuf
(Qui brille si vivement à travers l'arbre
Si vert) est-il un de mes vieux amis.

Et, quand au-dessus de la plaine livide
Jouent les éclairs fourchus, peut-être contiennent-ils
Les tourments d'un Tamerlan,
Le rugissement des tyrans déchirés en enfer.

La science nous dit du reste que la Terre ne tomberait pas seulement en morceaux, mais s'évanouirait comme un fantôme, si l'Électricité disparaissait soudain du monde.

Vers 347-348 : Elle invertissait les mots

Un des exemples que donne son père est étrange. Je suis presque certain que c'est moi qui, un jour que nous discutions les « mots-miroirs », remarquai (et je me rappelle l'air de stupéfaction du poète) que « ressac » inversé donnait « casser » et « Eliot » « Toile ». Mais il est également vrai que Hazel Shade me ressemblait à certains points de vue.

Vers 367-370 : then-pen, again-explain

En parlant, John Shade, comme tout bon Américain, faisait rimer « again » avec « pen » et non avec « explain ». Le mot « grimpen » (vers 368) veut dire ravin hanté.

Vers 376 : Poème

Je crois pouvoir deviner (dans ma caverne montagnarde démunie de livres) de quel poème il s'agit ; mais dans l'impossibilité de vérifier, je ne voudrais pas en nommer l'auteur. De toute façon, je déplore les perfides attaques de mon ami contre les poètes les plus distingués de notre temps.

Vers 376-377 : Que l'on disait, dans le cours de littérature anglaise, être.

Ceci est remplacé dans le brouillon par la variante plus significative et plus harmonieuse

Le Chef de notre Section estimait

Bien qu'on puisse y voir une référence à l'homme (quel qu'il fût) qui occupait ce poste à l'époque où Hazel Shade était étudiante, on ne pourrait blâmer le lecteur de l'appliquer à Paul H. Jr. le distingué administrateur et inepte érudit qui depuis 1957 était à la tête de la section d'anglais de Wordsmith College. Nous nous rencontrions de temps à autre (voir Avant-propos et note au vers 894), mais pas souvent. Le chef de la section à laquelle j'appartenais était le Professeur Nattochdag — « Netotchka » comme nous appelions le cher homme. Certainement, les migraines qui depuis quelque temps m'ont torturé à un tel point qu'il me fallut un jour partir au milieu d'un concert auquel je me trouvais avoir pour voisin Paul H. Jr. n'auraient pas dû être l'affaire d'un étranger. Elles l'étaient apparemment, et au plus haut degré. Il ne me quittait pas des yeux et aussitôt après la mort de John Shade on vit circuler des autocopies d'une lettre qui commençait ainsi :

Plusieurs membres de la section d'anglais sont douloureusement inquiets du destin d'un poème manuscrit, ou de parties d'un poème manuscrit laissés par feu John Shade. Le manuscrit est tombé entre les mains d'une personne qui non seulement n'est nullement qualifiée pour en entreprendre l'édition, étant donné qu'elle appartient à une autre section, mais est connue comme ayant l'esprit déséquilibré. On se demande si quelque action légale, etc.

« Action légale », évidemment, qui pourrait aussi bien être intentée par quelqu'un d'autre. Mais peu importe ; la juste colère de la personne est mitigée par la satisfaction de savoir d'avance que l'homme *engagé* sera moins inquiet du sort du poème de mon ami après avoir lu le passage commenté ici. Southey aimait souper d'un rat rôti — ce qui est particulièrement comique, étant donné les rats qui dévorèrent son évêque.

Vers 384 : Ouvrage sur Pope

Le titre de cet ouvrage que l'on trouve dans la bibliothèque de n'importe quel collège est *Supremely Blest*, titre tiré d'un vers de Pope que je me rappelle mais ne peux citer exactement. Le livre traite principalement de la technique de Pope mais contient aussi des observations savoureuses sur « la morale stylisée de son temps ».

Vers 385-386 : Jane Dean, Pete Dean

Pseudonymes transparents de deux personnes innocentes. J'ai rendu visite à Jane Provost en passant par Chicago au mois d'août. Elle n'était toujours pas mariée. Elle me montra des photos amusantes de son cousin Peter et de ses amis. Elle me dit — et je n'ai nulle raison de ne pas croire ses paroles — que Peter Provost (que je désirais beaucoup, beaucoup rencontrer, mais, hélas, il était à Detroit occupé à vendre des automobiles) avait pu exagérer un peu, mais certainement ne mentait pas, quand il expliquait qu'il lui fallait tenir une promesse faite à un de ses plus chers amis de club, un superbe jeune athlète dont la « couronne », espérons-nous, ne sera pas « plus brève que celle d'une jeune fille », comme le dit Housman. De semblables obligations ne doivent pas être traitées à la légère ou avec dédain. Jane me dit qu'elle avait tenté de parler aux Shade après la tragédie, et que plus tard elle avait écrit une longue lettre à Sybil sans en obtenir de réponse. Je lui dis, usant d'un peu de l'argot que j'avais récemment réussi à apprendre : « Tu parles ! »

Vers 403-404 : Il est huit heures et quart (et ici le temps bifurqua)

A partir d'ici jusqu'au vers 474, deux thèmes alternent synchronisés : télévision dans le salon des Shade et la réplique pour ainsi dire des actions de Hazel (déjà présagées) depuis le moment où Peter rencontra l'inconnue avec qui il avait rendez-vous (406-407) et s'excusa d'avoir à partir en hâte (426-428) jusqu'au trajet en autobus de Hazel (445-447 et 457-459) se terminant par la découverte du cadavre par le gardien (475-497). J'ai employé des italiques pour le thème de Hazel.

Tout ce passage me semble trop travaillé et trop long, surtout étant donné que ce procédé de synchronisation a été usé jusqu'à la corde par Flaubert et Joyce. Par ailleurs, le dessin en est exquis.

Vers 408 : Une main d'homme

Le 10 juillet, jour où John Shade écrivit cela et peut-être à la minute même où il commença à employer la trente-troisième fiche pour les vers 406-416, Gradus allait dans une auto de louage de Genève à Lex où l'on savait qu'Odon se reposait, après avoir terminé son film, dans la villa d'un vieil ami américain, Joseph S. Lavender (le nom vient de « lavoir » et non de « lande »). Notre brillant comploteur avait entendu dire que ce Joe Lavender collectionnait les photographies de genre artistique qu'on appelle en français *ombrioles*. On ne lui avait pas dit exactement ce que c'était et il les chassa de son esprit comme étant des « abat-jour ornés de paysages ». Son plan saugrenu était de se présenter lui-même comme le représentant d'un marchand de tableaux d'art de Strasbourg puis, tout en buvant avec Lavender et son invité, de tâcher d'obtenir quelques renseignements sur l'endroit où le Roi pouvait se trouver. Il avait oublié le fait que Donald Odon, avec son sens absolu de ces détails-là, aurait immédiatement conclu rien qu'à voir Gradus montrer sa paume vide avant de serrer la main, ou s'incliner légèrement après chaque gorgée et autres façons de se conduire (que Gradus lui-même ne remarquait pas chez les autres, bien qu'il les ait prises chez eux) que, quel que fût le lieu de sa naissance, il avait certainement vécu très longtemps dans un milieu zemblien fort peu relevé et était par conséquent un espion ou pire. Gradus ne se doutait pas davantage que les *ombrioles* que collectionnait Lavender (et je suis certain que Joe ne m'en voudra pas de cette indiscrétion) combinaient dans leurs sujets la plus exquise beauté et la plus extrême indécence — nudités confondues parmi des figuiers, ardeurs de dimensions exagérées, fesses doucement ombrées et aussi de petites touches de charmes féminins.

De son hôtel, à Genève, Gradus avait essayé d'avoir Lavender au téléphone, mais on lui avait répondu qu'on ne pouvait lui parler avant midi. A midi, Gradus était déjà en route et retéléphona, cette fois, de Montreux. Lavender avait laissé un message : Mr. Degré voudrait-il se présenter à l'heure du thé. Il déjeuna dans un café au bord du lac, fit une petite promenade, demanda le prix d'une girafe en verre dans un magasin de souvenirs, acheta un journal, le lut sur un banc puis se remit en route. Aux environs de Lex, il s'égara dans les chemins escarpés et tortueux. S'arrêtant au-dessus d'un vignoble à l'entrée défoncée d'une maison en construction, trois index de trois maçons lui montrèrent le toit rouge de la villa de Lavender tout en haut d'une pente verte de l'autre côté de la route. Il décida d'abandonner sa voiture et de monter les marches de pierre de ce qui lui semblait un raccourci aisé. Tandis qu'il gravissait l'allée bordée de murs, l'œil fixé sur le haut d'un peuplier qui tantôt cachait le toit rouge au sommet de la côte, tantôt le découvrait, le soleil trouva un point faible dans les nuages de pluie et soudain un trou bleu qui les perça irrégulièrement s'entoura d'un cercle radieux. Il sentit le poids et l'odeur du nouveau complet brun qu'il avait acheté à Copenhague et qui était déjà froissé. Essoufflé, consultant sa montre-bracelet et s'éventant avec son chapeau mou, également neuf, il atteignit enfin la continuation transversale de la route en lacet qu'il avait laissée en bas. Il la traversa, passa par un portillon, s'engagea sur la courbe d'une allée en gravier et se trouva devant la villa de Lavender. Son nom, Libitina, était écrit en cursive au-dessus d'une des fenêtres grillées du côté nord ; les lettres étaient faites de fil de fer noir et le point au-dessus des trois *i* habilement imité par la tête bitumée d'un clou enrobé de craie planté dans la façade blanche. Ce procédé, et les grilles des fenêtres de la façade nord, Gradus les avait remarqués déjà dans des villas suisses, mais immunisé contre les allusions classiques, il avait été privé du plaisir qu'il eût pu éprouver devant ce tribut que la jovialité macabre de Lavender avait payé à la déesse romaine des cadavres et des tombes. Son attention fut attirée par autre chose. D'une fenêtre de coin lui parvint le son d'un piano, un tumulte de vigoureuse musique qui, pour quelque étrange raison, comme il devait me le dire plus tard, lui suggéra une possibilité qu'il n'avait pas envisagée et lui fit porter rapidement la main à sa poche revolver comme s'il se préparait à rencontrer non pas Lavender, non pas Odon, mais ce talentueux auteur d'hymnes, Charles le Bien-Aimé. La musique cessa au moment où Gradus, embrouillé par la forme fantaisiste de la maison hésitait devant une véranda vitrée. Un vieux valet de pied habillé de vert sortit d'une porte latérale verte et le conduisit à une autre entrée. Affectant une certaine désinvolture qu'une laborieuse répétition n'améliorait en rien, Gradus lui demanda d'abord en un français médiocre, puis en un anglais encore pire, et finalement en bon allemand s'il y avait beaucoup d'hôtes dans la maison ; mais l'homme se contenta de sourire et, s'inclinant, l'introduisit dans la salle de musique. Le musicien avait disparu. Une vibration de harpe sortait encore du piano à queue sur lequel une paire de sandales de plage reposait comme sur le bord d'un bassin de nénuphars. D'un siège sous la fenêtre une femme maigre, toute scintillante de jais, se leva péniblement et se présenta comme la gouvernante du neveu de Mr. Lavender. Gradus mentionna la hâte qu'il avait de voir la collection sensationnelle de Lavender : cela définissait fort justement les images de scènes d'amour dans les vergers, mais la gouvernante (que le Roi avait toujours appelée, ce qui la rendait fort heureuse, Mademoiselle Belle au lieu de Mademoiselle Baud) se hâta d'avouer sa complète ignorance des collections et trésors de son patron et suggéra au visiteur de jeter un coup d'œil sur le jardin. « Gordon vous montrera ses fleurs favorites », dit-elle, et elle appela dans la pièce voisine : « Gordon ! » Plutôt à contrecœur apparut alors un jeune garçon élancé, mais d'allure robuste, d'environ quatorze ou quinze ans, que le soleil avait teint de la couleur d'un brugnon. Il n'avait rien sur lui, sauf une sorte de pagne en peau de léopard. Ses cheveux coupés court étaient légèrement plus clairs que sa peau. Son charmant visage bestial portait une expression à la fois sombre et rusée. Notre comploteur préoccupé ne remarqua aucun de ces détails et n'éprouva qu'une impression d'indécence. « Gordon est un prodige musical », dit Miss Baud, et le garçon fit une grimace de déplaisir. « Gordon, voulez-vous montrer le jardin à ce monsieur ? » Le garçon accepta, ajoutant qu'il ferait un petit plongeon si personne n'y voyait d'objection. Il mit ses sandales et montra le chemin. L'étrange couple s'éloigna à travers la lumière et les ombres : le gracieux enfant aux reins enguirlandés de lierre et le tueur minable dans son complet brun bon marché avec un journal plié sortant de la poche gauche du veston.

« Voici la grotte, dit Gordon. Une fois j'y ai passé la nuit avec un ami. » Gradus jeta un regard indifférent sur l'antre moussu où on pouvait apercevoir un matelas pneumatique avec une tache sombre sur son nylon orange. L'enfant appliqua des lèvres avides au tuyau d'eau de source et essuya ses mains humides à son maillot de bain noir. Gradus consulta sa montre. Ils continuèrent leur promenade. « Vous n'avez encore rien vu », dit Gordon.

Bien que la maison possédât au moins une demi-douzaine de water-closets, Mr. Lavender en cher souvenir de la ferme de son grand-père en Delaware avait fait installer des cabinets rustiques sous le plus haut peuplier de son splendide jardin, et pour les invités de choix dont le sens de l'humour pouvait le supporter, il décrochait du voisinage de la confortable cheminée dans la salle de billard un coussin en forme de cœur fort joliment brodé qu'on pouvait emporter avec soi sur le trône.

La porte était ouverte et sur sa face interne la main d'un enfant avait griffonné au fusain : *Le Roi est venu ici.*

« C'est une jolie carte de visite, remarqua Gradus avec un rire forcé. A propos, où est-il maintenant ce roi ?

— Qui sait ? dit le bel enfant battant ses flancs revêtus de shorts de tennis, c'était l'année dernière. Je crois qu'il se dirigeait vers la Côte d'Azur, mais je n'en suis pas sûr. »

Le cher Gordon mentait, ce qui était gentil de sa part. Il savait très bien que son grand ami n'était plus en Europe ; mais le cher Gordon n'aurait pas dû amener cette histoire de Riviera qui se trouvait être exacte et dont la mention poussa Gradus, qui savait que la Reine Disa y avait un palais, à se frapper le front mentalement.

Ils étaient arrivés maintenant à la piscine. Gradus,

plongé dans de profondes pensées, s'écroula sur un pliant de toile. Il devrait télégraphier immédiatement au quartier général. Inutile de prolonger sa visite. D'un autre côté, un départ précipité pourrait paraître suspect. Le pliant craqua sous lui et il chercha du regard un autre siège. Le jeune Sylvain avait fermé les yeux et était étendu sur le dos sur le bord de marbre de la piscine : son pagne à la Tarzan avait été mis de côté sur le gazon ; Gradus cracha de dégoût et retourna vers la maison. Au même moment, le vieux valet descendit en courant les marches de la terrasse pour lui dire en trois langues qu'on le demandait au téléphone. Mr. Lavender ne pouvait finalement venir mais désirait parler à Mr. Degré. Après un échange de civilités il y eut une pause et Lavender demanda : « Est-ce bien sûr que vous n'êtes pas un de ces salauds d'espions de feuille de chou française ? — Un *what ?* » dit Gradus prononçant le dernier mot comme « vot ». « Un salaud d'espion d'enfant de garce. » Gradus raccrocha.

Il reprit sa voiture et monta un peu plus haut sur le versant de la colline. C'est de cette même route que, par un jour de septembre brumeux et lumineux tandis que la diagonale du premier filament d'argent traversait l'espace entre deux balustres, le Roi avait observé les rides scintillantes du lac de Genève et avait noté leurs répons en plain-chant, l'éclair des épouvantails de papier d'étain dans les vignes de la colline. Gradus, alors qu'il était là, debout, regardant au-dessous de lui les tuiles rouges de la villa Lavender, nichée entre ses arbres protecteurs, pouvait distinguer une partie de la pelouse et un coin de la piscine, et même une paire de sandales sur le bord de marbre — tout ce qui restait de Narcisse. Il est probable qu'il se demandait s'il ne ferait pas mieux de rester un peu plus longtemps encore afin de s'assurer qu'on ne s'était pas payé sa tête. Il entendait, tout en bas, les tintements d'un travail de maçonnerie lointain et un train passa tout à coup entre les jardins et un papillon héraldique *volant en arrière,* sable et gueules, traversa le parapet de pierre, et John Shade prit une nouvelle fiche.

Vers 413 : une nymphe arriva, pirouettant

Dans le brouillon se trouvent les mots plus légers et plus musicaux :

413 *Une nymphette pirouetta*

Vers 417-421 : Je montai au premier, etc.

Le brouillon nous donne une variante intéressante :

417 *J'enfilai l'escalier au premier couac du jazz*
Et lus un placard d'épreuves : « Des vers comme
« Voyez le mendiant aveugle danser et l'estropié chanter,
L'ivrogne un héros, le fou un roi »
Puent leur âge sans cœur. » Puis ton appel

Cela évidemment vient de l'*Essai sur l'homme* de Pope. On ne sait de quoi il convient le plus de s'étonner : de Pope ne trouvant pas de monosyllabe pour remplacer *hero* (par ex. *man*) afin de pouvoir placer l'article défini devant le mot suivant « (*a lunatic a king* au lieu de *lunatic a king*) » ou de Shade remplaçant un passage admirable par un texte final beaucoup plus plat. Aurait-il eu peur d'offenser un roi authentique ? En réfléchissant sur ces tout derniers temps, je n'ai jamais pu rétrospectivement vérifier s'il avait réellement « deviné mon secret » comme il le mentionna une fois (voir note au vers 991).

Vers 426 : juste derrière (un seul pas visqueux) Frost

Référence naturellement à Robert Frost (né en 1874). Le vers déploie une de ces combinaisons de calembours et de métaphores dans lesquelles notre poète excelle. Sur les feuilles de température de la poésie, le haut est le bas et le bas est le haut, de sorte que le degré auquel on obtient la parfaite cristallisation se trouve au-dessus de la facilité tiède. C'est ce que dit notre modeste poète au sujet de l'atmosphère de sa propre renommée.

Frost est l'auteur d'un des plus grands poèmes courts en langue anglaise, un poème que tous les petits Américains savent par cœur. Il y est question de bois hivernaux, de crépuscule désolé, et des douces remontrances des petites clochettes du cheval dans l'air s'obscurcissant, et cette fin prodigieuse si poignante — les deux derniers vers, identiques dans chaque syllabe, mais l'un personnel et physique et l'autre métaphysique et universel. Je n'ose les citer de mémoire de crainte de déplacer un seul de ces précieux petits mots.

John Shade, avec toute l'excellence de ses dons ne pouvait jamais arriver à ce que *ses* flocons de neige se posent de cette façon-là.

Vers 431 : nuit de mars... phares approchant de très loin

Remarquez avec quelle délicatesse le thème de la télévision se trouve, à cet endroit, se fondre avec le thème de la jeune fille. (Voir vers 445. *Encore des phares dans le brouillard...*)

Vers 433-434 : Jusqu'à... mer... Que nous avions été voir en trente-trois.

En 1933 le Prince Charles avait dix-huit ans et Disa, Duchesse de Payn, en avait cinq. L'allusion se réfère à Nice (voir aussi vers 240) où les Shade passèrent la première partie de cette année-là ; mais là encore ainsi que cela arrive si fréquemment pour tant d'aspects fascinants de la vie passée de mon ami, je ne possède pas de détails (qui blâmer, cher S. S. ?) et ne suis pas en mesure de dire si, au cours d'excursions possibles le long de la côte ils ont ou non atteint le cap Turc et entrevu, du sentier bordé de lauriers-roses en général ouvert au public, la villa italienne construite par le grand-père de la Reine Disa en 1908, et appelée *villa Paradiso* ou, en zemblien *villa Paradisa,* laissant tomber plus tard la première moitié de son nom en honneur de sa petite-fille favorite. C'est là que s'écoulèrent les quinze premières années de sa vie ; c'est là qu'elle retourna en 1953 « pour raisons de santé » (comme on le fit croire à la nation) mais en réalité, comme une reine déchue ; et c'est là qu'elle habite encore.

Quand la révolution zemblienne éclata (le 1er mai 1958), elle écrivit au Roi une lettre délirante en anglais d'institutrice le pressant de venir la rejoindre et de rester avec elle jusqu'à ce que la situation se soit éclaircie. La lettre fut interceptée par la police d'Onhava, traduite en zemblien sommaire par un membre hindou du parti extrémiste, puis lue à haute voix au captif royal, d'une voix censément ironique, par l'absurde commandant du palais. Il se trouva que, dans cette lettre il y avait une — une seulement, Dieu merci — phrase sentimentale : « Je tiens à ce que vous sachiez que, si cruellement que vous puissiez me blesser, vous n'arriverez jamais à blesser mon amour. » Et cette phrase si nous la retraduisons du zemblien devint : « Je vous désire et aime quand vous me cravachez. » Il interrompit le commandant, le traita de bouffon et de pendard, insultant tout son entourage avec une telle violence que les extrémistes durent décider au plus vite s'il valait mieux le fusiller tout de suite ou lui donner l'original de la lettre.

Par la suite, il parvint à lui faire savoir qu'il était prisonnier dans le palais. La vaillante Disa quitta la Riviera et fit une tentative romantique, mais inefficace, heureusement, pour retourner en Zembla. Si on lui avait permis d'aborder elle aurait été immédiatement incarcérée ce qui aurait amené des répercussions sur la fuite du Roi et doublé les difficultés de son évasion. Un message des carlistes contenant ces simples considérations arrêta la Reine à Stockholm et elle s'envola de nouveau vers son perchoir dans un état de frustration et de fureur (je crois surtout, parce que le message lui avait été remis par un de ses cousins, le bon vieux Curdy, qu'elle haïssait). Plusieurs semaines passèrent et son agitation ne faisait que croître à la suite des rumeurs que son mari risquait d'être condamné à mort. Elle quitta de nouveau le cap Turc. Elle était allée à Bruxelles et avait loué un avion pour voler vers le nord quand un autre message, d'Odon cette fois, lui parvint avec la nouvelle que lui et le Roi étaient sortis de Zembla et qu'elle n'avait plus qu'à rentrer tranquillement à la villa Disa et à y attendre d'autres nouvelles. En automne de cette même année, elle fut informée par Lavender qu'un homme représentant son mari allait venir discuter avec elle certaines questions d'intérêts concernant des biens qu'elle et son mari possédaient en indivis à l'étranger. Elle était en train d'écrire sur la terrasse, sous le jacaranda, une lettre éplorée à Lavender quand le grand visiteur tondu et barbu, avec son bouquet de Disa uniflora, qui l'avait observée de loin, s'avança à travers des guirlandes d'ombrages. Elle leva les yeux — et, naturellement, ni les lunettes noires ni le maquillage ne la trompèrent un seul instant.

Depuis qu'elle avait quitté la Zembla il lui avait rendu visite deux fois, la dernière fois, deux ans plus tôt, et pendant ce laps de temps sa beauté de brune à peau très claire avait acquis un éclat nouveau, mûr et mélancolique. En Zembla où presque toutes les femmes sont des blondes tavelées de taches de rousseur, nous avons un dicton : *Belwif viurkumpf wid snew ebanumf*, « Une belle femme doit être comme une rose des vents d'ivoire avec quatre parties d'ébène ». Et c'était le joli conseil que la nature avait suivi dans le cas de Disa. Il y avait encore quelque chose, quelque chose dont je ne devais être conscient qu'après avoir lu *Feu Pâle* ou plutôt relu après que le premier brouillard amer et chaud du désappointement se fut dissipé devant mes yeux. Je pense aux vers 261-267 où Shade décrit sa femme. Au moment où il peignait ce portrait poétique, son modèle avait deux fois l'âge de la Reine Disa. Je ne voudrais pas être vulgaire en traitant ces sujets délicats mais c'est un fait que ce vieux sexagénaire de Shade prête à sa contemporaine l'aspect éthéré et éternel qu'elle garde, ou devrait garder dans le bon et noble cœur de son mari. Mais ce qu'il y a de curieux dans tout cela, c'est que Disa à trente ans, la dernière fois que je la vis en 1958, ressemblait étrangement non pas à Mrs. Shade telle qu'elle était quand je la rencontrai, mais à la peinture idéalisée et stylisée que le poète a brossée d'elle dans ces vers de *Feu Pâle*. En réalité, il n'y avait idéalisation et stylisation qu'en ce qui concernait la plus âgée des deux femmes, pour ce qui est de la Reine Disa, telle qu'elle était cet après-midi-là sur la terrasse bleue, la ressemblance sans retouches était évidente. J'espère que le lecteur appréciera l'étrangeté de tout cela, sans quoi écrire des poèmes n'aurait aucun sens, pas plus qu'annoter des poèmes ou faire quoi que ce soit.

Elle paraissait aussi plus calme qu'auparavant : sa

maîtrise de soi s'était améliorée. Au cours des rencontres précédentes et pendant toute leur vie conjugale en Zembla, elle s'était laissée aller à d'affreux accès de colère. Quand, au cours des premières années de leur mariage, il avait souhaité faire face à ces emportements et explosions, essayant de lui faire envisager raisonnablement son infortune, il les avait trouvés fort désagréables, mais il avait appris peu à peu à en tirer parti et à s'en réjouir car ils lui permettaient de se débarrasser de sa présence pendant des périodes de plus en plus prolongées en ne la rappelant pas après une série de portes claquées de plus en plus lointaines ou en quittant lui-même le palais pour se réfugier dans quelque cachette rurale.

Au commencement de leur mariage calamiteux, il avait fait tous ses efforts pour essayer de la posséder, mais tout avait été vain. Il l'informa qu'il n'avait jamais fait l'amour (ce qui était parfaitement exact dans la mesure où l'objet impliqué ne pouvait être pour elle que d'un seul genre) après quoi, il s'était vu forcé d'encourir le ridicule de voir sa complaisante pureté prendre involontairement les allures d'une courtisane avec un client trop jeune ou trop vieux; il lui dit quelque chose à ce sujet (surtout pour soulager son supplice), et elle lui fit une scène atroce. Il se bourra d'aphrodisiaques mais les caractères extérieurs du regrettable sexe de Disa continuaient à le repousser fatalement. Une nuit qu'il avait essayé une tisane de tigridie et que ses espoirs étaient au comble, il commit la faute de la prier de bien vouloir se plier à un expédient qu'elle commit la faute de qualifier de contre-nature et de dégoûtant. Il finit par lui dire qu'un vieil accident de cheval le rendait impuissant mais qu'une croisière avec ses copains et un grand nombre de bains de mer lui rendraient certainement sa vigueur.

Elle avait récemment perdu son père et sa mère et n'avait pas de véritable amie vers qui se tourner pour lui demander des explications ou des conseils quand les rumeurs inévitables arrivèrent jusqu'à elle ; sujet qu'elle était trop fière pour discuter avec ses dames d'honneur, mais elle lut des livres et apprit quelles étaient les coutumes viriles de la Zembla, et elle cacha sa naïve détresse sous un grand déploiement de sarcasmes, telle une personne très avertie. Il la complimenta de son attitude, jurant solennellement qu'il avait renoncé, ou tout au moins qu'il comptait renoncer, aux pratiques de sa jeunesse ; mais partout, tout au long de sa route, de puissantes tentations se tenaient au port d'armes. Il y succomba de temps à autre, puis chaque jour, puis plusieurs fois par jour — surtout sous le robuste régime de Harfar, baron de Shalkabore, jeune brute phénoménalement armée (dont le nom de famille, *knave's farm* (autrement dit, ferme du serviteur) est une dérivation très probable de « Shakespeare »). Curdy Buff ou Cœur de Bœuf — surnom que ses admirateurs donnaient à Harfar — avait une grande escorte d'acrobates et de cavaliers voltigeurs, et les choses échappèrent bientôt à tout contrôle si bien que Disa, revenant inopinément d'un voyage en Suède trouva le palais transformé en cirque. Il promit de nouveau, retomba, et malgré la plus grande discrétion, fut pris de nouveau. Elle finit par se retirer sur la Riviera, le laissant s'amuser avec une bande de mignons à cols Eton et à voix mélodieuse importés d'Angleterre.

Quels avaient été, au fond, les sentiments qu'il avait éprouvés envers Disa ? Amicale indifférence et respect glacé. Il ne lui avait jamais témoigné la moindre tendresse ni la moindre excitation, même pendant la toute première floraison de leur mariage. Pitié, chagrin, jamais il n'en avait été question. Il était, avait toujours été, indifférent et sans cœur. Mais le cœur de son être rêvant, aussi bien avant qu'après la rupture, offrait d'extraordinaires amendements.

Il rêvait souvent à elle et avec une émotion incomparablement plus grande que ses sentiments extérieurs ne permettaient de l'espérer ; ces rêves apparaissaient quand il pensait le moins à elle et des soucis dans lesquels elle n'était pour rien prenaient son image dans le monde subliminal comme une bataille ou une réforme devient un oiseau merveilleux dans un conte pour les enfants. Ces rêves déchirants transformaient la prose terne de ses sentiments envers elle en une poésie forte et étrange dont les ondes subséquentes l'illuminaient et le troublaient pendant le jour, ramenant l'angoisse et la richesse — puis seulement l'angoisse, puis simplement son reflet passager — mais sans affecter le moins du monde son attitude envers la réelle Disa.

Son image quand elle venait et revenait dans son sommeil, se levant, craintive, d'un divan lointain ou allant à la recherche d'un messager qui, disait-on, avait, à l'instant, passé entre les tentures, tenait compte des changements de mode ; mais la Disa qui portait la robe qu'il avait vue sur elle l'été de l'explosion de la verrerie, ou le dimanche précédent, ou dans quelque autre antichambre de temps, restait à jamais comme elle était le jour où, pour la première fois il lui avait dit qu'il ne l'aimait pas. Cela était arrivé au cours du voyage sans espoir en Italie dans le jardin d'un hôtel en bordure d'un lac — roses, noirs araucarias, hortensias vert rouillé — un soir sans nuage avec les montagnes de la rive lointaine nageant dans la brume d'un coucher de soleil, et le lac, couleur sirop de pêche ridé régulièrement de bleu pâle et les manchettes d'un journal étalées sur le fond vaseux près de la berge caillouteuse, parfaitement lisibles à travers la mince couche de fange diaphane, et parce que, en l'entendant, elle s'était affaissée sur la pelouse dans une position impossible, examinant un brin d'herbe, les sourcils froncés, il s'était immédiatement repris. Mais le choc avait fatalement étoilé le miroir et par la suite, dans ses rêves, son image fut infectée par le souvenir de cette confession comme par quelque maladie ou par les suites secrètes d'une opération chirurgicale trop intime pour être mentionnée.

L'essence plutôt que la véritable intrigue du rêve était une réfutation constante du fait qu'il ne l'aimait pas. L'amour-rêve qu'il avait pour elle dépassait en émotion, en passion spirituelle et en profondeur tout ce qu'il avait éprouvé dans son existence réelle. Cet amour était comme une torsion perpétuelle des mains, comme les tâtonnements de l'âme dans un labyrinthe infini de désespoir et de remords. C'étaient, en un sens, des rêves amoureux, car ils étaient imprégnés de tendresse, du désir de cacher sa tête sur ses genoux et de laver dans ses sanglots son monstrueux passé. Ils débordaient de l'affreuse conscience qu'elle était si jeune et si désemparée. Ils étaient plus purs que la vie qu'il menait. Ce qu'il pouvait y avoir en eux de charnel ne venait pas d'elle mais de ceux avec qui il la trahissait — Phryné au menton mal rasé, la jolie Timandre avec cette trique sous son tablier — et même ainsi la sale écume sexuelle restait quelque part bien au-dessus du trésor englouti et n'avait pas grande importance. Il lui arrivait de la voir accostée par un vague parent si éloigné qu'il n'avait en réalité aucun trait. Elle cachait rapidement ce qu'elle tenait et lui tendait sa main arquée afin qu'il la baisât. Il savait qu'elle venait juste de trouver un objet révélateur — une botte de cheval dans son lit — établissant sans le moindre doute l'infidélité de son mari. La sueur perlait à son front pâle et nu — mais il lui fallait écouter le babillage d'un visiteur inattendu ou diriger les mouvements d'un ouvrier chargé d'une échelle qui branlait la tête et regardait en l'air en la portant jusqu'à la fenêtre cassée. On pourrait supporter — un rêveur solide et sans merci pourrait supporter — l'idée de son chagrin et de son orgueil, mais personne ne pourrait supporter la vue de son sourire automatique quand elle devait passer de la torture de la découverte aux trivialités polies qu'on attendait d'elle. Il lui fallait annuler des illuminations ou discuter des lits d'hôpital avec l'infirmière en chef, ou simplement commander un petit déjeuner pour deux dans la grotte de la mer — et, à travers la banalité journalière de la conversation, à travers le jeu des gestes charmants dont elle accompagnait toujours certaines phrases toutes faites, lui, le rêveur gémissant, percevait le désarroi de cette âme et comprenait qu'elle était victime d'un désastre odieux, immérité, humiliant et que seules ses obligations d'étiquette et son inflexible bonté envers une troisième personne innocente lui donnaient la force de sourire. Quand on observait la lumière sur son visage, on devinait qu'elle allait s'éteindre dans un instant pour être remplacée — dès le départ du visiteur — par cet intolérable froncement de sourcils que le rêveur ne pouvait jamais oublier. Il l'aidait alors à se mettre debout sur cette même pelouse en bordure du lac, avec des fragments de lac encastrés dans les espaces vides entre les balustres, et lui et elle s'engageaient alors, côte à côte dans quelque allée anonyme et il sentait qu'elle le regardait d'un sourire léger, mais quand il se forçait lui-même à affronter ce reflet interrogateur, elle n'était plus là. Tout avait changé. Tout le monde était heureux. Et il lui fallait absolument la retrouver tout de suite, lui dire qu'il l'adorait, mais le nombreux public devant lui le séparait de la porte et les notes qui l'atteignaient à travers une succession de mains lui disaient qu'elle n'était pas visible ; qu'elle inaugurait un incendie ; qu'elle avait épousé un homme d'affaires américain ; qu'elle était devenue un personnage de roman ; qu'elle était morte.

Maintenant qu'il était avec elle sur la terrasse de sa villa, de tels scrupules ne le tourmentaient pas et il lui racontait son heureuse évasion du palais. Elle prit plaisir à la description du lien souterrain avec le théâtre et essaya de se représenter la joyeuse escapade à travers les montagnes. Mais la partie qui traitait de

Garh lui déplut comme si paradoxalement elle eût préféré qu'il se fût livré à quelque sain divertissement avec la ribaude. Elle lui dit sèchement de sauter ce genre d'interludes et il lui fit un petit salut fort comique. Mais quand il commença à discuter la situation politique (deux généraux soviétiques venaient juste d'être nommés Conseillers Étrangers auprès du gouvernement extrémiste), une expression vide familière apparut dans ses yeux. Maintenant qu'il était sorti sain et sauf du pays, toute la masse bleue de la Zembla, depuis le cap d'Embla jusqu'au golfe d'Emblème pouvait disparaître au fond de la mer. Elle ne s'en souciait pas. Le fait qu'il avait perdu du poids l'inquiétait bien davantage que la perte de son royaume. Elle s'informa incidemment des joyaux de la couronne ; il lui révéla leur étrange cachette ce qui la mit dans une joie puérile qu'elle n'avait pas connue depuis des années et des années. « Mais, j'ai des questions d'affaires à traiter, dit-il. Et il y a des papiers qu'il faut que vous signiez. » Un téléphone grimpait dans le treillage parmi les roses. Une de ses anciennes dames d'honneur, la languide et élégante Fleur de Fyler (environ quarante ans, maintenant et défraîchie) portant toujours des perles dans ses cheveux aile de corbeau et la mantille blanche traditionnelle, apporta du boudoir de Disa certains documents. En entendant la voix chaude du Roi à travers les lauriers, Fleur l'avait reconnu avant de pouvoir être induite en erreur par son excellent déguisement. Deux valets de pied, de beaux jeunes étrangers d'un type latin prononcé, apparurent avec le thé et surprirent Fleur au milieu d'une révérence. Une brise soudaine fouilla dans les glycines. Il demanda à Fleur, comme elle faisait demi-tour pour s'en aller avec les orchidées *Disa*, si elle jouait toujours de la viole d'amour. Elle secoua la tête plusieurs fois ne voulant pas parler sans s'adresser à lui et n'osant pas le faire tant que les serviteurs pourraient l'entendre.

Ils étaient de nouveau seuls. Disa trouva rapidement les papiers dont il avait besoin. Quand ils eurent terminé, ils parlèrent de jolies choses banales comme du film basé sur une légende zemblienne qu'Odon espérait faire à Paris ou à Rome. Comment, se demandèrent-ils, pourrait-il représenter le *narstran*, salle infernale où les âmes des meurtriers étaient torturées sous un crachin constant de venin de dragon tombant de la voûte brumeuse ? Tout bien considéré, l'entrevue se déroulait de la façon la plus satisfaisante possible bien que, lorsqu'elle touchait de la main le bras de son fauteuil ses doigts tremblassent un peu. Attention.

« Quels sont vos projets ? demanda-t-elle. Pourquoi ne pouvez-vous pas rester ici aussi longtemps que vous le désirez ? Faites-le, je vous en prie. Je vais partir incessamment pour Rome et vous aurez toute la maison pour vous seul. Pensez un peu, on peut y coucher jusqu'à quarante invités, quarante voleurs Arabes. » (Influence des énormes vases en terre cuite dans le jardin.)

Il répondit qu'il irait en Amérique au cours du mois prochain et qu'il avait affaire à Paris le lendemain.

Pourquoi l'Amérique ? Que ferait-il là-bas ?

Enseigner. Examiner des chefs-d'œuvre littéraires avec de brillantes et charmantes jeunes personnes. Une distraction qu'il pouvait maintenant s'offrir en toute liberté.

« Et naturellement, je ne sais pas, balbutia-t-elle en regardant ailleurs, je ne sais pas, mais si vous n'y voyez point d'obstacle, je pourrais visiter New York — j'entends huit ou quinze jours seulement, et pas cette année, l'année prochaine. »

Il la complimenta sur sa veste pailletée d'argent. Elle insista : « Alors ? — Votre coiffure est des plus seyantes. — Oh, quelle importance ça a-t-il ? gémit-elle, quelle importance, mon Dieu ? — Il me faut partir », murmura-t-il avec un sourire et il se leva. « Embrassez-moi », dit-elle, et elle resta un moment dans ses bras comme une poupée d'étoffe, flasque et frissonnante.

Il marcha jusqu'à la grille. Au tournant de l'allée il se retourna et vit, au loin sa silhouette blanche avec la grâce nonchalante d'un chagrin ineffable penchée sur la table du jardin, et brusquement une fragile passerelle fut jetée entre l'indifférence de l'état de veille et l'amour de l'état de rêve. Mais elle bougea et il vit que ce n'était pas elle, mais seulement la pauvre Fleur de Fyler qui ramassait les documents épars au milieu du service à thé (voir note au vers 80).

Un soir de mai ou juin 1959, quand au cours d'une promenade j'offris à Shade tout ce merveilleux matériel, il me regarda curieusement et dit : « Tout ça, c'est très bien, Charles. Mais il y a seulement deux questions. Comment pouvez-vous savoir si toutes ces choses intimes au sujet de votre affreux Roi sont vraies ? Et si elles le sont, comment peut-on espérer imprimer des choses si personnelles sur des gens qui, vraisemblablement, vivent encore ?

— Mon cher John, répondis-je doucement et avec insistance. Ne vous préoccupez donc pas de babioles. Une fois transmué par vous en poésie, tout cela sera vrai et les personnages seront vivants. La vérité purifiée d'un poète ne peut causer ni douleur ni offense. L'art vrai est au-dessus du faux honneur.

— Bien sûr, bien sûr, dit Shade. On peut harnacher les mots comme on harnache les puces savantes pour qu'elles puissent tirer d'autres puces. Oh, bien sûr.

— En outre, continuai-je, alors que par la route nous nous acheminions en plein vers un vaste coucher de soleil, dès que votre poème sera prêt, dès que la gloire de la Zembla se confondra avec la gloire de vos vers, je compte vous révéler une dernière vérité, un secret extraordinaire qui mettra votre esprit complètement à l'aise. »

Vers 469 : son pistolet

Gradus, en revenant à Genève, se demandait quand il serait à même de se servir de ce pistolet. L'après-midi était intolérablement chaud. Le lac s'était couvert d'écailles d'argent avec un soupçon de reflets de nuages orageux. Comme beaucoup de vieux verriers il pouvait juger avec assez d'exactitude la température de l'eau à certains indices de brillant et de mouvement, et maintenant il estimait qu'elle devait être au moins à 23 degrés. Aussitôt rentré à son hôtel, il appela par l'interurbain son quartier général. La chose s'avéra terrible. Assumant qu'ils attireraient moins d'attention que par un langage BIC (BEHIND THE IRON CURTAIN, ou de derrière le Rideau de Fer), les conspirateurs tenaient leurs conversations au téléphone en anglais — mauvais anglais, pour être exact, avec un seul temps, pas d'articles, et deux prononciations, toutes deux fausses. De plus, en se servant du malin système (inventé dans le principal pays dudit Rideau) d'employer deux différentes classes de mots code — par exemple le quartier général disant « bureau » pour « roi » et Gradus disant « lettre », ils augmentaient considérablement la difficulté de communication. Chaque côté avait fini par oublier le sens de certaines phrases appartenant au vocabulaire de l'autre, le résultat étant que leurs conversations embrouillées et dispendieuses combinaient les charades avec une course d'obstacles dans le noir. Le quartier général crut comprendre qu'on pourrait obtenir des lettres du Roi révélant où il se trouvait en pénétrant par effraction dans la villa Disa et en fouillant le bureau de la Reine ; Gradus qui n'avait pas du tout dit cela, mais avait simplement tenté de leur faire savoir les résultats de sa visite à Lex fut très ennuyé d'apprendre qu'au lieu de chercher le Roi à Nice il était censé attendre une commande de saumon en boîte à Genève. Une chose, cependant, apparut clairement : la prochaine fois il devrait non pas téléphoner, mais télégraphier ou écrire.

Vers 470 : Nègre

Nous parlions un jour de préjugé. Un peu auparavant, au déjeuner au club des professeurs, l'invité du Professeur H., un professeur retraité de Boston tout décrépit — que son hôte décrivait avec un profond respect comme : « un vrai patricien, un véritable brahmane à sang bleu » (le grand-père du brahmane vendait des bretelles à Belfast) — s'était trouvé dire tout naturellement et débonnairement, en se référant aux origines d'un nouveau, pas très engageant, qu'on venait de nommer à la bibliothèque du collège « un de la Race élue », m'a-t-on dit (et cela prononcé avec un petit reniflement de confortable satisfaction) ; sur quoi le professeur assistant Micha Gordon, musicien à chevelure rousse, avait rondement répliqué que « naturellement Dieu pouvait avoir le droit de choisir Son peuple, mais que l'homme, devrait choisir ses expressions ».

Comme nous revenions, mon ami et moi, à nos châteaux adjacents sous cette espèce de petite pluie d'avril que, dans ses poèmes lyriques, il appelle :

Une rapide esquisse du printemps

Shade dit que ce qu'il détestait le plus sur la terre c'était la vulgarité et la brutalité et que l'on trouvait l'union idéale de ces deux choses dans les préjugés raciaux. Il dit qu'en tant qu'homme de lettres, il ne pouvait s'empêcher de préférer : « C'est un Juif » à : « Il est Israélite » et : « C'est un nègre » à : « C'est un homme de couleur » ; mais il ajouta immédiatement que cette façon de se référer à la fois à deux espèces de préjugés était un bon exemple d'assimilation hâtive ou démagogique (fort exploitée par les gens de gauche) puisqu'elle effaçait la distinction entre deux enfers historiques : diaboliques persécutions et barbares traditions d'esclavage. D'un autre côté (admettait-il), les larmes de tous les êtres humains maltraités à travers la misère des temps étaient mathématiquement égales ; et peut-être (pensait-il) ne se trompait-on pas beaucoup en trouvant une ressemblance de famille (pincement de narines simiesques, dégoûtant durcissement des yeux) entre le lyncheur du pays du jasmin et le mystique antisémite lorsqu'ils se trouvent sous l'emprise de leur obsession favorite. Je dis qu'un jeune nègre que j'avais récemment engagé comme jardinier (voir note au vers 998) — peu de temps après le renvoi d'un inoubliable locataire — (voir Avant-propos) employait toujours les mots « homme de couleur ». Habitué comme il l'était à manier les vocables anciens et nouveaux (observa Shade), il avait de fortes objections contre cette épithète, non seulement parce que du point de vue artistique elle prêtait à confusion, mais parce que le sens en dépendait beaucoup trop de l'application et de l'appliquant. Beaucoup de nègres compétents (admit-il) considéraient que c'était le seul terme qui eût de la dignité, émotionnellement neutre et éthiquement inoffensif : leur approbation obligeait les non-nègres décents à suivre leur exemple et les poètes n'aiment pas qu'on les oblige à suivre ; mais les plus élevés adorent accepter les choses et emploient aujourd'hui « homme de couleur » pour « nègre » comme ils disent *nude* au lieu de *naked* ou « transpiration » au lieu de « sueur » ; bien que, naturellement il puisse parfois arriver (reconnut-il) que le poète accueille avec joie la fossette du mot *nude* ou un perlé approprié dans « transpiration ». On l'a également entendu employé (continua-t-il) par les gens à préjugés comme un euphémisme moqueur dans une anecdote sur les nègres quand quelque chose d'amusant est dit ou fait par un « gentleman de couleur » (frère inattendu, ici, du « gentleman hébreu » des nouvelles victoriennes).

Je n'avais pas très bien compris son objection *artistique* à « couleur ». Il me l'expliqua comme suit : Dans les premiers ouvrages scientifiques sur les fleurs, les oiseaux, les papillons, etc., les illustrations étaient peintes à la main par d'habiles aquarellistes. Dans certaines publications défectueuses ou prématurées, les illustrations sur certaines planches restaient en blanc. La juxtaposition des mots « un blanc » et « un homme de couleur » rappelait toujours à mon poète, avec assez de force pour en chasser le sens accepté, une de ces silhouettes que l'on avait envie de remplir des couleurs appropriées — le vert et le violet d'une plante exotique, le bleu uni d'un plumage, la raie géranium d'une aile dentelée. « En outre, dit-il, nous, les blancs, ne sommes pas blancs du tout, nous sommes mauves à notre naissance, puis rose thé, et plus tard de toute espèce de couleurs répugnantes. »

Vers 475 : Un gardien, le Père Temps

Le lecteur devra remarquer combien joliment ce vers répond au vers 312.

Vers 490 : Exe

Exe veut évidemment dire Exton, ville industrielle sur la rive sud du lac Omega. Elle possède un musée d'histoire naturelle assez connu avec des quantités de vitrines pleines d'oiseaux rassemblés et montés par Samuel Shade.

Vers 493 : Elle mit un terme à sa pauvre jeune existence

La note suivante n'est pas une apologie du suicide — c'est la simple et sobre description d'un état spirituel.

Plus la croyance en la Providence est lucide et irrésistible plus grande est la tentation d'en finir, avec toute cette histoire de vie, mais plus grande aussi est la peur du péché terrible que représente le suicide. Considérons d'abord la tentation. Comme on le trouvera discuté plus à fond ailleurs, dans ce commentaire (voir note au vers 549) une conception sérieuse d'une vie future, quelle qu'elle soit, suppose nécessairement un certain degré de croyance en la Providence et, vice versa, la foi chrétienne profonde présuppose la croyance en quelque sorte de survie spirituelle. Il n'est pas nécessaire que la vision de cette survie soit rationnelle, c'est-à-dire qu'elle n'a pas besoin de présenter les caractéristiques précises de fantaisies personnelles ou de l'atmosphère générale d'un parc oriental subtropical. En fait, on enseigne à un bon Zemblien chrétien que la vraie foi n'est pas là pour lui fournir des images ou des cartes, mais qu'il lui faut s'estimer satisfait d'une buée chaude d'agréable anticipation. Pour prendre un exemple tout simple : la famille du petit Christopher s'apprête à émigrer dans une colonie distante où son père a obtenu un poste à vie. Le petit Christopher, un frêle enfant de neuf ou dix ans, se repose entièrement (si entièrement en fait qu'il n'en est même pas conscient) sur ses parents pour arranger tous les détails de leur départ, traversée et arrivée. Il ne peut pas imaginer, il n'essaie même pas d'imaginer, les aspects particuliers de la nouvelle demeure qui l'attend mais il est vaguement et confortablement convaincu qu'elle sera encore meilleure que son ancienne propriété avec le grand chêne et la montagne et son poney et l'écurie et Grimm, le vieux groom qui s'arrange pour le caresser quand il n'y a personne dans le voisinage.

C'est un peu de cette simple confiance que nous devrions avoir également. Quand l'être est imprégné de cette brume divine de complète dépendance, il n'est pas étonnant qu'on soupèse dans la main avec un sourire rêveur l'arme compacte dans son étui en peau de Suède, à peine plus grande qu'une clé de grille de château ou que la bourse couturée d'un enfant, il n'est pas étonnant qu'on regarde par-dessus le parapet d'un abîme alléchant.

Je choisis ces images un peu au hasard. Ce sont les puristes qui prétendent qu'un gentleman devrait se servir de deux pistolets, un pour chaque tempe ou un *botkin* nu (notez bien l'orthographe exacte) comme Hamlet et que les dames devraient soit avaler un poison mortel, soit se noyer avec la maladroite Ophélie. Des humains plus humbles ont préféré diverses formes de suffocation et des poètes mineurs ont essayé des modes d'évasion fantaisistes comme de s'ouvrir les veines dans la baignoire quadrupède de la salle de bains d'une pension de famille ouverte à tous les courants d'air. Tout cela est incertain et malpropre. De toutes les nombreuses façons de se débarrasser de son corps, la chute, la chute, la chute est la méthode suprême, mais il faut choisir l'appui ou le rebord avec le plus grand soin afin de ne faire de mal à personne, ni à soi ni aux autres. Sauter du haut d'un pont très élevé n'est pas recommandé même si on ne sait pas nager car le vent et l'eau abondent en contingences étranges et il ne faudrait pas que la tragédie se termine par un record de plongeon ou la promotion d'un agent de police. Si vous louez une cellule dans une gaufre lumineuse, chambre 1915 ou 1959, dans un grand hôtel du quartier des affaires dont le sommet frôle les poussières d'astres et, qu'ayant ouvert la fenêtre, doucement — sans tomber ni sauter — vous vous laissez rouler à l'extérieur comme si vous vouliez prendre l'air vous courrez toujours le risque d'entraîner avec vous, dans votre propre enfer, un pacifique noctambule qui promène son chien ; pour cette raison une fenêtre sur la cour serait plus sûre, surtout si elle donne sur le toit d'une vieille maison normale, et tenace, tout en bas, là où on ne peut être sûr que le chat s'esquivera à temps. Un autre mode de décollage populaire est le sommet d'une montagne avec un vide, disons cinq cents mètres, mais il faut le trouver car vous seriez surpris de voir combien il est aisé de mal calculer l'angle de votre dérive, de voir une projection cachée, une stupide arête s'élancer pour vous saisir, ce qui vous ferait rebondir dans les broussailles, frustré, déchiqueté et inutilement vivant. La chute idéale se fait d'un avion, vos muscles sont détendus, votre pilote éberlué, votre parachute dans son sac laissé de côté, repoussé, dédaigné — adieu, *choutka* (petit parachute) : vous voilà parti, mais tout le temps vous vous sentez suspendu, soutenu, tandis que vous virevoltez au ralenti comme un pigeon culbutant somnolent et, couché sur le dos, sur l'édredon de l'air ou tourné paresseusement pour embrasser votre oreiller, jouissant jusqu'à la dernière minute, de la douce vie, profonde, capitonnée de mort avec la verdure de la terre se balançant tantôt au-dessus, tantôt au-dessous de vous et la voluptueuse crucifixion quand vous étendez les bras dans la vitesse grandissante, dans le friselis approchant et puis l'oblitération de votre corps aimé dans le Sein du Seigneur. Si j'étais poète je ferais certainement une ode au désir si doux de fermer les yeux, de s'abandonner complètement dans la sécurité parfaite de la mort désirée. Avant-goût extatique de l'immensité du Divin Embrassement, qui enlace l'esprit libéré, le bain chaud de la dissolution physique, l'inconnu universel engloutissant le minuscule inconnu qui avait été la seule partie réelle de notre personnalité temporaire.

Quand l'âme adore Celui Qui la guide à travers la vie

mortelle, quand elle distingue Son signe à chaque tournant du chemin, peint sur la roche ou entaillé dans le tronc d'un sapin, quand chaque page dans le livre de notre destinée personnelle porte Son filigrane, comment peut-on douter qu'Il nous préservera aussi pendant toute l'éternité ?

Ainsi qui pourrait empêcher quelqu'un d'effectuer la transition ? Qu'est-ce qui pourrait nous aider à résister à l'intolérable tentation ? Qu'est-ce qui pourrait nous empêcher de céder au brûlant désir de nous abîmer en Dieu ?

Nous qui chaque jour nous vautrons dans l'ordure, méritons peut-être qu'on nous pardonne le péché qui met fin à tous les péchés.

Vers 501 : L'if

Yew en anglais. Il est amusant de constater que le mot zemblien pour saule pleureur est également *if (yew* se traduit par *tas).*

Vers 502 : La grande patate

Un exécrable jeu de mots, délibérément placé en épigraphe pour souligner le manque de respect pour la mort. De mes années d'études, il me souvient des *soi-disant* « derniers mots » de Rabelais, parmi d'autres brillants traits d'esprit dans quelque manuel de français : *Je m'en vais chercher le grand peut-être.*

Vers 502 : I. P. H.

Le bon goût et la loi sur les libelles m'interdisent de révéler le nom réel du respectable institut de haute philosophie que notre poète tourne en ridicule avec beaucoup de fantaisie, dans ce chant. Ses dernières initiales, H. P., ont suggéré aux étudiants l'abréviation Hi-Phi, et Shade parodie nettement ceci dans ses combinaisons Iph ou If. L'institut est très pittoresquement situé dans un État du Sud-Ouest qui doit demeurer anonyme ici.

Je dois également souligner ma ferme désapprobation de l'irrévérence avec laquelle notre poète traite, dans ce chant, certains aspects de l'espérance spirituelle que seule la religion peut satisfaire (voir aussi la note au vers 549).

Vers 549 : Tout en remettant les dieux à leur place, y compris le grand D

Voici en effet le cœur du problème. Et ceci, je crois que non seulement l'institut (voir vers 517) mais également notre poète lui-même ne l'ont pas compris. Pour un chrétien, aucun Au-delà n'est acceptable ou imaginable sans la participation de Dieu à notre destinée éternelle, et ceci implique à son tour une juste punition pour chaque péché, mortel ou véniel. Je relève dans mon journal quelques notes au sujet d'une conversation que le poète et moi eûmes le 23 juin « sur ma terrasse après une partie d'échecs, une partie nulle ». Je les transcris ici simplement parce qu'elles jettent une lumière fascinante sur son attitude vis-à-vis du sujet.

J'avais mentionné — je ne me souviens plus dans quel contexte — certaines différences entre ma confession et la sienne. Il est intéressant de souligner que la forme zemblienne du protestantisme est assez étroitement liée aux plus « hautes » Églises de la Communion anglicane, mais qu'elle a quelques magnifiques particularités de son cru. Dans notre pays, la Réforme eut à sa tête un compositeur de génie ; notre liturgie est pénétrée de riche musique ; nos enfants de chœur sont les plus délicieux du monde. Sybil Shade appartenait à une famille catholique, mais elle se forgea dès l'enfance, comme elle me l'a confié elle-même, « une religion à elle » — ce qui équivaut généralement, dans le meilleur des cas, à un attachement tiède à quelque secte mi-païenne, ou, au pire, à un athéisme sans ardeur. Elle avait détaché son mari non seulement de l'Église épiscopale de ses pères, mais de toute forme de culte sacramentel.

Nous en vînmes à parler, le poète et moi, de l'obscurcissement général dont on entoure aujourd'hui la notion de « péché », de sa confusion avec l'idée beaucoup plus charnellement colorée de « crime », et je fis une brève allusion à mes contacts d'enfance avec certains rites de notre Église. Chez nous, la confession est auriculaire et s'effectue dans un recoin richement orné, le pénitent debout, un cierge allumé à la main, près du prêtre assis sur un siège à haut dossier qui a presque exactement la forme de la chaise de couronnement d'un roi écossais. En petit garçon bien élevé que j'étais, je craignais toujours de tacher la manche du prêtre, d'un violet sombre, avec les larmes bouillantes de la cire qui me coulaient sur les jointures, y formant de petites croûtes dures, et j'étais fasciné par la concavité illuminée de son oreille qui ressemblait à un coquillage ou à une orchidée lustrée, un réceptacle convoluté qui semblait beaucoup trop vaste pour y déposer mes peccadilles.

SHADE : Les péchés mortels sont tous des peccadilles, mais sans trois d'entre eux, l'Orgueil, la Luxure et la Paresse, la poésie pourrait bien n'avoir jamais vu le jour.

KINBOTE : Est-il honnête de fonder ses objections sur une terminologie surannée ?

SHADE : Toutes les religions sont fondées sur une terminologie surannée.

KINBOTE : Ce que nous appelons Péché originel ne peut jamais devenir suranné.

SHADE : Je n'en sais rien. En fait, lorsque j'étais petit, je croyais que ça voulait dire Caïn tuant Abel. Quant à moi, je suis de l'avis des vieux priseurs : *L'homme est né bon.*

KINBOTE : Pourtant, la désobéissance à la Volonté divine est une définition fondamentale du Péché.

SHADE : Je ne puis désobéir à quelque chose que je ne connais pas et dont j'ai le droit de nier la réalité.

KINBOTE : Allons donc ! Niez-vous également qu'il y ait des péchés ?

SHADE : Je ne puis en nommer que deux : le meurtre et l'infliction délibérée de la souffrance.

KINBOTE : Donc, un homme qui passerait sa vie dans une solitude absolue ne pourrait pas être un pécheur ?

SHADE : Il pourrait torturer les animaux. Il pourrait empoisonner les sources de son île. Il pourrait dénoncer un innocent dans un manifeste posthume.

KINBOTE : Et alors le mot de passe est... ?

SHADE : Pitié.

KINBOTE : Mais qui l'a fait pénétré en nous, John ? Qui est le Juge de la vie et l'Inventeur de la mort ?

SHADE : La vie est une grande surprise. Je ne vois pas pourquoi la mort n'en serait pas une plus grande encore.

KINBOTE : Maintenant, je vous ai attrapé, John : dès que nous nions l'existence d'une Intelligence supérieure qui établit et administre nos au-delà individuels, nous devons accepter la notion indiciblement redoutable d'un Hasard qui s'étend jusqu'à l'éternité. Considérez la situation. A travers l'éternité nos pauvres spectres sont exposés à d'innommables vicissitudes. Il n'y a pas de recours, pas de conseil, pas de soutien, pas de protection, il n'y a rien. Le fantôme du pauvre Kinbote, l'ombre du pauvre Shade peuvent avoir commis un impair, peuvent avoir pris la mauvaise direction quelque part — oh, par pure distraction, ou simplement par ignorance d'une règle banale dans l'absurde jeu de la nature — s'il y a des règles.

SHADE : Il y a des règles dans les problèmes d'échecs : interdiction des solutions doubles, par exemple.

KINBOTE : Je pensais à des règles diaboliques susceptibles d'être rompues par l'autre partenaire aussitôt que nous arrivons à les comprendre. C'est pourquoi la magie goétique ne fonctionne pas toujours. Dans leur malice prismatique les démons trahissent l'accord qui existe entre eux et nous, et nous voici une fois de plus dans le chaos du hasard. Et même si nous tempérons le Hasard avec la Nécessité et si nous admettons un déterminisme sans Dieu, le mécanisme de la cause et de l'effet, pour fournir à nos âmes après la mort la douteuse consolation de la métastatique, il nous faut encore tenir compte de l'accident individuel, le mille deuxième accident de la circulation parmi ceux qui ont été décidés dans l'Hadès pour la Fête de l'Indépendance. Non, non, si nous voulons être sérieux quant à l'au-delà, ne commençons pas en l'abaissant au niveau d'un conte de science-fiction ou d'un cas type du spiritualisme. La pensée qu'une âme plonge dans une vie future chaotique et sans limites, sans Providence pour la diriger...

SHADE : N'y a-t-il pas toujours une divinité psychopompe au coin de la rue ?

KINBOTE : Pas à ce coin-là, John. Sans Providence, l'âme doit s'en remettre à la poussière de son enveloppe, à l'expérience amassée durant sa réclusion corporelle, et s'accrocher puérilement à des principes de provinciaux, à des arrêtés municipaux et à une personnalité consistant surtout en l'ombre de ses propres barreaux de prison. Un esprit religieux ne peut envisager un seul instant une telle idée. Il est tellement plus intelligent — même du point de vue d'un fier infidèle ! — d'accepter la Présence de Dieu, d'abord une faible phosphorescence, une lueur pâle dans le vague de la vie corporelle, et ensuite un éclat aveuglant. Moi aussi, moi aussi, mon cher John, j'ai été assailli à une époque par les doutes religieux. L'Église m'a aidé à les combattre. Elle m'a également aidé à ne pas trop demander, à ne pas demander une image trop claire de l'inimaginable. Saint Augustin a dit...

SHADE : Pourquoi doit-on *toujours* me citer saint Augustin ?

KINBOTE : Comme le disait saint Augustin : « On peut savoir ce que Dieu n'est pas ; on ne peut pas savoir ce qu'Il est. » Je crois savoir ce qu'Il n'est pas : Il n'est pas le désespoir, Il n'est pas la terreur, Il n'est pas la terre dans la gorge qui râle, ni ce noir bourdonnement qui passe du rien au rien dans l'oreille. Je sais également que le monde n'est pas un événement fortuit et que d'une façon ou de l'autre, l'Esprit est un facteur essentiel dans la création de l'univers. Tout en essayant de trouver un nom approprié à cet Esprit universel, ou Cause première, ou Absolu, ou Nature, je propose que le Nom de Dieu ait la priorité.

Vers 550 : Débris

Je veux dire quelque chose à propos d'une note antérieure (la note au vers 12). La conscience et l'érudition ont débattu la question, et je crois à présent que le sens des deux vers donné dans cette note est faussé et empreint d'un désir secret. C'est bien la seule fois, au cours de l'élaboration de ces commentaires difficiles, que je me suis attardé, dans ma détresse et ma déception, au bord de la falsification. Je dois demander au lecteur de négliger ces deux vers. Je pourrais les enlever avant la publication, mais ceci m'obligerait à retravailler toute la note, ou une partie considérable du moins, et je n'ai pas de temps à perdre à de telles âneries.

Vers 557-558 : Comment reconnaître dans les ténèbres,
avec un sursaut,
Terra la Belle, une bille de jaspe.

Le plus joli distique de ce chant.

Vers 579 : L'autre

Loin de moi l'idée de suggérer l'existence de quelque autre femme dans la vie de mon ami. Il joua sereinement le rôle du mari exemplaire qui lui avait été attribué par ses admirateurs provinciaux, et il avait, d'autre part, une peur mortelle de sa femme. J'ai arrêté plus d'une fois les fomentateurs de cancans qui liaient le nom de John à celui d'une de ses étudiantes (voir l'Introduction). Récemment, des romanciers américains, dont la plupart sont membres d'une section unie d'anglais qui, dans l'ensemble, doit être plus imprégnée de talent littéraire, de caprices freudiens, et d'ignoble appétit hétérosexuel que le reste du monde, ont épuisé le sujet; par conséquent, je ne pourrais envisager l'ennui d'introduire cette jeune fille ici. De toute façon, je la connaissais à peine. Un soir, je l'invitai avec les Shade à une petite réception, dans le but précis de réfuter ces bruits ; et ceci me rappelle que je devrais dire quelque chose au sujet du curieux rituel des invitations et contre-invitations dans la morne cité de New Wye.

Après avoir consulté mon petit agenda, je vois que durant les cinq mois de ma liaison avec les Shade, je fus invité à leur table exactement trois fois. L'initiation eut lieu le samedi 14 mars, lorsque je dînai chez eux avec les personnes suivantes : Nattochdag (que je voyais quotidiennement dans son bureau); le Professeur Gordon de la section de musique (qui accapara complètement la conversation); le chef de la section de russe (pédant risible sur lequel il vaut mieux ne pas s'attarder) ; et trois ou quatre femmes interchangeables dont une (Mrs. Gordon, je crois) était enceinte, et une autre, une parfaite étrangère, qui me parla sans arrêt, m'inonda de mots plus précisément, de huit heures à onze, à la suite d'une malheureuse distribution des fauteuils disponibles après dîner. La deuxième fois, un souper moins important mais pas plus intime pour autant, le samedi 23 mai ; il y avait Milton Stone (un nouveau bibliothécaire avec qui Shade discuta jusqu'à minuit de la classification de certains ouvrages concernant notre Université) ; le bon vieux Nattochdag (que je continuais à voir chaque jour) ; et une Française non désodorisée (qui me brossa un tableau complet des conditions d'enseignement des langues à l'Université de Californie). La date de mon troisième et dernier repas chez les Shade n'est pas inscrite dans mon carnet, mais je sais que ce fut un matin de juin ; alors que j'apportais un beau plan du château du Roi à Onhava que j'avais dessiné, avec toutes sortes de subtilités héraldiques, et un soupçon de peinture dorée que j'avais eu quelque difficulté à obtenir, on me pressa avec bienveillance de rester pour un déjeuner improvisé. Je devrais ajouter qu'en dépit de mes protestations, on ne tint compte, à aucun des trois repas, des restrictions de mon ordinaire végétarien, et je fus exposé à des matières animales dans ou autour des quelques légumes contaminés que j'aurais pu daigner goûter. Je pris une revanche éclatante. De la douzaine d'invitations que je leur fis, les Shade n'en acceptèrent que trois. Chacun de ces repas était élaboré autour d'un légume que je soumis à autant d'exquises métamorphoses que Parmentier en fit subir à son tubercule favori. Chaque fois, je n'avais qu'un invité supplémentaire pour tenir compagnie à Mrs. Shade (qui, s'il vous plaît, — éclaircissant ma voix pour lui donner un timbre féminin — était allergique aux artichauts, aux avocats, aux amandes africaines — en fait, à tout ce qui commençait par un *a*). Je ne connais rien de plus apte à vous couper l'appétit que de n'avoir que des personnes âgées assises autour d'une table, tachant leur serviette de la détrition de leur maquillage, et essayant subrepticement, sous le couvert de sourires anodins, de déloger l'écharde d'une graine de framboise coincée entre le dentier et la gencive. J'invitais donc des jeunes gens, des étudiants : la première fois, le fils d'un padischah ; la deuxième fois, mon jardinier ; et la troisième fois, cette fille au collant noir, avec ce long visage blanc et ces paupières peintes d'un vert de goule ; mais elle arriva très tard et les Shade partirent très tôt — en fait, je doute que la confrontation ait duré plus de dix minutes après quoi j'eus la tâche de divertir la jeune fille en faisant jouer des disques jusqu'à une heure tardive quand elle téléphona finalement à quelqu'un pour l'accompagner à un « bistrot » à Dulwich.

Vers 584 : La mère et l'enfant

Es ist die Mutter mit ihrem Kind (voir la note au vers 664).

Vers 596 : Il montre du doigt les flaques dans sa chambre de sous-sol.

Nous connaissons tous ces rêves où s'infiltre quelque chose de stygien et où le Léthé a des fuites dans le sens lugubre d'une tuyauterie défectueuse. A la suite de ce vers, il y a un faux départ conservé sur le brouillon — et j'espère que le lecteur ressentira quelque chose du frisson qui descendit dans ma longue et souple colonne vertébrale quand je découvris cette variante :

L'assassin mort devrait-il essayer d'étreindre
Sa victime outragée à qui il doit maintenant faire face ?
Les objets ont-ils une âme ? Les grands temples
Et la poussière de Tanagra dussent-ils également périr ?

La dernière syllabe de « Tanagra » et les trois premières lettres de « dussent » forment le nom du meurtrier dont le *shargar* (fantôme débile) allait bientôt se trouver face à l'esprit rayonnant de notre poète. « Simple hasard ! » peut s'écrier le lecteur prosaïque. Mais laissez-le tenter de voir, comme je l'ai fait, combien de combinaisons semblables sont possibles et plausibles. « Lénin*grad us*urpa Pétrograd ? »

Cette variante est tellement prodigieuse que seuls la discipline de l'érudition et un égard scrupuleux pour la vérité m'empêchèrent de l'insérer ici et de faire disparaître quatre vers ailleurs (par exemple les médiocres vers 627-630) afin de garder intacte la longueur du poème.

Shade composa ces vers le mardi 14 juillet. Que faisait Gradus ce jour-là ? Rien. Le destin combinatoire repose sur ses lauriers. Nous l'avons vu une dernière fois en fin d'après-midi, le 10 juillet, quand il revint de Lex à son hôtel de Genève, et nous l'abandonnâmes là.

Gradus passa les quatre jours suivants à se faire du mauvais sang à Genève. Chez ces hommes d'action, le paradoxe amusant est qu'ils doivent constamment supporter de longues périodes d'oisiveté qu'ils sont incapables de remplir avec quoi que ce soit, étant privés des ressources d'un esprit aventureux. Comme beaucoup de gens de peu de culture, Gradus était un lecteur vorace de journaux, pamphlets, imprimés, et de cette littérature polyglotte qui accompagne les gouttes pour le nez et les pilules digestives ; mais ceci résumait ses concessions à la curiosité intellectuelle, et comme sa vue n'était pas trop bonne, et la consommation possible de nouvelles régionales assez limitée, il devait compter pour une grande partie sur la torpeur des terrasses de cafés et sur le pis-aller du sommeil.

Combien plus heureux sont les indolents éveillés, ces monarques parmi les hommes, les riches cerveaux monstrueux qui peuvent tirer une jouissance intense et des transports d'enthousiasme de la balustrade d'une terrasse à la tombée de la nuit, des lumières et du lac qu'ils dominent, des formes des montagnes lointaines qui se fondent dans l'abricot sombre du couchant, des conifères noirs sur le fond d'encre pâle du zénith, et des mouvements grenat et verts de l'eau le long de la côte silencieuse, triste et interdite. Oh, mon doux Boscobel ! Et les tendres et terribles souvenirs, et la honte, et la gloire, et les affolantes intimations, et l'étoile qu'aucun membre du parti ne pourra jamais atteindre.

Mercredi matin, toujours sans nouvelles, Gradus envoya un télégramme à son quartier général disant qu'il estimait imprudent d'attendre plus longtemps et qu'il descendrait à l'hôtel Lazuli, à Nice.

Vers 597-608 : Les pensées dont nous devrions faire l'appel, etc.

Ce passage devrait être associé dans l'esprit du lecteur à l'extraordinaire variante donnée dans la note précédente, car une semaine plus tard seulement, « Tana*gra du*ssent » et « nos mains royales » devaient se rencontrer, dans la vie réelle, dans la mort réelle.

S'il ne s'était échappé, notre Charles II aurait pu être exécuté ; c'est sans aucun doute ce qui serait arrivé s'il avait été appréhendé entre le palais et les grottes Rippleson ; mais il ne sentit que rarement ces doigts boudinés du destin durant sa fuite ; il les sentit le chercher à tâtons (comme les doigts d'un sinistre vieux berger s'assurant de la virginité d'une de ses filles) quand il glissait, ce soir-là, sur le flanc humide et couvert de fougères du mont Mandevil (voir la note au vers 149), et le jour suivant, à une altitude plus fantastique, dans le bleu troublant, où le montagnard prend conscience d'un compagnon fantôme. Plusieurs fois, cette nuit-là, notre Roi se jeta par terre avec la résolution désespérée d'y rester jusqu'à l'aube où il pourrait se déplacer avec moins de tourments, quels que fussent les dangers qu'il courait. (Je pense à un autre Charles, un roi d'Angleterre, grand et sombre, de près de deux mètres.) Mais tout ceci était plutôt physique, ou névrosique, et je sais parfaitement bien que mon Roi, s'il avait été attrapé et condamné et amené devant le peloton d'exécution, se serait conduit comme il le fait dans les vers 606-608 : c'est ainsi qu'il aurait regardé autour de lui avec un sang-froid insolent, et c'est ainsi qu'il aurait pu.

Accabler nos inférieurs de sarcasmes, ridiculiser gaiement
Les imbéciles dévoués à la cause, et leur cracher
Dans les yeux, histoire de se distraire.

Qu'on me permette d'achever cette note avec un aphorisme plutôt antidarwinien : Celui qui tue est *toujours* inférieur à sa victime.

Vers 603 : Écouter de lointains coqs chanter

On se souviendra de l'admirable image dans un poème récent d'Edsel Ford :

Et souvent, quand le coq chantait, faisant jaillir
Le feu du matin et du las brumeux.

Un las (en zemblien *muwan*) est un champ contigu à une grange.

Vers 609-614 : On ne peut aider, etc.

Ce passage est différent sur le premier jet :

609 *On ne peut aider l'exilé saisi par la mort*
Dans une auberge quelconque exposée au souffle brûlant
De cette Amérique, cette nuit humide :
A travers les lames des stores, des bandes de lumière
Colorée cherchent son lit à tâtons — magiciens du passé
Avec des joyaux philtres — et la vie s'écoule rapidement.

Ceci décrit assez bien l' « auberge quelconque », une cabane de bois, avec une salle de bains carrelée, où j'essaie de coordonner ces notes. Au début, j'étais grandement gêné par le tintamarre d'une diabolique musique de radio venant de ce que je croyais être une sorte de parc d'attractions de l'autre côté de la route — il s'avéra que c'étaient des campeurs — et je pensais à changer d'endroit quand ils me devancèrent. Maintenant c'est plus calme, à l'exception d'un vent agaçant qui s'agite à travers les trembles desséchés, et Cedarn est redevenu une ville fantôme, et il n'y a pas d'estivants idiots ou d'espions pour me dévisager, et mon petit pêcheur en blue-jeans n'est plus sur son rocher au milieu du ruisseau, et peut-être est-ce mieux ainsi.

Vers 615 : deux langues

Anglais et zemblien, anglais et russe, anglais et letton, anglais et estonien, anglais et lituanien, anglais et russe, anglais et ukrainien, anglais et polonais, anglais et tchèque, anglais et russe, anglais et hongrois, anglais et roumain, anglais et albanais, anglais et bulgare, anglais et serbo-croate, anglais et russe, américain et européen.

Vers 619 : germe du tubercule

Le jeu de mots germe (voir vers 502).

Vers 627 : Le grand Starover Blue

Vraisemblablement, la permission du Professeur Blue a été obtenue, mais quoi qu'il en soit, plonger une personne réelle, peu importe sa complaisance et sa bonne volonté, dans un milieu inventé où on lui fait tenir un rôle en rapport avec l'invention, nous frappe comme étant un expédient d'un mauvais goût particulier, spécialement lorsque les autres personnages réels, sauf les membres de la famille, naturellement, sont cachés sous des pseudonymes dans le poème.

Ce nom, sans doute, est au plus haut point tentant. L'étoile au-dessus du bleu convient éminemment à un astronome quoique en fait ni son prénom ni son nom de famille n'aient la moindre parenté avec la voûte céleste : on lui donna son prénom en souvenir de son grand-père, un *starover* russe (avec l'accent sur la dernière syllabe, incidemment), c'est-à-dire Vieux Croyant (membre d'une secte schismatique) appelé Sinyavin, de *siniy,* « bleu » en russe. Ce Sinyavin émigra de Saratov à Seattle et il eut un fils qui changea par la suite son nom en Blue et qui épousa Stella Lazurchik, une Kasubienne américanisée. C'est ce qu'on raconte. Ce brave Starover Blue sera sans doute surpris par l'épithète que lui a conférée un Shade moqueur. L'écrivain se sent porté à rendre ici un petit hommage à l'aimable vieil excentrique, adoré par tout le monde à l'Université et que les étudiants avaient surnommé Colonel Starbottle, car il était exceptionnellement bon convive. Après tout, il y avait d'autres grands hommes dans l'entourage de notre poète... Par exemple, ce remarquable érudit zemblien, Oscar Nattochdag.

Vers 629 : Le destin des bêtes

Au-dessus de ceci, le poète écrivit et raya :

Le destin du fou

Le destin ultime de l'âme des fous a été sondé par plusieurs théologiens zembliens qui sont d'avis que même l'esprit le plus dément contient encore dans sa masse atteinte une particule fondamentale saine qui survit à la mort et qui se dilate soudain, jaillit pourrait-on dire, en éclats d'un rire salubre et triomphant, alors que le monde des imbéciles timorés et des têtes de bois en bon état s'est affaissé loin derrière. Personnellement, je n'ai pas connu de lunatiques : mais j'ai entendu parler de nombreux cas amusants à New Wye (« Je suis même en Arcadie », dit la Démence, enchaînée à sa colonne grise). Il y eut par exemple un étudiant qui devint fou furieux. Il y eut un vieil employé du collège qui était immensément digne de confiance et qui un jour, dans la salle de projection, montra à une étudiante pudibonde une chose dont elle avait sans doute vu de meilleurs spécimens ; mais le cas que je préfère est celui d'un cheminot d'Exton dont la folie douce me fut décrite par Mrs. H., entre toutes. Il y avait une grande soirée des Cours d'Été chez les Hurley à laquelle m'avait amené un de mes partenaires de ping-pong, un copain des fils Hurley, parce que je savais que mon poète allait y réciter quelque chose et j'étais fou d'appréhension croyant que ça pourrait être ma Zembla (il s'avéra que c'était un poème obscur écrit par un de ses obscurs amis — mon

Shade était très bon pour ceux qui n'avaient pas de succès). Le lecteur me comprendra si je dis qu'à mon altitude je ne puis jamais me sentir « perdu » dans une foule, mais il est également vrai que je ne connaissais pas beaucoup de monde chez les H. Comme je circulais à travers la cohue, un sourire sur le visage et un cocktail à la main, j'entrevis enfin le dessus de la tête de mon poète et le chignon d'un brun éclatant de Mrs. H. émergeant des dossiers de deux fauteuils adjacents. Comme j'avançais derrière eux, je l'entendis s'opposer à une remarque qu'elle venait de faire.

« Ce n'est pas le mot approprié, dit-il. On ne devrait pas l'appliquer à une personne qui se dépouille délibérément d'un passé gris et malheureux et qui le remplace par une invention éclatante. C'est tout simplement tourner une nouvelle page de la main gauche. »

Je tapotai la tête de mon ami et m'inclinai légèrement devant Eberthella H. Le poète me regarda avec des yeux hébétés. Elle dit :

« Venez à notre secours, Mr. Kinbote : je maintiens que — quel est son nom, le vieux — le vieil homme, vous savez, à la gare d'Exton, qui se prenait pour Dieu et qui avait commencé à faire prendre une nouvelle direction aux trains, était techniquement un timbré, mais John l'appelle un confrère poète.

— En un sens, Madame, nous sommes tous poètes », répondis-je, et j'offris une allumette allumée à mon ami qui avait sa pipe entre les dents et se tâtait le torse des deux mains.

Je ne suis pas certain que cette variante insignifiante valait la peine d'être commentée ; en effet, tout le passage sur les activités de l'I.P.H. serait assez héroïco-burlesque si ses vers prosaïques avaient été plus courts d'un pied.

Vers 662 : Qui erre si tard dans la nuit et le vent

Ce vers, et en fait le passage entier (vers 653-664), fait allusion au célèbre poème de Goethe sur le Roi des Aulnes, l'enchanteur chenu du bois d'aunes infesté de sylphes, qui tombe amoureux du délicat petit garçon d'un voyageur attardé. On ne saurait trop admirer la manière ingénieuse dont Shade s'arrange pour transférer quelque chose du rythme brisé de la ballade (au fond un mètre trisyllabique) dans son vers ïambique :

/ / / /
662 *Qui erre si tard dans la nuit et le vent*
663 ....
/ / / /
664 ... *C'est le père avec son enfant*

Les deux vers de Goethe qui ouvrent le poème se traduisent très exactement et avec une grande beauté, avec la gratification d'une rime inattendue (ainsi qu'en français : *vent-enfant*), dans ma langue natale :

/ / / /
Ret woren ok spoz on natt ut vett ?
/ / / /
Eto est votchez ut mid ik dett.

Un autre souverain fabuleux, le dernier roi de Zembla, se répétait constamment ces vers obsédants en zemblien et en allemand, comme un accompagnement fortuit au tambourinage de la fatigue et de l'anxiété, tandis qu'il grimpait à travers la zone de fougères des sombres montagnes qu'il devait franchir dans son échappée vers la liberté.

Vers 671-672 : L'Hippocampe indompté

Voir *Ma dernière duchesse* de Browning.

Voyez le poème et condamnez l'expédient à la mode qui consiste à donner pour titre à une collection d'essais ou à un volume de poésie — ou un long poème, hélas — une phrase prise dans une œuvre poétique plus ou moins célèbre du passé. De tels titres possèdent un prestige trompeur acceptable peut-être dans les noms de vins de marque et de courtisanes grassouillettes mais tout simplement avilissant à l'égard du talent qui substitue l'aspect allusif d'une érudition assez facile à l'imagination créatrice et fait peser sur les épaules d'un buste la responsabilité d'un style trop fleuri puisque n'importe qui peut feuilleter *Songe d'une Nuit d'Été* ou *Roméo et Juliette* et faire son choix.

Vers 678 : en français

Deux de ces traductions parurent dans le numéro d'août de la *Nouvelle Revue Canadienne* qui parvint aux librairies de College Town dans la dernière semaine de juillet, c'est-à-dire en un temps de tristesse et de confusion mentale alors que le bon goût m'interdisait de montrer à Sybil Shade quelques-unes des notes critiques que je fis dans mon agenda de poche.

Dans sa version du fameux *Sonnet mystique X* de Donne composé durant son veuvage :

Death be not proud, though some have called thee
Mighty and dreadful, for, thou art not so

on déplore l'éjaculation superflue dans le second vers, introduite à cet endroit simplement pour coaguler la césure :

Ne sois pas fière, Mort ! Quoique certains te disent
Et puissante et terrible, ah, Mort, tu ne l'es pas

et tandis que la rime centrale *so-overthrow* (vers 2-3) vient à point pour trouver une contrepartie facile dans *pas-bas*, on s'oppose aux vers extérieurs *disent-prise* (1-4) qui seraient, dans un sonnet *français circa* 1617, une impossible infraction à la règle visuelle.

Je n'ai pas ici l'espace pour citer de nombreux autres barbouillages et bévues dans cette version canadienne de la dénonciation de la Mort faite par le Doyen de Saint-Paul, la mort, cette esclave — non seulement du « destin » et du « hasard » — mais de nous (« rois et hommes désespérés »).

L'autre poème, *La Nymphe sur la Mort de son Faune* d'Andrew Marvell, semble être, techniquement, encore plus difficile à mettre en vers français. Si, dans la traduction de Donne, Miss Irondell était parfaitement justifiée de remplacer les pentamètres anglais par des alexandrins français, je me demande si elle se devait de préférer ici l'*impair* et d'adapter en neuf syllabes ce que Marvell fait tenir en huit. Dans les vers :

And, quite regardless of my smart,
Left me his fawn but took his heart

qui sont traduits par :

Et se moquant bien de ma douleur
Me laissa son faon, mais prit son cœur

on regrette que la traductrice, même avec l'aide d'une matrice prosodique plus ample, ne se soit pas arrangée pour replier les longues jambes de son faon français et pour traduire *quite regardless of* par « sans le moindre égard pour » ou quelque chose dans cette veine.

Plus loin, le distique

Thy love was far more better than
The love of false and cruel man

bien que traduit littéralement :

Que ton amour était fort meilleur
Qu'amour d'homme cruel et trompeur

n'est pas aussi pur idiomatiquement qu'il pourrait le sembler à première vue. Et enfin, le charmant distique terminal :

Had it lived long it would have been
Lilies without, roses within

contient dans le français de notre amie non seulement un solécisme mais encore cette sorte d'enjambement illégal dont un traducteur est coupable lorsqu'il dépasse le feu rouge de la rime :

Il aurait été, s'il eût longtemps
Vécu, lys dehors, roses dedans.

Avec quelle splendeur ces deux vers peuvent être mimés et rimés dans notre magique zemblien (« la langue du miroir » comme la définissait le grand Conmal) !

Id wodo bin, war id lev lan,
Indran iz lil ut roz nitran.

Vers 680 : Lolita

Les cyclones importants ont des noms féminins en Amérique. Le genre féminin n'est pas tellement suggéré par le sexe des furies et des vieilles mégères que par une application professionnelle générale. Ainsi, toute mécanique devient « elle » pour son usager affectueux, comme tout feu — même le plus « pâle » ! — est féminin pour le pompier et comme l'eau est féminine pour le plombier passionné. On ne voit pas trop bien pourquoi notre poète a choisi de donner à son ouragan de 1958 un nom espagnol peu usité (on le donne parfois aux perroquets) au lieu de Linda ou Loïs.

Vers 681 : De sombres Russes espionnèrent

Cet air sombre n'a généralement rien de vraiment métaphysique ou racial. C'est tout simplement le signe extérieur d'un nationalisme congestionné et le sentiment d'infériorité d'un provincial — ce redoutable mélange tellement typique des Zembliens sous la domination des extrémistes, et des Russes sous le régime soviétique. Dans la Russie moderne, les idées sont des blocs taillés à la machine et mises en circulation dans des couleurs unies ; la nuance est interdite, l'intervalle muré, la courbe grossièrement échelonnée.

Cependant, les Russes ne sont pas tous sombres, et les deux jeunes experts de Moscou que notre nouveau gouvernement avait engagés pour retrouver les joyaux de la couronne zemblienne s'avérèrent positivement joviaux. Les extrémistes avaient raison de croire que le Baron Bland, le gardien du Trésor, avait réussi à cacher ces joyaux avant de sauter ou de tomber de la tour du Nord ; mais ils ignoraient qu'il avait eu un aide et avaient tort de croire que les joyaux devaient être recherchés dans le palais que le doux Baron Bland aux cheveux blancs n'avait jamais quitté sauf pour mourir. Je puis ajouter, avec une satisfaction pardonnable, qu'ils étaient, et sont toujours, cachés dans un coin totalement différent — et assez inattendu — de la Zembla.

Dans une note précédente (au vers 130), le lecteur a déjà aperçu ces deux chasseurs de trésor à l'œuvre.

Après l'évasion du Roi et la tardive découverte du passage secret, ils poursuivirent leurs consciencieuses excavations jusqu'à ce que le palais soit tout ravagé et partiellement détruit, le mur entier d'une pièce s'écroulant une nuit, pour découvrir, dans une niche dont personne n'avait soupçonné la présence, une ancienne salière en bronze et la corne à boire du Roi Wigbert ; mais vous ne trouverez jamais notre couronne, notre collier et notre sceptre.

Tout ceci est la règle d'un jeu divin, tout ceci est l'immuable fable du destin, et ne devrait pas être interprété comme portant atteinte à l'efficacité des deux experts soviétiques — qui, de toute façon, allaient réussir merveilleusement lors d'une occasion ultérieure dans un autre boulot (voir la note au vers 741). Leurs noms (probablement fictifs) étaient Andronnikov et Niagarin. On a rarement vu, du moins dans un musée de personnages de cire, une paire de types plus charmants et plus présentables. Tout le monde admirait leurs mâchoires rasées de près, leurs expressions faciales élémentaires, leur chevelure ondoyante et leurs dents parfaites. Le grand et bel Andronnikov souriait rarement mais les petits rayons des rides de sa chair orbitaire accusaient un humour infini tandis que les sillons jumeaux descendant des deux coins de ses narines bien faites évoquaient d'éclatantes associations avec les plus grands pilotes et les héros du Far-West. Niagarin, cependant, était relativement petit et avait des traits plus arrondis quoique parfaitement virils, et de temps à autre il lançait un grand sourire enfantin évoquant ces chefs scouts qui ont quelque chose à cacher, ou ces messieurs qui trichent dans les jeux télévisés. C'était un spectacle délicieux de voir les deux splendides damoiseaux soviétiques s'agiter dans la cour et frapper un ballon de football gris de poussière et sonnant plein (qui semblait tellement énorme et chauve dans un tel cadre). Andronnikov pouvait le faire rebondir sur son orteil une douzaine de fois avant de l'envoyer d'un coup de pied de volée comme une fusée à la verticale dans les cieux mélancoliques, surpris, incolores, inoffensifs ; et Niagarin pouvait imiter à la perfection les maniérismes d'un certain gardien de but stupéfiant des Dynamos. Ils distribuaient aux marmitons des caramels russes avec des prunes ou des cerises peintes sur les riches et succulents papiers d'emballage à six coins qui contenaient une enveloppe de papier plus mince renfermant une momie mauve ; et on savait que de lascives paysannes s'avançaient à pas de loup sur les *drungen* (sentiers couverts de ronces) jusqu'au pied des murailles quand les deux silhouettes se découpant sur le ciel empourpré à présent chantaient de beaux duos militaires sentimentaux à la tombée du jour sur le rempart. Niagarin avait une émouvante voix de ténor, et Andronnikov une solide voix de baryton et ils portaient tous deux d'élégantes bottes de souple cuir noir, et le ciel se détournait en montrant ses vertèbres éthérées.

Niagarin qui avait vécu au Canada parlait anglais et français ; Andronnikov possédait quelques notions d'allemand. Le peu de zemblien qu'ils connaissaient était prononcé avec ce comique accent russe qui donne aux voyelles une sorte de plénitude sonore didactique. Les gardes extrémistes les considéraient comme des modèles d'élégance, et mon cher Odonello reçut un jour une sévère réprimande du commandant pour ne pas avoir résisté à la tentation d'imiter leur démarche : tous deux marchaient avec un petit air désinvolte identique, et ils étaient tous deux manifestement bancals.

Quand j'étais enfant, la Russie jouissait d'une grande popularité à la cour zemblienne mais c'était une Russie différente — une Russie qui haïssait les tyrans et les philistins, l'injustice et la cruauté, la Russie des grandes dames et des gentilshommes et des aspirations libérales. Nous pouvons ajouter que Charles le Bien-Aimé pouvait se vanter d'avoir un peu de sang russe. Au Moyen Age, deux de ses ancêtres avaient épousé des princesses de Novgorod. La Reine Yaruga (qui régna de 1799 à 1800) son arrière-arrière-grand-mère, était à moitié russe ; et la plupart des historiens croient que l'enfant unique de Yaruga, Igor, n'était pas le fils d'Uran l'Ultime (qui régna de 1798 à 1799) mais le fruit de ses amours avec l'aventurier russe Hodinski, son *goliart* (bouffon de la cour) et un poète de génie que l'on dit avoir composé durant ses heures de loisir une célèbre vieille *chanson de geste* russe, généralement attribuée à un barde anonyme du XIIe siècle.

Vers 682 : Lang

Sans doute un Fra Pandolf moderne. Je ne me souviens pas avoir vu de toile semblable dans la maison. Peut-être Shade pensait-il à un portrait photographique ? Il y en avait un sur le piano, et un autre dans le bureau de Shade. Combien plus équitable ç'aurait été pour les lecteurs de Shade et de son ami si la dame avait daigné répondre à quelques-unes de mes urgentes demandes.

Vers 691 : l'attaque

La crise cardiaque de John Shade (17 octobre 1958) coïncida pratiquement avec l'arrivée du Roi déguisé en Amérique où il sauta en parachute d'un avion nolisé, piloté par le colonel Montacute, dans un champ de luxuriantes herbes porteuses de la fièvre des foins, près de Baltimore, dont le loriot n'est pas un loriot. Tout avait été parfaitement minuté, et il se débattait encore avec le machin français peu familier quand la Rolls-Royce du manoir de Sylvia O' Donnel bifurqua d'une route vers ses soies vertes et s'approcha le long du *mowntrop* avec ses grosses roues qui sautillaient d'une façon désapprobatrice et sa brillante carrosserie noire qui avançait lentement. J'éluciderais volontiers cette histoire de parachutage mais (puisqu'il s'agit d'un problème de pure tradition sentimentale plutôt que d'un utile moyen de transport) ce n'est pas strictement nécessaire dans ces notes à *Feu pâle*. Tandis que Kingsley, le chauffeur anglais, un vieux serviteur absolument fidèle, faisait de son mieux pour fourrer le volumineux parachute mal plié dans le coffre, je me reposai sur une canne-siège qu'il m'avait fournie, en sirotant un délicieux scotch à l'eau provenant du bar de la voiture et en jetant un coup d'œil (au milieu d'une ovation de grillons et de ce tourbillon de papillons jaunes et marron qui plut tellement à Chateaubriand à *son* arrivée en Amérique) à un article du *New York Times* dans lequel Sylvia avait vigoureusement barbouillé et souligné au crayon rouge une communication de New Wye qui annonçait l'hospitalisation de « l'éminent poète ». Je m'étais réjoui à la pensée de rencontrer mon poète américain favori qui, comme j'en étais sûr à ce moment, allait mourir bien avant la fin de l'année scolaire, mais la déception n'était rien de plus qu'un geste de résignation mentale et, rejetant le journal, je regardai les alentours avec enchantement et avec un sentiment de bien-être physique en dépit de mon nez congestionné. Au-delà du champ, de grands plateaux d'herbe verte montaient vers des taillis multicolores ; par-dessus les taillis, on pouvait apercevoir la blanche arcade du manoir ; les nuages se fondaient dans le bleu. Kingsley m'offrit un autre verre mais je le refusai, et vins m'asseoir avec lui, démocratiquement, sur la banquette avant. Mon hôtesse était au lit, souffrant des suites d'une piqûre spéciale qu'elle avait dû subir en vue d'un voyage dans un certain coin d'Afrique. En réponse à mon : « Comment allez-vous ? » elle murmura que les Andes avaient été simplement merveilleuses, et puis d'une voix légèrement moins indolente s'enquit d'une célèbre actrice avec qui son fils, disait-on, vivait dans le péché. « Odon, dis-je, m'avait promis qu'il ne l'épouserait pas. » Elle s'informa de mon saut et fit sonner une cloche de bronze. Chère vieille Sylvia ! Elle partageait avec Fleur de Fyler un air évasif, une langueur dans son comportement qui était partiellement naturel et partiellement cultivé pour lui servir d'alibi commode quand elle était ivre, et elle s'arrangeait pour combiner d'une façon merveilleuse cette indolence avec une volubilité qui rappelait un ventriloque dont le débit lent est interrompu par sa poupée bavarde. Immuable Sylvia ! Durant trois décennies j'avais vu de temps à autre, d'un palais à l'autre, ces mêmes cheveux châtains plats et coupés court, ces yeux enfantins bleu clair, le sourire vague, les longues jambes élégantes, les souples mouvements hésitants.

Un plateau de fruits et de boissons fut apporté par une *jeune beauté*, comme l'aurait dit ce cher Marcel, et on ne pouvait éviter de penser à un autre auteur, Gide le Lucide, qui, dans les notes de son voyage en Afrique, fait un si vibrant éloge de la peau satinée des petits diables noirs.

« Il s'en est fallu de peu que vous ne ratiez l'occasion de rencontrer notre plus brillante étoile », dit Sylvia qui était le membre le plus important du conseil d'administration de l'Université de Wordsmith (et qui, en fait, était l'unique responsable et organisatrice de mon amusant séjour de conférencier à cet endroit). « Je viens juste d'appeler l'Université — oui, prenez ce tabouret — et il va beaucoup mieux. Goûtez ces fruits de mascana, je les ai fait venir spécialement pour vous, mais le garçon est strictement hétéro, et, d'une manière générale, Votre Majesté devra être assez prudente à partir de maintenant. Je suis certaine que vous vous plairez là-bas mais j'aimerais bien savoir ce qui peut pousser quelqu'un à être si enthousiaste à l'idée de donner des cours de zemblien. Je crois que Disa devrait venir elle aussi. J'ai loué pour vous ce qu'on dit être leur meilleure demeure, et elle est située près des Shade. »

Elle ne les connaissait que très vaguement, mais Billy Reading, « un des très rares présidents d'universités américaines qui sache le latin », lui avait raconté plusieurs histoires attachantes au sujet du poète. Qu'on me permette d'ajouter ici combien je fus honoré une quinzaine de jours plus tard de rencontrer à Washington ce splendide gentilhomme américain peu énergique, distrait, pauvrement vêtu et dont l'esprit était une bibliothèque et non pas une salle de débats contradictoires. Sylvia prit l'avion le lundi suivant mais je m'attardai encore un peu pour me reposer de mes aventures à rêvasser, à lire, à prendre des notes et à faire de nombreuses promenades à cheval dans cette belle région en compagnie de deux charmantes dames et de leur timide petit valet d'écurie. Au moment de quitter un endroit qui m'était devenu cher, je me suis souvent senti comme un bouchon serré qu'on tire pour laisser couler le sombre vin doux, et puis on s'envole vers de nouveaux vignobles et de nouvelles conquêtes. Je passai quelques mois agréables à visiter les bibliothèques de New York et de Washington ; à Noël, je pris l'avion pour la Floride, et quand je fus prêt à me rendre dans ma nouvelle Arcadie il me sembla gentil et respectueux d'envoyer au poète un mot poli le félicitant de s'être rétabli et l' « avertissant », pour rire, qu'il aurait comme voisin au début de février un de ses très fervents admirateurs. Je n'ai jamais reçu de réponse et on ne mentionna jamais mon geste de politesse par la suite, de sorte que je suppose que mon petit mot se perdit parmi les nombreuses lettres d'admirateurs que les célébrités littéraires reçoivent, bien qu'on ait pu s'attendre à ce que Sylvia ou quelqu'un d'autre avertisse les Shade de mon arrivée.

En effet, le rétablissement du poète s'avéra très rapide et on aurait pu le considérer comme miraculeux si son cœur avait eu quelque défaut organique. Il n'en était rien ; les nerfs d'un poète peuvent lui jouer les tours les plus étranges, mais ils peuvent également rattraper rapidement le rythme de la santé, et bientôt John Shade, assis au bout d'une table ovale, se remit à parler de Pope, son poète favori, à huit jeunes hommes respectueux, une infirme qui n'appartenait pas à l'Université et trois étudiantes dont l'une faisait rêver les chargés de cours. On avait dit à Shade de ne pas réduire ses exercices habituels tels que les promenades, mais je dois admettre que je ressentis moi-même des palpitations et des sueurs froides à la vue de ce précieux vieillard maniant de grossiers outils de jardinage ou se tortillant dans les escaliers du grand hall de l'Université comme un poisson japonais remontant une cataracte. Incidemment, le lecteur ne devrait pas prendre trop au sérieux ou trop littéralement le passage concernant le médecin alerte (un médecin alerte qui, comme je le sais bien, confondit un jour une névralgie avec une sclérose cérébrale). Comme je l'appris de Shade lui-même, on ne pratiqua aucune incision d'urgence ; le cœur ne fut pas réanimé à la main ; et s'il s'arrêta de pomper tout à fait, la pause dut être très brève et pour ainsi dire superficielle. Tout ceci, bien sûr, ne saurait diminuer la grande beauté épique du passage (vers 691-697).

Vers 697 : Destination plus concluante

Gradus atterrit à l'aéroport de la Côte d'Azur au début de l'après-midi du 15 juillet 1959. En dépit de ses soucis, il ne put s'empêcher d'être impressionné par le torrent de magnifiques camions, d'agiles vélomoteurs et de voitures privées cosmopolites sur la Promenade. Il se rappelait et détestait la chaleur torride et le bleu aveuglant de la mer. L'hôtel Lazuli où il avait passé une semaine avant la Seconde Guerre mondiale, avec un terroriste bosnien poitrinaire, alors que c'était un endroit sordide avec tout juste l'eau courante et fréquenté par de jeunes Allemands, était maintenant un endroit sordide, avec tout juste l'eau courante, fréquenté par de vieux messieurs français. Il était situé dans une rue transversale, entre deux artères, parallèles au quai, et le grondement continu de la circulation enchevêtrée qui se fondait avec le vacarme des travaux de construction qui se poursuivaient sous les auspices d'une grue mécanique en face de l'hôtel (qui avait été entouré d'un calme plat deux décennies plus tôt) fut une délicieuse surprise pour Gradus qui avait toujours aimé un peu de bruit pour lui éviter de penser (« *Ça distrait* », comme il dit à l'épouse de l'aubergiste et à sa sœur qui s'en excusaient).

Après s'être scrupuleusement lavé les mains, il ressortit, avec un frisson d'excitation qui parcourait comme une poussée de fièvre sa tortueuse épine dorsale. A l'une des tables de la terrasse d'un café au coin de sa rue et de la Promenade, un homme avec un veston vert bouteille, assis en compagnie d'une femme qui était visiblement une putain, se couvrit le visage de ses deux paumes, émit le son d'un éternuement assourdi et continua à se voiler le visage de ses mains prétendant attendre le deuxième éternuement. Gradus marchait sur le côté nord du quai. Après s'être arrêté une minute devant la vitrine d'une boutique de souvenirs, il entra, demanda le prix d'un petit hippopotame de verre violet et acheta un plan de Nice et de ses environs. Comme il se dirigeait vers la station de taxis de la rue Gambetta, il remarqua deux jeunes touristes vêtus de chemises aux couleurs voyantes et tachées de sueur, le visage et le cou d'un rose brillant dû à la chaleur et à une imprudente exposition au soleil; ils portaient, soigneusement pliés sur le bras, les vestons croisés et doublés de soie de leurs complets sombres aux pantalons amples et ils ne regardèrent pas notre limier qui, bien qu'il fût exceptionnellement peu observateur, sentit l'ondulation de quelque chose de vaguement familier quand ils le frôlèrent en passant. Ils ne savaient rien de sa présence à l'étranger ou de son intéressant boulot ; en fait, ce n'est que quelques minutes plus tôt que son supérieur, et le leur, avait découvert que Gradus était à Nice et non à Genève. Gradus n'avait pas été averti lui non plus qu'il serait aidé dans ses recherches par les deux sportifs soviétiques, Andronnikov et Niagarin, qu'il avait accidentellement rencontrés une ou deux fois dans les dépendances du palais d'Onhava alors qu'il replaçait un carreau brisé et qu'il vérifiait pour le nouveau gouvernement les rares vitres de Rippleson dans une des anciennes serres royales ; et, l'instant suivant, il avait perdu le fil qui aurait pu les lui faire reconnaître en s'installant avec le tortillement prudent d'une personne aux jambes courtes sur la banquette arrière d'une vieille Cadillac et en demandant à être conduit à un restaurant entre Pellos et le cap Turc. Il est difficile de dire quels étaient les espoirs et les intentions de notre homme. Voulait-il simplement jeter un coup d'œil à une piscine imaginée à travers les myrtes et les lauriers-roses ? S'attendait-il à entendre la suite du morceau de bravoure de Gordon jouée maintenant dans une nouvelle interprétation par deux mains plus grandes et plus fortes ! Se serait-il traîné à pas de loup, pistolet en main, jusqu'à l'endroit où un géant déployé comme un aigle prenait un bain de soleil, ses poils dessinant un aigle déployé sur sa poitrine ? Nous l'ignorons, et Gradus lui-même ne le savait peut-être pas ; de toute façon, un voyage inutile lui fut épargné. Les chauffeurs de taxis d'aujourd'hui sont aussi bavards que les coiffeurs d'antan, et avant même que la vieille Cadillac eût franchi les limites de la ville, notre malheureux tueur savait que le frère de son chauffeur avait travaillé dans les jardins de la villa Disa, mais que personne n'y séjournait actuellement, la Reine étant partie pour l'Italie jusqu'à la fin de juillet.

A l'hôtel, la propriétaire radieuse lui tendit un télégramme. On le réprimandait en danois d'avoir quitté Genève et on lui disait de ne rien entreprendre avant nouvel ordre. On lui conseillait aussi d'oublier son travail et de s'amuser. Mais qu'est-ce qui aurait bien pu l'amuser (à l'exception de rêves sanguinaires) ? Il ne s'intéressait ni à la plage ni aux visites touristiques. Il avait cessé de boire depuis longtemps. Il n'allait pas aux concerts. Il n'était pas joueur. Les désirs sexuels l'avaient grandement gêné à un moment, mais c'était bien fini. Après que sa femme, une enfileuse de perles de Radugovitra, l'eut quitté (pour un amant gitan), il avait vécu dans le péché avec sa belle-mère jusqu'à ce qu'elle soit conduite, aveugle et hydropique, dans un asile pour veuves nécessiteuses. Depuis cette époque, il avait à plusieurs reprises essayé de se castrer, avait été admis au Glassman Hospital pour une grave infection, et maintenant, à l'âge de quarante-quatre ans, il était plutôt guéri de la concupiscence que la Nature, la grande tricheuse, met en nous pour nous inciter à la propagation. Il ne faut pas s'étonner que le conseil de s'amuser l'ait rendu furieux. Je crois que je vais arrêter cette note ici.

Vers 704-707 : Un système, etc.

L'agencement du triple « cellules enchaînées à l'intérieur » est très habilement amené, et on tire une satisfaction logique de l'effet combiné du « système » et du « stémon ».

Vers 727-728 : Non, Mr. Shade... juste la moitié d'une ombre

Un autre bel exemple de la marque spéciale de magie combinatoire de notre poète. Le subtil jeu de mots gravite ici autour de deux significations additionnelles de « Shade », mis à part le synonyme évident de « nuance ». Le Docteur est amené à suggérer que non seulement Shade gardait durant sa crise la moitié de son identité, mais qu'il était aussi la moitié d'un spectre. Connaissant le médecin qui soigna mon ami à ce moment, je me permets d'ajouter qu'il est beaucoup trop balourd pour avoir démontré un tel esprit.

Vers 734-735 : Probablement... sursaut... défaillance... instable

Une troisième volée de feux d'artifice en contrepoint. Le projet du poète est de mettre en évidence dans la texture même de son texte les complexités du « jeu » où il cherche la clé de la vie et de la mort (voir les vers 808 à 829).

Vers 741 : L'éclat extérieur

Le matin du 16 juillet (tandis que Shade travaillait à la section 698-746 de son poème), le triste Gradus, craignant une autre journée d'inactivité forcée dans un Nice sardoniquement animé d'un bruit stimulant, décida qu'il ne bougerait pas, jusqu'à ce que la faim l'en chasse, d'un fauteuil en cuir dans un simulacre de hall au milieu des odeurs brunes de son hôtel crasseux. Sans se hâter, il parcourut une pile de vieux magazines sur une table voisine. Il était assis, petit monument de taciturnité, soupirant, gonflant ses joues, léchant son pouce avant de tourner une page, bouche bée devant les photos, et remuant les lèvres en descendant les colonnes de texte imprimé. Ayant replacé le tout en une pile bien rangée, il se laissa couler dans son fauteuil, joignant et séparant le pignon de ses mains dans les diverses constructions de l'ennui — quand un homme qui avait occupé un fauteuil voisin se leva et s'éloigna dans l'éclat extérieur en abandonnant son journal. Gradus mit le journal sur ses genoux, l'ouvrit et resta figé devant un étrange entrefilet de nouvelles locales qui lui sauta aux yeux : des cambrioleurs s'étaient introduits dans la villa Disa et avaient saccagé un bureau ; ils avaient volé dans une boîte à bijoux un certain nombre de vieilles médailles de valeur.

C'était là matière à ruminer. Cet incident vaguement déplaisant avait-il quelque rapport avec ses recherches ? Devrait-il s'en occuper ? télégraphier aux quartiers généraux ? Difficile de formuler succinctement un fait simple sans lui donner l'allure d'un cryptogramme. Envoyer par avion une coupure de journal ? Il était dans sa chambre en train de travailler sur le journal avec une lame de rasoir quand on frappa quelques coups secs à sa porte. Gradus fit entrer un visiteur inattendu — un membre important des Ombres, qu'il avait cru *onhava-onhava* (« loin, très loin »), dans la sauvage, brumeuse, presque légendaire Zembla ! Quels renversants tours de passe-passe notre magique âge mécanique accomplit avec notre vieille mère espace et notre vieux père temps !

C'était un gai luron, peut-être trop gai, vêtu d'un veston de velours vert. Personne ne l'aimait, mais il avait certainement un esprit aigu. Son nom, Izumrudov, semblait plutôt russe, mais en fait signifiait « des Umruds », une tribu esquimaude que l'on aperçoit parfois pagayant leurs umyaks (barques doublées de peaux) sur les eaux émeraude de nos côtes nordiques. Souriant de toutes ses dents, il dit que l'ami Gradus devait rassembler ses documents de voyage, y compris un certificat de santé, et prendre le premier « jet » libre à destination de New York. S'inclinant, il le félicita d'avoir indiqué avec une clairvoyance si phénoménale le bon endroit et la bonne direction. Oui, après une minutieuse investigation du butin qu'Andron et Niagarushka avaient recueilli du pupitre en bois de rose de la Reine (surtout des factures, des instantanés précieux et ces stupides médailles) apparut une lettre du Roi donnant son adresse qui était, de tous les endroits possibles... Notre homme — qui interrompit l'annonciateur de succès pour dire que *jamais* il n'avait — fut prié de ne pas faire preuve de tant de modestie. Izumrudov, se tordant de rire (la mort est du plus haut comique) sortit un bout de papier sur lequel il écrivit pour Gradus le nom d'emprunt de leur client, le nom de l'Université où il enseignait, et celui de la ville où se trouvait l'Université. Non, Gradus ne pouvait garder le bout de papier. Il pouvait le garder seulement le temps de se le mettre en mémoire. Cette sorte de papier (employée par les fabricants de macarons) était non seulement comestible, mais délicieuse. La joyeuse apparition verte disparut, sans doute pour se remettre à chasser les putains. Comme on déteste de tels hommes !

Vers 747-748 : Un article dans un magazine à propos d'une Mrs Z.

Toute personne ayant accès à une bonne bibliothèque pourrait, sans aucun doute, facilement remonter jusqu'à la source de cette histoire et découvrir le nom de la dame ; mais des bagatelles aussi insignifiantes ne sont pas à la hauteur d'une véritable érudition.

Vers 768 : Adresse

Le lecteur sera peut-être amusé ici par mon allusion à John Shade dans une lettre (dont j'ai heureusement gardé un double) que j'écrivis à une correspondante qui vivait dans le Sud de la France le 2 avril 1959 :

Ma chère, vous êtes absurde. Je ne vous donne pas, et ne vous donnerai pas plus qu'à toute autre personne, l'adresse de mon domicile, non pas que je craigne que vous ne me rendiez visite, comme vous vous faites un plaisir de l'imaginer : tout mon courrier est expédié à l'adresse de mon bureau. Ici, en banlieue, les maisons ont des boîtes à lettres ouvertes sur la rue, et n'importe qui peut les remplir de réclames ou voler les lettres qui me sont adressées (non par pure curiosité, je vous assure, mais pour d'autres motifs plus sinistres). Je vous envoie cette lettre par avion et vous répète d'urgence l'adresse que Sylvia vous a donnée : Docteur C. Kinbote, KINBOTE (pas « Charles X. Kingbot, Esquire », comme vous, ou Sylvia, l'avez écrit ; je vous en prie, soyez plus prudente... et plus intelligente), Wordsmith University, New Wye, Appalachia, U.S.A.

Je ne vous en veux pas, mais j'ai toutes sortes de tracas et les nerfs à vif. Je croyais — croyais profondément et avec beaucoup de candeur — à l'affection d'une personne qui vivait ici, sous mon toit, mais j'ai été blessé et trahi comme il était impossible de l'être du temps de mes ancêtres qui auraient pu faire torturer l'offenseur, bien que, naturellement, je n'aie aucun désir de faire torturer qui que ce soit.

Il a fait un froid de canard ici, mais, Dieu merci, un véritable hiver nordique s'est transformé en un printemps méridional.

N'essayez pas de m'expliquer ce que votre avocat vous a dit, mais faites-le-lui expliquer à mon avocat *qui* me l'expliquera.

Mon travail à l'Université est agréable, et j'ai un voisin exquis — maintenant, ma chère, ne soupirez pas et ne sourcillez pas — c'est un très vieux monsieur — en fait, le vieux monsieur qui est l'auteur de ce passage sur le ginkgo dans votre album vert (revoir — je veux dire que le lecteur devrait revoir — la note au vers 49).

Il serait plus prudent que vous ne m'écriviez pas *trop* souvent, ma chère.

Vers 782 : votre poème

Une image des « dômes blanchis par le soleil et des contreforts ombrés de bleu » du mont Blanc est fugitivement aperçue à travers le nuage de ce poème particulier que j'aimerais citer mais que je n'ai pas sous la main. La « montagne blanche » du rêve de cette dame, qu'une coquille faisait correspondre à la « fontaine blanche » de Shade, fait ici une apparition thématique.

Vers 802 : montagne

Le passage 797 (deuxième partie du vers)-809, sur la soixante-cinquième fiche du poète, fut composé entre le coucher de soleil du 18 juillet et l'aube du 19 juillet. Ce matin-là, j'avais prié dans deux églises différentes (de chaque côté, pour ainsi dire, de ma secte zemblienne, inexistante à New Wye) et je m'étais acheminé chez moi dans un état d'esprit élevé. Il n'y avait pas de nuages dans le ciel désenchanté, et la terre même semblait soupirer dans l'attente de Notre-Seigneur Jésus-Christ. Par de telles matinées tristes et ensoleillées, je sens toujours au fond de moi qu'il y a encore une chance que je ne sois pas rejeté du Ciel, et que le salut me soit accordé en dépit de la boue gelée et de l'horreur dans mon cœur. Comme je gravissais, la tête penchée, le sentier de gravier de ma pauvre maison louée, j'entendis d'une façon absolument distincte, comme s'il était debout près de mon épaule et haussant le ton, comme s'il s'adressait à un homme légèrement sourd, la voix de Shade dire : « Venez ce soir Charlie. » Je me retournai rempli de crainte et d'étonnement : j'étais bien seul. Je téléphonai immédiatement. Les Shade étaient sortis, dit la petite servante joufflue, une odieuse petite admiratrice qui venait cuisiner pour eux les dimanches et qui sans doute rêvait d'amener le vieux poète à la peloter un jour où sa femme serait absente. Je retéléphonai deux heures plus tard ; comme d'habitude, j'eus Sybil au bout du fil ; j'insistai pour parler à mon ami (mes « messages » n'étaient jamais transmis), je l'obtins et lui demandai aussi calmement que possible ce qu'il avait fait vers midi lorsque je l'avais entendu comme un gros oiseau dans mon jardin. Il ne pouvait se souvenir tout à fait, me dit d'attendre une minute, il avait joué au golf avec Paul (peu importe qui c'était), ou du moins avait regardé Paul jouer avec un autre collègue. Je m'écriai que je devais le voir dans le courant de la soirée et soudain, sans aucune raison, j'éclatai en sanglots, inondant le téléphone et essayant de rattraper mon souffle, un paroxysme qui ne s'était pas produit depuis que Bob m'avait quitté le 30 mars. Il y eut un conciliabule agité entre les Shade et puis John me dit : « Écoutez Charles. Sortons faire une bonne promenade ce soir, je vous rencontrerai à huit heures. » Ce fut ma seconde bonne promenade depuis le 6 juillet (cette insatisfaisante conversation sur la nature) ; la troisième, le 21 juillet, allait être excessivement brève.

Où en étais-je ? Oui, déambulant une fois de plus comme dans le bon vieux temps avec John, dans les bois d'Arcadie, sous un ciel rose saumon.

« Alors, fis-je gaiement, sur quel sujet écriviez-vous la nuit dernière John ? La fenêtre de votre bureau n'était rien de moins qu'embrasée.

— Sur les montagnes », répondit-il.

La chaîne Bera, une érection de pierre veinée et de sapins hirsutes se dressa devant moi dans toute sa puissance et son orgueil. Cette splendide nouvelle fit battre mon cœur et je sentis que je pouvais maintenant, à mon tour, me permettre d'être généreux. Je suppliai mon ami de ne plus rien me communiquer s'il ne le désirait pas. Il dit : c'est entendu, et commença à se plaindre des difficultés de la tâche qu'il s'était imposée. Il calcula que durant les dernières vingt-quatre heures son cerveau avait produit environ mille minutes de labeur et cinquante vers (disons 797-847) ou une syllabe toutes les deux minutes. Il avait terminé son Chant Trois (le pénultième) et il avait commencé le Chant Quatre, son dernier (voir l'Introduction, voir l'Introduction immédiatement), et si cela ne me gênait pas trop nous pourrions retourner à la maison — bien qu'il fût à peine neuf heures — afin qu'il puisse replonger dans son chaos et en tirer son cosmos, avec toutes ses étoiles humides.

Comment pouvais-je dire non ? Cet air de montagne m'était monté à la tête : il réassemblait ma Zembla !

Vers 803 : une faute d'impression

Les traducteurs du poème de Shade auront certainement quelque difficulté à transformer, d'un seul trait, « mountain » en « fountain » : on ne peut le faire ni en français ni en allemand, ni en russe ni en zemblien ; ainsi donc, le traducteur devra insérer une de ces notes en bas de page qui sont le musée de portraits de criminels des mots. Cependant ! Il existe à ma connaissance un cas absolument extraordinaire, d'une élégance incroyable, où non seulement deux, mais trois mots sont impliqués. L'histoire elle-même est assez banale (et probablement apocryphe). Dans un compte rendu journalistique du couronnement d'un tsar russe, on avait imprimé *vorona* (crow-corbeau) au lieu de *korona* (crown-couronne) et quand on apporta la correction en s'excusant le jour suivant, on se trompa une seconde fois en imprimant *korova* (cow-vache). La corrélation artistique entre la série crown-crow-cow et la série russe korona-vorona-korova est quelque chose qui aurait, j'en suis sûr, ravi mon poète. Je n'ai jamais rien vu de semblable sur les terrains de jeux des lexiques et les chances contre une double coïncidence défient tout calcul.

Vers 810 : un tissu de sens

Une des cinq cabines qui composent cette étape routière est occupée par le propriétaire, un homme de soixante-dix ans aux yeux larmoyants et dont la claudication me rappelle Shade. Il possède une petite pompe à essence tout près d'ici et vend des vers aux pêcheurs ; généralement, il ne me dérange pas, mais l'autre jour il m'offrit de « prendre n'importe quel vieux livre » sur une étagère dans sa chambre. Désireux de ne pas le blesser, je promenai un regard sur les livres en question, d'un côté et puis de l'autre, mais c'étaient tous des romans policiers brochés aux pages cornées et ils ne méritaient rien de plus qu'un soupir et un sourire. Il me dit d'attendre un instant — et il tira de son alcôve un trésor relié en mauvais état. « Un grand livre écrit par un grand type », les Lettres de Franklin Lane. « J'avais l'habitude de le voir souvent dans le parc Rainier quand j'étais un jeune garde forestier dans ce coin-là. Prenez-le pour quelques jours. Vous ne le regretterez pas ! »

Je ne le regrettai pas. Voici un passage qui fait étrangement écho au ton de Shade à la fin du Chant Trois. Il provient d'un fragment écrit de la main de Lane le 17 mai 1921, la veille de sa mort, après une grave opération : « Et si je m'étais aventuré dans cet autre monde, qui aurais-je cherché ? ... Aristote !... Ah, ce serait un homme à qui parler ! Quelle satisfaction de le voir prendre, comme des rênes entre ses doigts, le long ruban de la vie de l'homme et le retracer à travers le labyrinthe mystificateur de toute la merveilleuse aventure... Ce qui était dévié, redressé. Le plan dédaléen simplifié par un regard d'en haut — estompé pourrait-on dire par quelque coup de pouce magistral qui aurait fait de toute cette chose involutive, confuse, une seule belle ligne droite. »

Vers 819 : jouant un jeu de mondes

Mon illustre ami affichait une prédilection enfantine pour toutes sortes de jeux de mots et tout spécialement pour ce qu'on appelle le golf verbal. Il était capable d'interrompre le flot d'une conversation prismatique pour s'adonner à ce passe-temps particulier, et naturellement il aurait été malappris de ma part de refuser de jouer avec lui. Quelques-unes de mes prouesses sont : eau-vin en quatre coups, jour-soir de même en quatre, et homme-femme en trois.

Vers 822 : tuant un roi des Balkans

Avec quelle ferveur ne désirerais-je pas signaler que le texte du brouillon était :

tuant un roi de Zembla

— mais hélas, il n'en est rien : la fiche sur laquelle le brouillon a été écrit ne fut pas conservée par Shade.

Vers 830 : Sybil, c'est

Cette rime recherchée *(Sybil, it is, possibilities)* vient comme une apothéose couronner le chant tout entier et synthétiser les aspects en contrepoint de ses « accidents et possibilités ».

Vers 835-838 : Il me faut maintenant épier, etc.

Le canto, commencé le 19 juillet, sur la fiche soixante-huit, s'ouvre par ce shadisme typique : l'habile arrangement de diverses phrases qui se font écho dans un fouillis d'enjambements. En réalité la promesse faite dans ces vers ne sera pas vraiment tenue, à l'exception de la répétition de leur rythme incantatoire aux vers 915 et 923-924 (qui conduit à la sauvage attaque aux vers 925-930). Le poète comme un coq fougueux semble battre des ailes pour se préparer à l'explosion de l'inspiration supposée, mais le soleil ne se lève pas. Au lieu de la poésie effrénée qui nous était promise nous ne trouvons qu'une ou deux plaisanteries, un peu de satire et, à la fin du canto, un merveilleux rayonnement de tendresse et de repos.

Vers 841-872 : deux modes de composition

Trois, en réalité, si nous comptons la très importante méthode qui consiste à se fier à l'éclair et à la flûte du monde subliminal et à son « ordre muet » (vers 871).

Vers 873 : Mon meilleur moment

Au moment où mon cher ami commençait, avec ce vers, son paquet de fiches du 20 juillet (fiche soixante et onze à fiche soixante-treize, terminant au vers 948), Gradus, à l'aéroport d'Orly, montait à bord d'un avion à réaction, attachait sa ceinture, lisait un journal, s'élevait, planait, profanant le ciel.

Vers 887-888 : Comme mon biographe est peut-être trop grave ou n'en sait pas assez

Trop grave ? N'en sait pas assez ? Si mon pauvre ami avait pu deviner qui ce serait, il se serait épargné ces conjectures. En fait, j'eus le plaisir et l'honneur d'être témoin (un matin de mars) du spectacle qu'il décrit dans les vers suivants. Je partais pour Washington et juste avant de me mettre en route je me rappelai qu'il avait exprimé le désir que je vérifie quelque chose à la Bibliothèque du Congrès. J'entends clairement dans l'oreille de mon esprit la voix froide de Sybil me disant : « Mais John ne peut pas vous voir, il prend son bain » ; et le rugissement gaillard de John sortant de la salle de bains. « Laisse-le entrer, Sybil, il ne me violera pas ! » Mais ni lui ni moi ne pûmes nous rappeler ce qu'était ce quelque chose.

Vers 894 : un roi

Des portraits du Roi avaient paru assez souvent en Amérique pendant les premiers mois de la révolution zemblienne. De temps en temps, quelque touche-à-tout du collège doué d'une mémoire fidèle ou une de ces femmes de club qui couraient toujours derrière Shade et son excentrique ami me demandaient, avec l'air stupidement entendu qu'on prend dans des cas semblables, si quelqu'un m'avait jamais dit à quel point je ressemblais à l'infortuné monarque. Je ripostais par quelque chose dans le genre de « tous les Chinois se ressemblent » et je changeais de sujet. Un jour cependant dans le salon du club des professeurs où je me reposais nonchalamment, entouré d'un certain nombre de mes collègues, je dus faire face à une attaque particulièrement embarrassante. Un conférencier allemand d'Oxford, qui était de passage, ne cessait de s'écrier tout haut et comme pour lui-même que la ressemblance était « absolument inouïe », et quand je lui fis remarquer négligemment que tous les Zembliens barbus se ressemblaient — et qu'en fait, le nom Zembla est une corruption non du ruse *zemlya*, mais de Semblerland, un pays de reflets, de « ressembleurs » — mon tortionnaire dit : « Ah oui, mais le Roi Charles ne portait pas de barbe, et cependant c'est exactement mon visage ! J'ai eu, ajouta-t-il, l'honneur d'être assis à quelques mètres de la loge royale à un festival sportif à Onhava où je me trouvais avec ma femme, qui est suédoise, en 1956. Nous avons une photographie de lui chez nous et sa sœur connaissait très bien la mère d'un de ses pages, une femme fort intéressante. Ne voyez-vous pas » tirant presque Shade par son revers « l'étonnante similarité des traits, de la partie supérieure du visage, et les yeux, oui, les yeux, et la courbe du nez ?

— Non, Monsieur » dit Shade, recroisant les jambes et s'agitant légèrement dans son fauteuil comme il avait coutume quand il s'apprêtait à faire une déclaration, « il n'y a pas la moindre ressemblance. J'ai vu le Roi dans les actualités et il n'y a aucune ressemblance. Les ressemblances sont les ombres des différences. Des personnes différentes voient des similarités différentes et des différences similaires. »

Le brave Netotchka qui avait eu l'air singulièrement mal à l'aise pendant cet échange remarqua de sa voix douce combien il était triste de penser qu'un « si sympathique monarque » ait péri sans doute en prison.

Un professeur de physique vint se joindre à nous. Il était ce qu'on appelle un « Rose » qui croyait ce que croient ceux qu'on appelle Roses (éducation progressiste, intégrité de quiconque fait de l'espionnage pour le compte de la Russie, radiations atomiques causées uniquement par les bombes faites aux E.-U., l'existence dans un passé récent d'une ère McCarthy, exploits soviétiques, y compris *Docteur Jivago* et ainsi de suite) : « Vos regrets sont dénués de fondement, dit-il. On sait que ce triste monarque s'est échappé déguisé en bonne sœur ; mais ce qui lui arrivera, ou lui est arrivé, ne peut nullement intéresser le peuple zemblien. L'histoire l'a dénoncé, telle est son épitaphe. »

Shade : « Exact, Monsieur. En temps venu l'histoire aura dénoncé tout le monde. Le Roi est peut-être mort ou il est peut-être aussi vivant que vous et Kinbote, mais respectons les faits. Je tiens de lui » me désignant, « que cette histoire de bonne sœur qu'on a répandue partout est une vulgaire fabrication proextrémiste. Les extrémistes et leurs amis ont inventé un tas d'absurdités pour cacher leur déconfiture ; mais la vérité est que le Roi est sorti à pied de son palais, a traversé les montagnes et a quitté le pays, non pas sous l'habillement noir d'une pâle vieille fille, mais habillé comme un athlète en lainage écarlate.

— Étrange, étrange », dit l'Allemand de passage qui, par quelque caractéristique ancestrale, quelque hantise des bois d'aulnes avait été le seul à sentir la note étrange qui s'était fait entendre et avait disparu.

Shade (souriant et me massant le genou) : « Les rois ne meurent pas — ils disparaissent seulement, n'est-ce pas, Charles ?

— Qui a dit cela ? demanda brusquement, comme sortant d'une transe, l'ignorant et toujours soupçonneux chef de la section d'anglais.

— Prenez mon propre cas, continua mon cher ami, sans se soucier de Mr. H. On a prétendu que je ressemblais au moins à quatre personnes : Samuel Johnson ; l'ancêtre de l'homme reconstitué avec amour au musée d'Exton ; et deux personnages de la localité, l'un étant cette souillon de vieille mégère échevelée qui distribue les cuillerées de bouillie dans le réfectoire de Levin Hall.

— La troisième dans le rang des sorcières, dis-je avec une charmante précision et tout le monde se mit à rire.

— Je dirais plutôt, fit remarquer Mr. Pardon — histoire américaine — qu'elle ressemble au juge Goldsworth. » (« Un de nous » plaça Shade en inclinant la tête.) « Surtout quand il est vraiment furieux contre le monde entier, après un bon dîner.

— J'ai entendu dire, commença en hâte Netotchka, que les Goldsworth se divertissent énormément...

— Quel dommage que je ne puisse pas prouver ce que j'avance, murmura le tenace visiteur Allemand. Si seulement nous avions une photographie ici. Est-ce qu'il n'y en aurait pas une quelque part...

— Certainement », dit le jeune Emerald en se levant.

Le professeur Pardon me parla maintenant : « J'avais l'impression que vous étiez né en Russie et que votre nom était une espèce d'anagramme de Botkin ou Botkine ?

Kinbote : « Vous me confondez avec quelque réfugié de « Nouvelle Zembla » (en insistant sarcastiquement sur « Nouvelle »).

« Ne m'avez-vous pas dit, Charles, que *kinbote* signifie régicide dans votre langue ? demanda mon cher Shade.

— Oui, un destructeur de roi », dis-je (brûlant d'expliquer qu'un roi qui fait disparaître son identité dans le miroir de l'exil est en un sens exactement cela).

Shade (s'adressant au visiteur allemand) : « Le professeur Kinbote est l'auteur d'un ouvrage remarquable sur les noms de famille. Je crois (à moi) qu'il en existe une traduction anglaise ?

— Oxford, 1956, répondis-je.

— Vous savez le russe, cependant ? dit Pardon, je crois vous avoir entendu l'autre jour parler avec —

quel est donc son nom — oh, mon Dieu » (formant laborieusement le mot avec ses lèvres).

Shade : « Monsieur, nous avons tous de la difficulté à *attaquer* ce nom. » (Il rit.)

Le Professeur Hurley : « Pensez au mot français pour " tire " : *peunou.* »

Shade : « Eh, Monsieur, j'ai bien peur que vous n'ayez fait que commencer à perforer le pneu de la difficulté. » (S'esclaffant bruyamment.)

« Le voilà à plat — *Flatman,* glissai-je spirituellement. Oui, continuai-je en me tournant vers Pardon. Certainement je parle russe. Vous comprenez, c'était le langage distingué, *par excellence,* beaucoup plus que le français, parmi la noblesse de Zembla tout au moins et à la cour. Aujourd'hui, naturellement tout cela a changé. Maintenant ce sont les plus basses classes qu'on oblige à parler russe.

— Et nous-mêmes, n'essayons-nous pas également d'enseigner le russe dans nos écoles ? » dit Rose.

Cependant, à l'autre bout de la pièce le jeune Emerald avait communié avec les rayonnages. A ce moment, il revint avec le volume T-Z d'une encyclopédie illustrée.

« Là, dit-il, le voici ce roi. Mais voyez, il est jeune et beau. (« Oh, ce n'est pas le genre de photo qu'il faut », gémit le visiteur allemand). Jeune, beau et porteur d'un uniforme de fantaisie, continua Emerald. Tout à fait la tapette de fantaisie, en fait.

— Et vous, dis-je calmement, vous n'êtes qu'un petit morveux, à l'esprit sale, en veston vert et bon marché.

— Mais, qu'ai-je dit ? demanda le jeune instructeur à la compagnie, écartant ses mains ouvertes comme un disciple dans *La Cène* de Léonard.

— Voyons, voyons, dit Shade, je suis certain, Charles, que notre jeune ami n'avait nulle intention d'insulter votre souverain et homonyme.

— Il ne l'aurait pas pu, même s'il l'avait voulu »,

observai-je calmement tournant le tout en plaisanterie.

Gerald tendit la main — qui au moment d'écrire est toujours dans cette position.

Vers 895-899 : Plus je pèse... ou cette bajoue

Au lieu de ces vers faciles et révoltants le brouillon donne :

895 *J'ai un certain goût, je l'admets,*
Pour la parodie, ce dernier ressort de l'esprit :
« Dans la lutte de la nature, quand le courage l'emporte
La victime chancelle et le vainqueur échoue. »

899 *Oui, lecteur, Pope*

Vers 920 : se hérisser tous les petits poils

Alfred Housman (1859-1936), dont le recueil *The Shropsphire Lad* rivalise avec *In Memoriam* d'Alfred Tennyson (1809-1892) comme représentant peut-être (non, effacez ce lâche « peut-être ») la plus belle réussite de la poésie anglaise en un siècle, dit quelque part (dans un avant-propos) exactement le contraire : le hérissement de petits poils excités le gênait quand il se rasait ; mais comme les deux Alfred employaient certainement un rasoir ordinaire, et John Shade un Gillette ancien modèle la contradiction est venue peut-être de l'emploi d'instruments différents.

Vers 922 : Notre Crème les dresse

Ce n'est pas tout à fait exact. Dans la réclame à laquelle il est fait allusion les poils de barbe sont soutenus par des bulles d'écume et non par une substance crémeuse.

Après ce vers, au lieu des vers 923-930, nous trouvons cette variante légèrement biffée :

Tous les artistes sont nés dans ce qu'ils appellent
Un âge regrettable ; le mien est le pire de tous :
Un âge qui estime que bombes et vaisseaux de l'espace
Ne peuvent être faits que par un génie à nom étranger,
Alors que le premier crétin venu peut assembler tous ces machins ;
Un âge où une bande de gredins peut bluffer
Le sélénographe ; un âge comique
Qui voit dans le docteur Schweitzer un grand sage.

Ayant rayé cela, le poète essaya un autre thème, mais ces vers également furent supprimés :

L'Angleterre où les poètes ont volé le plus haut, maintenant
Veut qu'ils traînent les pieds et que Pégase laboure ;
Maintenant les marchands de prose du Groupe des Crasseux,
L'Homme-Message, le nicodème solennel
Et tous les romans sociaux de notre âge
Ne laissent qu'une pincée de poussière de charbon sur la page.

Vers 929 : Freud

Dans l'œil de mon esprit, je revois le poète s'écroulant littéralement sur la pelouse, frappant l'herbe de son poing, se tordant et hurlant de rire et moi-même, Docteur Kinbote, la barbe inondée d'un torrent de larmes alors que j'essayais de lire avec cohérence des fragments d'un livre que j'avais chipé dans une salle de classe : un traité savant de psychanalyse employé dans les collèges américains, je le répète, employé dans les collèges américains. Hélas, je n'en peux retrouver que deux passages copiés dans mon carnet de notes :

Par l'introduction des doigts dans le nez malgré les ordres contraires ou quand un jeune passe son temps à fourrer son doigt dans sa boutonnière... le professeur psychanalytique sait que l'appétit du luxurieux ne connaît pas de limites dans sa fantaisie.

(Cité par le Professeur C. de l'ouvrage
du Docteur Oskar Pfister,
The Psychoanalytical Method, 1917, N. Y., p. 79.)

Le petit bonnet de velours rouge dans la version allemande du Petit Chaperon Rouge *est un symbole de menstruation.*

(Cité par le Professeur C. de l'ouvrage
d'Erich Fromm,
The Forgotten Language, 1951, N. Y., p. 240.)

Est-ce que ces clowns croient vraiment à ce qu'ils enseignent ?

Vers 934 : gros camions

Je dois avouer que je ne me rappelle pas avoir très souvent entendu de gros camions passer dans notre voisinage. De bruyantes voitures, oui — mais pas des camions.

Vers 937 : Vieille Zembla

Je suis aujourd'hui un commentateur las et triste.

Parallèlement au côté gauche de la fiche (sa soixante-seizième) le poète a écrit, la veille de sa mort un vers (de la Seconde Épître de l'*Essai sur l'Homme* de Pope) qu'il avait peut-être l'intention de citer en note :

Au Groenland, en Zembla, ou Dieu sait où

Ainsi c'est tout ce que ce traître de vieux Shade a trouvé à dire sur la Zembla — ma Zembla ? En rasant ses poils de barbe ? Étrange, étrange...

Vers 939-940 : La vie de l'homme, etc.

Si je comprends correctement le sens de cette observation succincte, notre poète suggère ici que la vie humaine n'est qu'une série de notes en bas de page d'un vaste chef-d'œuvre obscur et inachevé.

Vers 949 : Et tout le temps

Ainsi, au cours de la matinée du 21 juillet, le dernier jour de sa vie, John Shade commença son dernier paquet de fiches (soixante-dix-sept à quatre-vingts). Deux zones de temps silencieux venaient de se confondre pour former le temps standard de la destinée d'un seul homme ; et il n'est pas impossible que le poète à New Wye et le tueur à New York se soient éveillés, ce matin-là, au même battement de la montre de leur Chronométreur.

Vers 949 : tout le temps

Et tout le temps il approchait davantage.

La nuit de son arrivée de Paris (lundi, 20 juillet) un orage formidable avait accueilli Gradus à New York. La pluie tropicale avait inondé les sous-sols et les voies du métro. Des reflets kaléidoscopiques jouaient dans les rues transformées en rivières. Vinogradus n'avait jamais vu semblable feu d'artifice d'éclairs, Jacques d'Argus non plus — ou Jack Grey, plus exactement (n'oublions pas Jack Grey !). Il descendit dans un hôtel de troisième ordre, sur Broadway et dormit profondément, étendu le ventre en l'air sur les draps, dans un pyjama rayé — l'espèce que les Zembliens appellent *rusker sirsusker* (« vêtement en *seersucker* russe ») — et gardant ses chaussettes comme d'habitude : depuis le 11 juillet, jour où il avait été dans un établissement de bains finlandais en Suisse il n'avait pas vu ses pieds nus.

Maintenant c'était le 21 juillet. A huit heures du matin, New York réveilla Gradus par un tintamarre déchaîné. Comme d'habitude il commença sa confuse existence journalière en se mouchant. Puis il sortit de la boîte en carton où il le gardait la nuit et inséra dans sa bouche de masque de Comus un râtelier exceptionnellement grand et d'aspect terrible : le seul défaut grave, en réalité, de son apparence, par ailleurs inoffensive. Cela fait, il sortit de son porte-documents deux petits-beurre qu'il avait gardés et un sandwich de pseudo-jambon plus vieux encore, mais néanmoins de goût acceptable, petit, ramolli, vaguement associé à son voyage en chemin de fer de Nice à Paris le samedi soir précédent : c'était beaucoup moins un geste d'économie de sa part (les Ombres, du reste, lui avaient avancé une jolie somme) qu'un attachement animal aux habitudes de sa frugale jeunesse. Après avoir déjeuné au lit de ces friandises, il commença les préparations du jour le plus important de sa vie. Il s'était rasé la veille — c'était une question réglée. Il ne fourra pas son fidèle pyjama dans sa valise mais dans son porte-documents, s'habilla, détacha de l'intérieur de son veston un peigne en écaille rose aux dents encrassées, se le passa dans ses cheveux hérissés, se coiffa soigneusement de son chapeau mou, se lava les deux mains avec le joli savon liquide moderne dans le joli, moderne et presque inodore lavabo dans le couloir, en face, urina, se rinça une main et se sentant propre et bien soigné sortit faire un tour.

C'était la première fois qu'il voyait New York ; mais comme beaucoup de semi-crétins, il était au-dessus des nouveautés. La nuit précédente il avait compté les rangs échelonnés de fenêtres allumées dans plusieurs gratte-ciel, et maintenant, après avoir vérifié la hauteur d'autres édifices il estimait savoir tout ce qu'il y avait à savoir. Il prit une tasse débordante et une demi-soucoupe de café à un comptoir encombré et humide et passa le reste de la matinée bleu fumée à changer d'un banc à l'autre et d'un journal à l'autre dans les allées du côté ouest de Central Park.

Il commença par le numéro du jour du *New York Times*. Remuant les lèvres avec des tortillements de ver, il lut des choses sur un tas de sujets. Hruschov (qu'ils écrivaient « Krushchev ») avait retardé subitement une visite en Scandinavie, et s'apprêtait à se rendre en Zembla (ici, je syntonise : « *Vy nazyvaete sebya zemblerami*, vous vous appelez vous-mêmes Zembliens, *a ya vas nazyvayu zemlyakami*, et moi je vous appelle mes camarades compatriotes ! » Rires et applaudissements). Les États-Unis s'apprêtaient à lancer leur premier navire marchand atomique (uniquement pour ennuyer les Russes, naturellement. J. G.). Hier soir, à Newark un immeuble de rapport, 555 South Street, a été frappé par la foudre qui a démoli un poste de télévision et blessé deux personnes en train de regarder une actrice perdue dans un violent orage de studio (ces esprits tourmentés sont terribles ! C. X. K. *teste* J. S.). La maison de Bijouterie Rachel de Brooklyn demande, en caractères agate, un polisseur « compétent en matière de bijoux artificiels ». (Oh, Degré l'était certes !) Les frères Helman ont dit avoir aidé aux négociations pour le placement d'une note importante : $ 11 000 000, Decker Glass Manufacturing Company, Inc. note à échéance le 1er juillet 1979. Et

Gradus, redevenu jeune, relut cela deux fois, avec peut-être la grise arrière-pensée qu'il aurait soixante-quatre ans quatre jours après cela (sans commentaires). Sur un autre banc il trouva un numéro du lundi du même journal. Pendant la visite d'un musée à Whitehorse (Gradus essaya de donner un coup de pied à un pigeon qui s'était approché trop près), la Reine d'Angleterre se dirigea vers un coin de la Salle des Animaux blancs, retira son gant droit et tournant le dos à plusieurs personnes qui l'observaient incontestablement, se frotta le front et un œil. Une révolte pro-rouge a éclaté en Irak. Interrogé sur l'exposition soviétique au New York Coliseum, Carl Sandburg, un poète, répondit, je cite : « Ils font appel aux échelons intellectuels les plus élevés. » Un folliculaire chargé des comptes rendus de livres pour touristes, parlant de son propre voyage en Norvège dit que les fjords étaient trop célèbres pour avoir besoin de (sa) description, et que tous les Scandinaves aiment les fleurs. A un pique-nique pour des enfants de toutes nationalités, une mioche zemblienne cria à une petite amie japonaise : *Ufgut, ufgut, velkam ut Semblerland!* (Adieu, adieu jusqu'à ce qu'on se revoie en Zembla !) J'avoue que c'était un jeu merveilleux — cette consultation à la bibliothèque Universitaire de Wordsmith de certains éphémérides par-dessus l'ombre d'une épaule rembourrée.

Pour la vingtième fois, Jacques d'Argus regarda sa montre. Il se promena comme un pigeon, les mains derrière le dos. Il fit cirer ses souliers marron — et apprécia la façon avec laquelle le jeune garçon, joli, mais sale, faisait claquer son chiffon en le tendant. Dans un restaurant de Broadway il s'offrit une grosse portion de porc rosâtre avec de la choucroute, une double portion de pommes de terre frites élastiques et la moitié d'un melon trop mûr. De mon petit nuage loué je le contemple avec une surprise tranquille, il est là, cet individu qui s'apprête à commettre un acte monstrueux — et qui se régale d'un repas grossier ! Il nous faut assumer, je crois, que la projection du peu d'imagination qu'il pouvait avoir, s'arrêtait à l'acte, au bord de toutes les conséquences que cet acte pouvait avoir ; conséquences fantomatiques comme le sont les orteils d'un amputé ou l'étalage en éventail de cases additionnelles qu'un cavalier d'échecs (cette pièce sauteuse de case), debout sur une ligne marginale, « sent » en extensions spectrales hors des limites de l'échiquier, mais qui n'ont aucun effet sur ses mouvements réels, sur le jeu réel.

Il rentra et paya l'équivalent de trois mille couronnes zembliennes pour son bref mais agréable séjour au Beverland Hotel. Avec l'illusion d'une prévision pratique il confia sa valise en fibre et — après un instant d'hésitation — son imperméable, à la sécurité anonyme d'un casier de consigne à la gare — où, j'imagine, ils se trouvent encore aussi douillettement nichés que mon sceptre gemmé, le collier de rubis et la couronne constellée de diamants à — peu importe où. Pour ce voyage fatidique il ne prit que le vieux porte-documents noir que nous connaissons ; il contenait une chemise en nylon propre, un pyjama sale, un rasoir de sûreté, un troisième petit-beurre, une boîte en carton vide, un gros journal illustré qu'il n'avait pas eu le temps de terminer dans le parc, un œil de verre qu'il avait un jour fait pour sa vieille maîtresse, et une douzaine de brochures syndicalistes, chacune en plusieurs exemplaires, imprimées de ses propres mains, il y avait de cela bien des années.

Il lui fallut se présenter à l'aéroport à 14 heures. Le soir précédent, en prenant son billet, il n'avait pas pu obtenir de place sur un avion partant plus tôt pour New Wye à cause d'un congrès qui se réunissait là-bas. Il avait feuilleté les indicateurs de chemin de fer, mais ils avaient évidemment été arrangés par quelque plaisantin car le seul train possible direct (surnommé La Roue Carrée, par les étudiants qui y avaient été secoués et brimbalés) partait à 5 h 13, s'arrêtait aux stations facultatives et mettait onze heures à faire les quatre cent milles jusqu'à Exton ; on pouvait essayer de tricher en passant par Washington mais là, il vous fallait attendre trois heures au moins le départ d'un train omnibus somnolent. Les autocars étaient exclus en ce qui concernait Gradus car il y était toujours malade à moins qu'il ne se bourrât de pilules de Fahrmamine ce qui aurait pu affecter le but qu'il se proposait. Tout bien considéré, du reste, il ne se sentait pas tellement d'aplomb.

Gradus est maintenant beaucoup plus près de nous dans l'espace et dans le temps qu'il ne l'était dans les chants précédents. Il a des cheveux noirs, courts, taillés en brosse. Nous pouvons remplir le morne ovale de son visage avec la plupart de ses éléments tels que des sourcils épais, une verrue sur le menton. Il a le teint coloré mais malsain. Nous pouvons voir, à peu près au point, la structure de ses organes de vision quelque peu mesmériens. Nous voyons son nez mélancolique avec son arête tordue et son extrémité fendue. Nous voyons le bleu minéral de sa mâchoire et le pointillé rugueux de sa moustache rasée.

Nous connaissons déjà quelques-uns de ses gestes, nous connaissons la démarche de chimpanzé de son large corps et de ses courtes pattes de derrière. On nous en a dit suffisamment sur son complet froissé. Nous pouvons enfin décrire sa cravate, cadeau de Pâques d'un boucher coquet, son beau-frère à Onhava : simili soie, couleur brun chocolat, rayée de rouge, l'extrémité rentrée dans la chemise entre le second et le troisième bouton, mode zemblienne des années 1930 — pour remplacer le gilet paternel, si l'on en croit les érudits. De répugnants poils noirs couvrent le dessus de ses rudes et honnêtes mains, les mains scrupuleusement propres d'un ouvrier ultra-syndiqué, avec une notable déformation des deux pouces, typique des fabricants de bobèches. Nous voyons assez brusquement sa chair moite. Nous pouvons même distinguer (comme, de face, mais en sûreté, tels des fantômes, nous passons à travers lui, à travers la scintillante hélice de sa machine volante, à travers les délégués qui nous sourient et nous saluent de la main) son intérieur magenta et couleur de mûre et l'étrange et pas tellement bonne houle qui ondule dans ses entrailles.

Nous pouvons aller plus loin maintenant et décrire, à un docteur ou à quiconque est disposé à nous écouter la condition de son âme de primate. Il pouvait lire, écrire et compter, il était doué d'un minimum de conscience de soi (dont il ne savait que faire), de conscience de la durée, et d'une bonne mémoire des visages, noms, dates et autres choses du même genre. Spirituellement il n'existait pas. Moralement c'était un mannequin poursuivant un autre mannequin. Le fait que son arme était réelle et son gibier un être humain hautement développé, ce fait appartenait à notre monde d'événements *à nous ;* dans le sien, cela n'avait aucun sens. Je vous accorde que l'idée de détruire « le roi » lui donnait un certain degré de plaisir, et par conséquent il faut que nous ajoutions à la liste de ses éléments personnels la capacité de concevoir des notions, surtout des notions générales, comme je l'ai déjà mentionné dans une autre note que je ne me donnerai pas la peine de rechercher. Il y aurait peut-être (je suis fort généreux envers lui) une légère, très légère satisfaction sensuelle, nullement supérieure, dirais-je, à celle qu'éprouve un petit hédoniste au moment où, retenant sa respiration devant un miroir grossissant, les ongles de ses pouces pressant avec une mortelle précision des deux côtés d'un point final, il expulse totalement le petit cylindre sébacé et semi-transparent d'un comédon — et pousse un Ah ! de soulagement. Gradus n'aurait tué personne s'il n'avait pas trouvé quelque plaisir non seulement à imaginer l'acte (dans la mesure où il était capable d'imaginer un futur palpable) mais aussi à se savoir chargé de la responsabilité d'une mission importante (qui se trouvait le mettre dans l'obligation de tuer) par un groupe de gens qui partageaient sa notion de la justice, mais il n'aurait pas accepté ce travail si, dans le meurtre, il n'avait trouvé quelque chose de semblable au petit frisson assez dégoûtant de l'anticomédon.

J'ai considéré dans ma note précédente (je vois maintenant que c'est la note au vers 171) les aversions particulières et par conséquent les motifs de notre « homme automatique » comme je disais en un temps où il avait moins de réalité physique et n'offensait pas autant les sens que maintenant ; quand il était, en un mot, plus éloigné de notre Arcadie ensoleillée, verte et sentant bon l'herbe. Mais Notre-Seigneur a façonné l'homme si merveilleusement qu'on aurait beau aller à la chasse aux motifs et les rechercher rationnellement on ne pourrait jamais expliquer comment et pourquoi quelqu'un est capable de tuer un de ses semblables (ce raisonnement exige, je le sais, qu'on accorde temporairement à Gradus le statut d'homme) à moins que ce ne soit pour défendre la vie de son fils, ou la sienne propre, ou l'œuvre de toute une vie ; si bien que dans le jugement final de l'affaire Gradus contre la Couronne, je proposerais que, si son imperfection humaine était jugée insuffisante pour expliquer son absurde voyage à travers l'Atlantique uniquement pour vider le magasin de son pistolet, nous admettions, Docteur, que notre demi-homme était aussi un demi-fou.

Dans le petit avion inconfortable qui volait vers le soleil il se trouva coincé entre plusieurs délégués retardataires à la Conférence linguistique de New Wye, tous avec un insigne au revers et représentant la même langue, mais aucun ne pouvant la parler, si bien que la conversation avait lieu (par-dessus notre tueur tapi et de tous les côtés de son visage immobile) en un anglais américain assez ordinaire. Pendant cette épreuve le pauvre Gradus ne cessait de se demander quelle était la cause d'un autre malaise qui le troublait de temps à autre pendant le vol et qui était pire que le bavardage des monolinguistes. Il ne pouvait en décider l'origine — porc, chou, pommes de terre frites ou melon — car après les avoir regoûtés l'un après l'autre en spasmes rétrospectifs il avait peu de choix entre leurs saveurs différentes mais également écœurantes. Ma propre opinion, que j'aimerais entendre confirmer par le docteur est que le sandwich français était engagé dans une lutte fratricide d'extermination réciproque avec les « French fries ».

A son arrivée, après cinq heures, à l'aéroport de New Wye il but deux timbales en papier de bon lait froid que lui versa une machine automatique et se procura une carte au bureau. Tapant de ses gros doigts carrés la configuration des terrains du collège qui ressemblaient à un estomac serpentant, il demanda à l'employé quel était l'hôtel le plus proche de l'Université. On lui dit qu'une auto le conduirait au Campus Hotel qui était à quelques minutes de marche de Main Hall (aujourd'hui Shade Hall). Pendant le trajet il se trouva soudain en proie à des angoisses si urgentes qu'il fut obligé de se précipiter aux lavabos aussitôt arrivé à l'hôtel qui était comble. Là, ses tourments se résolurent en un torrent brûlant d'indigestion. Il avait à peine rattaché son pantalon et vérifié le renflement de sa poche-revolver que des crampes et des élancements l'obligèrent de nouveau à se découvrir les cuisses ce qu'il fit avec une hâte si maladroite qu'il s'en fallut de peu que son petit Browning ne disparût dans les profondeurs des toilettes.

Il gémissait encore et faisait grincer ses fausses dents quand son porte-documents et lui vinrent de nouveau offenser le soleil. Il brillait à travers les arbres avec toute sorte d'effets mouchetés et College Town était animé d'étudiants, venus pour les cours d'été, et de visiteurs linguistes, parmi lesquels Gradus aurait pu facilement passer pour un commis voyageur colportant des traités élémentaires d'anglais-de-base pour les écoliers américains, ou ces merveilleuses nouvelles machines à traduire qui font le travail tellement plus vite qu'un homme ou un animal.

Une grande déception l'attendait à Main Hall : il était fermé pour la journée. Trois étudiants couchés sur l'herbe lui conseillèrent d'essayer la Bibliothèque et tous les trois la lui montrèrent à l'autre bout de la pelouse. C'est vers là que se dirigea notre assassin.

« Je ne sais pas où il habite, dit la jeune fille à la réception. Mais je sais qu'il est ici en ce moment. Vous le trouverez, j'en suis sûre, à Trois Nord-Ouest où nous avons notre Collection Islandaise. Vous prenez la direction sud (agitant son crayon) vous tournez à l'ouest, puis de nouveau à l'ouest où vous verrez une espèce, une espèce de (le crayon trace un tortillon circulaire — table ronde ? ou rayonnages arrondis ?)... Non, attendez une minute, il vaudrait mieux que vous continuiez dans la direction ouest jusqu'à ce que vous trouviez la salle Florence Houghton, et là vous traversez et passez à la partie nord du bâtiment. Vous ne pouvez pas vous tromper. » (Le crayon retourne derrière l'oreille.)

N'étant ni un marin ni un roi fugitif il ne tarda pas à s'égarer et après avoir parcouru en vain un labyrinthe de rayonnages, il demanda où se trouvait la Collection Islandaise à une vieille bibliothécaire qui vérifiait des fiches dans un classeur d'acier, sur un palier. Ses renseignements lents et détaillés le ramenèrent bientôt à la réception principale.

« S'il vous plaît, je ne peux pas trouver, dit-il branlant lentement la tête.

— Vous n'avez donc pas... », commença la jeune fille et, brusquement, elle désigna le haut : « Oh, le voilà ! »

Sur la galerie ouverte qui dominait le hall, parallèlement à son côté étroit, un homme grand, barbu se dirigeait d'un pas rapide et militaire de l'est vers l'ouest. Il disparut derrière une bibliothèque, mais Gradus avait eu le temps de reconnaître la grande carrure robuste, le port droit, le nez arrogant, les sourcils droits et le balancement énergique du bras de Charles-Xavier le Bien-Aimé.

Notre poursuivant se précipita vers l'escalier le plus proche — et se trouva bientôt dans le silence enchanté des Livres Rares. La salle était très belle et n'avait pas de portes; en fait, il fut quelque temps avant de découvrir l'entrée drapée qu'il venait juste d'employer. Les horribles perplexités de ses recherches combinées avec la reprise des intolérables crampes de son ventre le firent retourner précipitamment en arrière — il descendit en courant trois marches, en remonta neuf et entra comme une bombe dans une salle circulaire où un professeur chauve, bruni par le soleil, en chemise hawaiienne, était assis à une table ronde et lisait, avec une expression ironique sur son visage, un livre russe. Il ne fit pas attention à Gradus qui traversa la salle, enjamba un gros petit chien blanc sans le réveiller, dégringola à grand bruit un escalier en colimaçon et se trouva dans la Voûte P. Là, un passage, bien éclairé, bordé de tuyaux, blanchi à la chaux, le mena au paradis soudain d'un water-closet pour plombiers ou érudits perdus où, jurant, il enleva précipitamment son browning de sa précaire poche postérieure, le mit dans son veston et se soulagea d'une autre portion de l'enfer liquide qu'il avait en lui. Il commença à remonter, et remarqua dans la lumière du temple des rayonnages un employé, un jeune Hindou élancé, un bulletin de prêt à la main. Je n'avais jamais parlé à ce jeune homme mais j'avais senti plus d'une fois sur moi son regard bleu-brun, et sans aucun doute mon pseudonyme académique lui était familier, mais il avait en lui quelque cellule sensible, quelque accord d'intuition qui le firent réagir à la brutalité de la question du tueur et, comme pour me protéger d'un vague danger, il sourit et dit : « Je ne le connais pas, monsieur ».

Gradus retourna à la réception.

« Dommage, dit la jeune fille. Je viens juste de le voir partir.

— *Boje moy, Boje moy*, grommela Gradus qui parfois, dans les moments de crise, lançait des éjaculations en russe.

— Vous le trouverez dans l'annuaire », dit-elle en poussant le livre vers lui et oubliant l'existence du malade pour s'occuper des désirs de Mr. Gerald Emerald qui empruntait un livre à grand tirage, bien épais, dans sa couverture de cellophane.

Gémissant et sautillant d'un pied sur l'autre, Gradus se mit à feuilleter l'annuaire du collège mais quand il eut déniché l'adresse il se trouva devant le problème de s'y rendre.

« Dulwich Road, cria-t-il à la jeune fille. Près ? Loin ? Très loin, probablement.

— Seriez-vous par hasard le nouvel assistant du Professeur Pnine ? demanda Emerald.

— Non, dit la jeune fille, ce monsieur cherche le Professeur Kinbote, je crois. Vous cherchez bien le Professeur Kinbote, n'est-ce pas ?

— Oui, et je n'en puis plus, dit Gradus.

— C'est bien ce que je pensais, dit la jeune fille. Est-ce qu'il n'habite pas quelque part près de Mr. Shade, Gerry ?

— Oh, certainement, dit Gerry, et il se tourna vers le tueur. Je peux vous y conduire si vous voulez. C'est sur mon chemin. »

Parlèrent-ils dans l'auto, ces deux personnages, l'homme en vert et l'homme en brun ? Qui sait ? Ils ne parlèrent pas. Après tout, le trajet n'était que de quelques minutes (au volant de ma puissante Kramler il ne m'en fallait que quatre et demie).

« Je crois que je vais vous laisser ici, dit Mr. Emerald. C'est cette maison là-bas. »

Il est difficile de savoir ce que Gradus, *alias* Grey, désirait le plus en cette minute : décharger son pistolet ou se débarrasser de la lave inépuisable de ses entrailles. Comme il se hâtait de chercher à ouvrir la portière, Emerald, peu dégoûté, se pencha, près de lui, par-dessus lui, presque confondu avec lui pour l'aider à l'ouvrir, puis la refermant d'un coup, il fila à toute allure à quelque rendez-vous dans la vallée. J'espère que mon lecteur appréciera tous les menus détails que j'ai pris tant de peine à lui présenter après une longue conversation que j'eus avec le tueur ; il les appréciera encore davantage si je lui dis que, d'après la légende répandue par la police, Jack Grey avait été pris en charge depuis Roanoke ou quelque autre endroit par un conducteur de camion qui s'ennuyait tout seul. On ne peut qu'espérer que des recherches impartiales retrouveront le chapeau mou oublié dans la Bibliothèque — ou dans l'automobile de Mr. Emerald.

Vers 957 : Ressac Nocturne

Je me rappelle un petit poème de *Ressac Nocturne* qui s'est trouvé être mon premier contact avec le poète américain Shade. Un jeune chargé de cours de littérature américaine, charmant et brillant jeune homme de Boston, me montra ce délicieux petit volume à Onhava, à l'époque où j'étais étudiant. Les vers suivants qui forment le début de ce poème intitulé *Art*, me plurent par leur cadence inoubliable et choquèrent les sentiments religieux instillés en moi par notre très « haute » Église zemblienne.

Des chasses au mammouth et Odyssées
Et charmes orientaux
Jusqu'aux déesses italiennes
Avec des bébés flamands dans les bras.

Vers 962 : Viens à mon aide, Will ! « Feu pâle »

Paraphrasé, cela signifie évidemment : Cherchons dans Shakespeare quelque chose que je pourrais utiliser comme titre. Et la trouvaille est : « feu pâle ». Mais dans laquelle des œuvres du Barde le poète l'a-t-il recueillie ? Mes lecteurs devront le rechercher eux-mêmes. Je n'ai avec moi qu'une petite édition de poche de *Timon d'Athènes* — en zemblien. Elle ne contient certainement rien qu'on puisse considérer comme un équivalent de « feu pâle » (dans le cas contraire ma chance aurait été un monstre statistique).

On n'enseignait pas l'anglais en Zembla avant l'arrivée de Mr. Campbell. Conmal l'avait appris seul (surtout en apprenant par cœur un lexique) quand il était jeune, vers 1880, époque où au lieu de l'enfer verbal, une carrière militaire bien tranquille semblait s'ouvrir devant lui, et son premier ouvrage (la traduction des *Sonnets* de Shakespeare) fut le résultat d'un pari qu'il avait fait avec un de ses camarades officiers. Il échangea son uniforme à brandebourgs contre la robe de chambre des érudits et s'attaqua à *La Tempête*. Il travaillait lentement et il lui fallut un demi-siècle pour traduire les œuvres complètes de celui qu'il appelait « dze Bart ». Après cela, en 1930, il passa à Milton et à d'autres poètes, creusant sans cesse à travers les âges, et il avait juste terminé *The Rhyme of the Three Sealers*, de Kipling (« Et voilà la Loi du Moscovite qu'il prouve par le fer et par le plomb ») quand il tomba malade et expira bientôt sous le ciel de son lit splendidement décoré de reproductions d'animaux d'Altamira, ses dernières paroles, dans son ultime délire étant : *Comment dit-on « mourir » en anglais ?* — belle et touchante fin.

Il est aisé de se gausser des défauts de Conmal. Ce sont les faiblesses naïves d'un grand pionnier. Il vécut beaucoup trop dans sa bibliothèque et pas assez parmi les garçons, la jeunesse. Il faut que les écrivains voient le monde, qu'ils en cueillent les figues et les pêches et qu'ils ne restent pas constamment à méditer dans une tour d'ivoire jauni — ce qui, d'un côté, fut aussi l'erreur de John Shade.

Il ne faut pas oublier que, lorsque Conmal entreprit sa tâche extraordinaire on ne pouvait trouver aucun auteur anglais en zemblien sauf Jane de Faun, une romancière en dix volumes dont l'œuvre, chose assez étrange, est inconnue en Angleterre, et quelques fragments de Byron traduits d'après des versions françaises.

Grand, lourd, sans autre passion que la poésie, il quittait rarement sa chaude demeure et ses cinquante mille volumes armoriés, et il lui était arrivé de rester deux ans au lit à lire et à écrire, après quoi, très reposé, il s'était rendu à Londres pour la première et unique fois, mais le temps y était brumeux et il ne pouvait pas comprendre la langue, et il revint se mettre au lit pour une autre année.

L'anglais restant la prérogative de Conmal son *Shakespeare* resta invulnérable pendant la plus grande partie de sa longue vie. Le vénérable Duc était renommé pour la noblesse de son œuvre ; bien peu osaient en mettre la fidélité en question. Personnellement je n'ai jamais eu le courage de vérifier. Un académicien sans cœur qui le fit, obtint comme résultat de perdre son fauteuil et fut sévèrement réprimandé par Conmal dans un sonnet extraordinaire composé directement en un anglais plein de couleur mais d'une correction douteuse commençant :

Je ne suis pas esclave ! Que mon critique le soit
Moi, je ne peux pas l'être. Et Shakespeare ne le voudrait pas.
Que les étudiants en dessin copient la feuille d'acanthe
Moi je travaille avec le Maître sur l'architrave.

Vers 991 : Fers à cheval

Ni Shade ni moi n'avons jamais été capables de découvrir d'où venaient exactement ces bruits métalliques — laquelle des cinq familles qui habitaient de l'autre côté de la route sur les pentes inférieures de notre colline boisée jouait aux fers à cheval un soir sur deux ; mais ces provocants cliquetis et tintements ajoutaient une note agréablement mélancolique aux autres sonorités vespérales de Dulwich Hill — enfants qui s'appelaient les uns les autres, enfants qu'on appelait pour les faire rentrer et l'aboiement extatique du boxer que la plupart des voisins détestaient (il renversait les poubelles) saluant l'arrivée de son maître.

C'est ce mélange de mélodies métalliques qui m'entourait en ce soir fatal, beaucoup trop lumineux, du 21 juillet quand, rentrant chez moi dans ma puissante voiture j'allai voir immédiatement ce que faisait mon cher voisin. Je venais juste de croiser Sybil qui filait à toute allure dans la direction de la ville et cela me donnait quelque espoir pour la soirée. Je vous accorde que je ressemblais beaucoup à un amant malingre et prudent, qui profite de ce qu'un jeune mari se trouve seul chez lui !

A travers les arbres je distinguai la chemise blanche et les cheveux gris de John : il était assis dans son Nid (comme il l'appelait) cette véranda genre tonnelle que j'ai mentionnée dans ma note aux vers 47-48. Je ne pus m'empêcher de m'approcher un peu plus près — oh, discrètement, presque sur la pointe des pieds ; je remarquai alors qu'il se reposait plutôt qu'il ne travaillait, et j'allai carrément jusqu'à la véranda. Il avait le coude sur la table, la tempe soutenue par son poing, ses rides étaient toutes de guingois, ses yeux humides et troubles ; il avait l'air d'une vieille sorcière éméchée. Il leva sa main libre pour me saluer, mais sans changer son attitude qui, bien qu'elle me fût assez familière, me frappa cette fois-ci, comme étant plus désemparée que pensive.

« Alors, dis-je, la muse a-t-elle été bonne pour vous ?

— Très bonne, répondit-il en inclinant légèrement la tête que supportait sa main. Exceptionnellement bonne et gentille. En fait, j'ai ici (me montrant une grosse enveloppe gonflée près de lui sur la toile cirée) à peu près le produit tout entier. Quelques petits détails à mettre au point. (Frappant brusquement la table avec son poing :) Pardieu, j'en suis venu à bout ! »

L'enveloppe, ouverte d'un côté, débordait de fiches empilées.

« Où est madame ? demandai-je, la bouche sèche.

— Aidez-moi, Charley, à sortir d'ici, me pria-t-il. Mon pied s'est endormi. Sybil est allée à un dîner-meeting à son club.

— Une idée, dis-je tout tremblant. J'ai chez moi deux litres de Tokay. Je suis prêt à partager mon vin favori avec mon poète favori. Nous dînerons d'une poignée de noix, de deux ou trois grosses tomates et de quelques bananes. Et si vous consentez à me montrer votre « produit terminé », vous aurez un autre régal : je vous promets de vous révéler *pourquoi* je vous ai donné, ou plutôt *qui* vous a donné votre thème.

— Quel thème ? dit Shade distraitement tout en s'appuyant sur mon bras et retrouvant peu à peu l'usage de son membre endormi.

— Notre bleue et inoubliable Zembla, et le steinmann à la casquette rouge et le bateau à moteur dans la grotte marine et...

— Ah, dit Shade, je crois que j'ai deviné votre secret il y a déjà pas mal de temps. Mais peu importe je goûterai votre vin avec plaisir. Ça va, je peux me débrouiller tout seul, maintenant. »

Je savais fort bien qu'il ne pouvait jamais résister à une goutte de ceci ou de cela, surtout étant donné qu'il était sévèrement rationné chez lui. Avec un bond d'exultation interne je le débarrassai de la grande enveloppe qui gênait ses mouvements comme il descendait les marches de la véranda, de biais, comme un enfant hésitant. Nous traversâmes la pelouse, nous traversâmes la route. Cling-clang faisait la musique des fers dans un enclos mystérieux. Je pouvais sentir dans la grande enveloppe que je portais les paquets de fiches aux angles durs, serrées dans des élastiques. Nous sommes absurdement accoutumés au miracle de quelques signes écrits capables de contenir une imagerie immortelle, des tours de pensée, des mondes nouveaux avec des personnes vivantes qui parlent, pleurent, rient. Nous acceptons cela si simplement que dans un sens, par l'acte même d'une acceptation automatique et grossière, nous défaisons l'ouvrage des temps, l'histoire de l'élaboration graduelle de la description et de la construction poétiques depuis l'époque pithécanthrope jusqu'à Browning, depuis le troglodyte jusqu'à Keats. Et si un jour nous allions nous réveiller, tous autant que nous sommes, et nous trouver dans l'impossibilité absolue de lire ? Je voudrais que vous vous émerveilliez non seulement de ce que vous lisez, mais du miracle que cela soit lisible (voilà ce que j'avais coutume de dire à mes étudiants). Bien que je sois capable, par un long commerce avec la magie bleue, d'imiter n'importe quelle prose dans ce monde (mais chose assez singulière, pas les vers — je suis un piètre rimailleur), je ne me considère pas comme un véritable artiste, sauf sur un point : je peux faire ce que seul peut faire un véritable artiste — me précipiter sur le papillon oublié de la révélation, me sevrer brusquement de l'habitude des choses, voir la toile du monde et la chaîne et la trame de cette toile. Solennellement je soupesai dans ma main ce que j'avais transporté sous mon aisselle gauche, et pendant un instant je me trouvai enrichi d'un indescriptible étonnement comme si je venais d'apprendre que les lucioles faisaient des signaux déchiffrables au profit d'esprits égarés, ou qu'une chauve-souris écrivait un conte de torture lisible dans le ciel meurtri et marqué au fer rouge.

Je tenais toute la Zembla serrée sur mon cœur.

Vers 993-995 : Une sombre vanesse, etc.

Une minute avant sa mort, comme nous passions de son domaine dans le mien, et avions commencé à nous faufiler entre les genévriers et les arbustes ornementaux, un « vulcain » (voir note au vers 270) vint tournoyer vertigineux, autour de nous, comme une flamme colorée. Nous avions déjà remarqué le même insecte deux ou trois fois auparavant, à la même heure, au même endroit, là où le soleil bas trouvant une ouverture dans le feuillage, éclaboussait le sable brun d'une dernière lueur tandis que les ombres du soir recouvraient le reste de l'allée. Les yeux ne pouvaient suivre le papillon rapide dans les rayons du soleil, comme il s'illuminait et s'éteignait et s'illuminait à nouveau en une imitation presque effrayante d'un jeu conscient auquel il mit fin maintenant en allant se poser sur la manche de mon ami enchanté. Il repartit et nous le vîmes l'instant d'après s'ébattant dans une extase de hâte frivole autour d'un laurier, se posant de temps à autre sur une feuille laquée et se laissant glisser le long de la nervure centrale comme un enfant qui, le jour de son anniversaire glisse sur la rampe de l'escalier. Puis la marée de l'ombre atteignit les lauriers, engloutissant la magnifique créature de velours flammé.

Vers 998 : Jardinier d'un voisin

D'un voisin ! Le poète avait vu mon jardinier bien des fois et je ne puis attribuer cette imprécision qu'à son désir (perceptible ailleurs dans le maniement des noms, etc.) de donner une certaine patine poétique, la fleur de l'éloignement à des figures et à des choses familières — bien qu'il soit possible aussi que dans la lumière brisée il l'ait pris pour un étranger travaillant pour un étranger. Ce jardinier fort doué, je l'avais découvert par hasard par un jour de repos, au printemps, alors que je retournais lentement chez moi après une aventure exaspérante et embarrassante à la piscine intérieure du collège. Il était debout au sommet d'une échelle verte, prenant soin de la branche malade d'un arbre reconnaissant, dans une des plus célèbres avenues d'Appalachia. Sa chemise de flanelle rouge gisait sur l'herbe. Nous causâmes un peu timidement, lui en haut moi en bas. Je fus heureusement surpris de le trouver capable de référer chacun de ses malades à son propre habitat. C'était le printemps et nous étions seuls dans cette admirable colonnade d'arbres que les visiteurs d'Angleterre ont photographiée de bout en bout. Je ne puis énumérer ici que quelques espèces de ces arbres : le robuste chêne de Jupiter et deux autres : le fendu-par-la-foudre d'Angleterre et le noueux d'une île de la Méditerranée ; un tilleul, abri contre les intempéries, un phénix (maintenant palmier-dattier), un pin et un cèdre *(Cedrus)*, tous insulaires ; un sycomore vénitien *(Acer)* ; deux saules, le vert, également de Venise et celui à feuilles givrées du Danemark ; un orme de mi-été, aux doigts d'écorce bagués de lierre ; un mûrier de mi-été dont l'ombre convie à la flânerie ; et un triste cyprès de l'Illyrie, dont parle un bouffon.

Il avait travaillé deux ans comme infirmier à un hôpital pour nègres dans le Maryland. Il était à court d'argent. Il désirait étudier l'art des jardins paysagers, la botanique et le français (« pour lire dans l'original Baudelaire et Dumas »). Je lui promis de l'aider financièrement. Dès le lendemain il commença à travailler chez moi. Il était extrêmement gentil et pathétique et tout cela, mais un peu trop bavard et totalement impuissant, ce que je trouvai décourageant. A part cela c'était un beau gars, bien planté et j'éprouvais un immense plaisir esthétique à le voir lutter vigoureusement avec la terre et le gazon ou manipuler délicatement des bulbes et poser les dalles de l'allée ce qui pourra, ou non, être une surprise agréable pour mon propriétaire, quand il reviendra sain et sauf d'Angleterre (où j'espère que nul fou altéré de sang n'essaie de le traquer). Combien j'aurais aimé lui faire porter (à mon jardinier, pas à mon propriétaire) un grand et vaste turban, et des culottes bouffantes et un bracelet à la cheville ! Je l'aurais certainement habillé d'après la vieille conception romantique d'un prince maure si j'avais été un roi nordique — ou plutôt si j'avais été encore un roi (l'exil devient une mauvaise habitude). Tu me gronderais, homme modeste, de tant écrire sur toi dans cette note, mais je sens que je dois te payer ce tribut. Après tout, tu m'as sauvé la vie. Toi et moi étions les deux dernières personnes qui aient vu John Shade vivant et, plus tard tu as admis avoir eu un étrange pressentiment qui t'a fait interrompre ton travail dès que tu nous eus remarqués, de derrière les arbustes, nous avançant vers la véranda où se tenait (superstitieusement je ne puis écrire en toutes lettres l'étrange mot sombre que tu as employé).

Vers 1000 (Vers 1 : C'était moi l'ombre du jaseur tué)

A travers le dos de la chemise en finette de John on pouvait distinguer des taches de rose, là où elle collait à la peau au-dessus et autour du bord de ce drôle de petit sous-vêtement que porte tout bon Américain. Je vois avec une si affreuse clarté une épaule grasse qui roule et l'autre qui remonte ; sa tignasse grise, sa nuque ridée ; le mouchoir rouge, pendant flasque de sa poche revolver, dans l'autre le renflement de portefeuille ; le large pelvis déformé ; les taches d'herbe sur le fond de ses vieux pantalons kaki, ses souliers aux coutures usées par-derrière ; et j'entends son charmant grognement lorsqu'il se retourne et me regarde sans s'arrêter pour me dire quelque chose comme : « Ne laissez rien tomber surtout — ce n'est pas un rallye-paper », ou (avec une grimace de douleur) : « Il va falloir que je récrive à Bob Wells (le maire) au sujet de ces sacrés camions du mardi soir. »

Nous avions atteint le côté Goldsworth de l'allée et le sentier dallé qui longeait une pelouse latérale pour déboucher dans l'allée de gravier conduisant de Dulwich Road à la porte d'entrée de Goldsworth, quand Shade me fit remarquer : « Vous avez une visite. »

Sur la véranda, de profil par rapport à nous, un homme petit, trapu, à cheveux noirs et portant un complet brun se tenait debout, portant par sa courroie ridicule un vieux porte-documents informe et défraîchi, le doigt encore courbé vers le bouton de sonnette qu'il venait juste de presser.

« Je le tuerai », murmurai-je. Récemment une jeune fille coiffée d'un bonnet m'avait forcé à accepter un tas de tracts religieux et m'avait dit que son frère, que, pour une raison quelconque je m'étais représenté comme un adolescent frêle et névrosé, viendrait discuter avec moi les Desseins de Dieu et m'expliquer tout ce que je n'aurais pas compris dans les tracts. En fait de jeune homme !

« Oh, je le tuerai », répétai-je en sourdine — tellement je trouvais intolérable de penser que la volupté du poème pourrait être retardée. Dans ma fureur et dans ma hâte de me débarrasser de l'intrus, je dépassai John qui jusqu'alors m'avait précédé, marchant d'un pas traînant mais assez leste vers le double plaisir de la régalade et de la révélation.

Avais-je déjà vu Gradus autrefois ? Laissez-moi réfléchir. L'avais-je vu ? La mémoire branle la tête. Pourtant le tueur m'assura plus tard qu'une fois, de ma tour qui surplombait le verger du palais, je lui avais fait signe alors qu'avec un de mes anciens pages, un garçon à cheveux en volutes de copeaux, il transportait de la verrerie emballée de la serre jusqu'à un camion traîné par un cheval ; mais comme mon visiteur se tournait maintenant vers nous et nous fixait de ses yeux rapprochés de serpent triste, je sentis une telle secousse de reconnaissance que si j'avais été au lit, rêvant, je me serais éveillé avec un gémissement.

Sa première balle arracha un bouton à la manche de mon blazer noir, une autre chanta à mon oreille. C'est une niaiserie méchante d'affirmer qu'il ne me visait pas (moi qu'il venait juste de voir dans la bibliothèque — soyons logiques, messieurs, après tout nous vivons dans un monde rationnel) mais qu'il visait le gentleman à cheveux gris derrière moi. Oh c'était bien moi qu'il visait, et qu'il ratait chaque fois, l'incorrigible maladroit, tandis que par instinct je reculais, hurlant, ouvrant mes grands bras vigoureux (tenant toujours de la main gauche le poème « toujours cramponné à l'ombre inviolable « comme dit Matthew Arnold [1822-1888]), dans l'espoir d'arrêter le fou qui avançait et de protéger John que je craignais de voir frappé par accident, tandis que lui, mon cher et gauche vieux John, se cramponnait à moi, me tirait derrière lui, derrière la protection de ses lauriers avec l'empressement solennel du pauvre enfant boiteux essayant d'écarter son frère paraplégique des pierres que font pleuvoir sur eux des garçons de l'école, spectacle autrefois familier dans tous les pays. Je sentis — et je sens encore — la main de John cherchant la mienne, cherchant le bout de mes doigts, les trouvant et les lâchant aussitôt comme s'il me transmettait dans une sublime course de relais, le bâton de la vie.

Une des balles qui m'avaient épargné l'atteignit au côté et lui traversa le cœur. Ne sentant soudain plus sa présence derrière moi je perdis l'équilibre et, simultanément, pour compléter la farce du destin, la bêche de mon jardinier donna à Jack le tueur, de derrière la haie, un coup formidable sur le crâne, l'abattant et faisant voler l'arme de sa main. Notre sauveur la ramassa et m'aida à me relever. Mon coccyx et mon poignet droit me faisaient cruellement souffrir mais le poème était sauvé. John, cependant, était étendu le visage sur le sol, une tache rouge sur sa chemise blanche. J'espérais encore qu'il n'avait pas été tué. Le fou était assis sur une marche de la véranda, caressant hagard, de ses mains sanglantes sa tête saignante. Laissant au jardinier le soin de le surveiller, je me précipitai dans la maison et cachai l'inappréciable enveloppe sous des caoutchoucs, des snow-boots fourrés et des bottes blanches que les jeunes filles avaient entassés au bas d'un placard, d'où je ressortis comme de l'extrémité du passage secret qui m'avait permis de sortir de mon château enchanté, puis de Zembla pour aboutir dans cette Arcadie. Je formai au téléphone le numéro 11 111 et revins avec un verre d'eau sur les lieux du carnage. On avait maintenant retourné le pauvre poète et il gisait, ses yeux morts grands ouverts, comme s'il regardait l'azur du soir ensoleillé. Le jardinier armé et le tueur confus fumaient côte à côte sur les marches. Celui-ci, soit parce qu'il souffrait, soit parce qu'il avait décidé de jouer un nouveau rôle ne faisait pas plus attention à moi que si j'avais été un roi de pierre sur un coursier de pierre dans le square Tessera d'Onhava : mais le poème était sauf.

Le jardinier prit le verre d'eau que j'avais posé près d'un pot de fleurs à proximité des marches de la véranda et le partagea avec le tueur, puis il l'accompagna aux W.-C. du sous-sol, et bientôt la police et l'ambulance arrivèrent et l'assassin donna comme nom Jack Grey, sans domicile fixe, à l'exception de l'Institut pour les Criminels Aliénés, *ici*, bon chien, ce qui, évidemment aurait dû être son adresse permanente depuis toujours et d'où la police crut qu'il s'était échappé.

« Amène-toi, Jack, on va te mettre quelque chose sur la tête », dit un flic calme mais énergique, en enjambant le cadavre ; et puis il y eut l'affreux instant où la fille du Docteur Sutton arriva avec Sybil Shade.

Au cours de cette nuit chaotique je trouvai un

moment pour transférer le poème de dessous les chaussures des quatre nymphettes de Goldsworth dans l'austère sécurité de ma valise noire mais ce ne fut qu'au petit jour que j'estimai pouvoir sans danger examiner mon trésor.

Nous savons combien stupidement, fermement je croyais que Shade composait un poème, une espèce de *romaunt*, sur le Roi de Zembla. Nous avons été préparés à l'horrible déception qui m'attendait. Oh, je n'espérais pas qu'il se consacrerait *complètement* à ce thème ! Il aurait pu être mélangé naturellement à des éléments de sa propre vie et diverses americanas — mais j'étais sûr que le poème contiendrait les merveilleux incidents que je lui avais décrits, les personnages que j'avais fait revivre pour lui et toute l'unique *atmosphère* de mon royaume. Je lui avais même suggéré un bon titre — le titre que j'avais en moi et dont il devait couper les pages : *Solus Rex ;* au lieu de cela, je vis *Feu pâle* qui pour moi n'avait aucun sens. Je commençai à lire le poème. Je lus de plus en plus vite, grondant, comme un jeune héritier furieux parcourt le testament d'un vieux fourbe. Où étaient les créneaux de mon château au soleil couchant ? Où était Zembla la Belle ? Où sa chaîne de montagnes ? Où son long frisson à travers la brume ? Et mes charmants garçons-fleurs, et l'iris des vitraux et les Paladins de la Rose noire et tout le conte merveilleux ? Rien de tout cela n'y paraissait ! La complexe contribution que j'avais cherché à lui imposer avec la patience d'un hypnotiseur et l'insistance d'un amant n'y était tout bonnement pas. Oh, mais je ne peux pas exprimer ma souffrance ! Au lieu de cette histoire glorieuse, romanesque et sauvage — qu'avais-je ? Un récit autobiographique, foncièrement appalachien, plutôt démodé, dans un style prosodique néo-Pope — très bien écrit naturellement — Shade ne pouvait écrire que très bien, mais où rien ne subsistait de ma magie, de ce courant spécial et riche de magique folie qui, j'étais sûr, le parcourait tout entier et le ferait transcender son époque. Peu à peu je repris mon calme habituel. Je relus *Feu pâle* plus soigneusement. Je l'aimai davantage alors que je croyais devoir l'aimer moins. Et qu'était-ce donc que cela ? Qu'était-ce que cette musique distante, ces vestiges de couleurs dans l'air ? J'y découvrais çà et là, et surtout, dans les inestimables variantes, des échos et des paillettes de mon esprit, les vaguelettes du long sillage de ma gloire. Je ressentais maintenant une tendresse nouvelle, pitoyable envers le poème semblable à celle que l'on ressent pour un jeune inconstant qui a été enlevé et brutalement violenté par un géant noir, mais qui de nouveau est en sûreté dans notre vestibule et notre parc, sifflant avec les palefreniers, nageant avec le phoque apprivoisé. L'endroit est toujours douloureux, il faut qu'il soit douloureux, mais avec une étrange gratitude nous baisons ces lourdes paupières humides et caressons cette chair polluée.

Mon commentaire à ce poème, que mon lecteur a maintenant entre les mains, représente une tentative de trier ces échos et ces vaguelettes de feu et les pâles allusions phosphorescentes et toutes les nombreuses dettes subliminales contractées envers moi. Quelques-unes de mes notes sembleront peut-être amères — mais j'ai fait de mon mieux pour ne pas exprimer de rancœur. Et dans cette scolie finale mon intention n'est pas de me plaindre de l'absurdité vulgaire et cruelle que les reporters professionnels et les « amis » de Shade dans leurs notices nécrologiques se permirent de cracher en décrivant faussement les circonstances de la mort de Shade. Je regarde leurs références à mon égard comme un mélange de bassesse journalistique et de venin de vipères. Je ne doute pas que bien des assertions faites dans cet ouvrage seront écartées par les parties coupables quand il paraîtra. Mrs. Shade ne se rappellera pas que son mari « qui lui montrait tout » lui avait montré une ou deux des précieuses variantes. Les trois étudiants couchés dans l'herbe se révéleront totalement amnésiques. La jeune fille de la Bibliothèque ne se rappellera pas (on lui aura dit de ne pas se rappeler) que quelqu'un avait demandé le Professeur Kinbote le jour du meurtre. Et je suis sûr que Mr. Emerald interrompra brièvement ses investigations des charmes élastiques de quelque étudiante mammifère pour nier avec la vigueur d'une farouche virilité qu'il avait amené quelqu'un chez moi ce soir-là. En d'autres termes, on fera tout pour séparer complètement ma personne du destin de mon cher ami.

Néanmoins, j'ai eu ma petite revanche. La fausse interprétation publique m'a aidé à obtenir le droit de publier *Feu pâle*. Mon bon jardinier tout en racontant avec enthousiasme à tout le monde ce qu'il avait vu se trompa sûrement sur bien des points — pas tant peut-être par son récit de mon « héroïsme » que dans l'assomption que Shade avait été délibérément visé par le dénommé Jack Grey ; mais la veuve de Shade se sentit si profondément touchée par l'idée que je m'étais « jeté » entre le tueur et sa victime que, au cours d'une scène que je n'oublierai jamais, elle s'écria, pressant mes mains : « Il y a des choses pour lesquelles ni dans ce monde ni dans l'autre il n'y a de récompense assez grande. » Cet « autre monde » est toujours très commode quand le malheur frappe l'infidèle mais je laissai passer, naturellement et décidai de ne rien réfuter et de dire au contraire : « Oh, mais il y a une récompense, ma chère Sybil. Cela vous semblera peut-être une bien modeste demande mais — accordez-moi la permission, Sybil, de mettre au point et de publier le dernier poème de John. » La permission me fut accordée tout de suite, avec de nouveaux cris, de nouvelles embrassades, et, dès le lendemain sa signature était au bas du contrat que j'avais fait établir par un petit homme de loi expéditif. Ce moment de douloureuse gratitude, vous n'avez pas tardé à l'oublier, ma bonne dame. Mais je vous assure que je n'ai nulle intention de nuire, et que peut-être John Shade ne sera pas trop ennuyé par mes notes, en dépit des intrigues et de l'ordure.

A cause de ces machinations je fus confronté par des problèmes de cauchemar dans mes efforts pour faire voir calmement aux gens — sans qu'ils se mettent tout de suite à hurler et à me bousculer — la vérité de la tragédie, tragédie dont je n'avais pas été par hasard le témoin mais dont j'étais le protagoniste et la principale victime, même si elle fut seulement potentielle. Tout ce chambard finit par affecter le cours de ma nouvelle vie et m'obligea à me retirer dans ce modeste chalet de montagne ; mais je réussis à obtenir, peu de temps après son arrestation, une entrevue, peut-être même deux entrevues avec le prisonnier. Il était maintenant beaucoup plus lucide que lorsqu'il s'était affalé, saignant, sur les marches de ma véranda, et il me dit tout ce que je désirais savoir. En le laissant croire que je pourrais l'aider au moment de son procès, je le forçai à avouer son crime haineux — sa façon de tromper la police et la nation en se faisant passer pour Jack Grey, échappé d'un asile, qui aurait pris Shade pour l'homme qui l'y avait fait enfermer. Quelques jours plus tard, hélas, il déjoua la justice, en se coupant la gorge avec la lame d'un rasoir de sûreté qu'il avait ramassée dans une poubelle non surveillée. Il mourut non pas tant parce que ayant joué son rôle dans cette histoire il ne voyait pas de raison d'exister plus longtemps, mais parce qu'il ne pouvait pas supporter cette gaffe finale : l'assassinat de la fausse personne quand la véritable était là debout devant lui. En d'autres termes, sa vie ne se termina pas par un petit crépitement du mécanisme mais par un geste de désespoir conforme à la nature humaine. Cela suffit. *Exit* Jack Grey.

Je ne puis me rappeler sans un frisson la semaine lugubre que je passai à New Wye avant d'en partir, j'espère, pour toujours. Je vécus dans la frayeur constante que des voleurs pourraient me priver de mon tendre trésor. Certains de mes lecteurs riront peut-être quand ils apprendront que je le transférai, avec empressement de ma valise noire à un coffre-fort vide dans le bureau de mon propriétaire, que quelques heures plus tard je repris le manuscrit et que, pendant plusieurs jours je le *portai*, peut-on dire, ayant réparti les quatre-vingt-douze fiches sur toute ma personne, vingt dans la poche droite de mon veston, autant dans la poche gauche, un paquet de quarante contre mon téton droit et les douze précieuses fiches avec variantes dans la poche intérieure gauche de mon veston. Je bénis mes étoiles royales de m'être enseigné à moi-même certains labeurs d'épouse, car je fus en mesure de coudre les quatre poches. Ainsi, à pas prudents, parmi mes ennemis trompés, je circulai, blindé de poésie, armé de rimes, gonflé du chant d'un autre homme, raide de fiches cartonnées, enfin à l'épreuve des balles.

Il y a bien des années — combien, je ne voudrais pas le dire — je me rappelle que ma nourrice zemblienne me disait, petit bonhomme de six ans en proie aux insomnies de l'adulte : « *Minnamin, Gut mag alkan, Pern dirstan* » (mon chéri, Dieu donne faim, le Diable donne soif). Eh bien, braves gens, je crois que beaucoup dans cette belle salle ont aussi faim et aussi soif que moi, et que je ferais bien de m'arrêter, braves gens, ici même.

Oui, mieux vaut m'arrêter. Mes notes et moi-même sommes épuisés. Messieurs, j'ai beaucoup souffert et plus qu'aucun de vous ne peut l'imaginer. Je prie pour que la bénédiction du Seigneur repose sur mes infortunés compatriotes. Mon œuvre est finie. Mon poète est mort.

« Et vous, qu'est-ce que vous allez faire de vous-même, pauvre Roi, pauvre Kinbote ? » demandera peut-être une douce et jeune voix.

Dieu m'aidera, j'espère, à me débarrasser de tout désir de suivre l'exemple des deux personnages de cet ouvrage. Je continuerai à exister. Peut-être prendrai-je de nouveaux déguisements, de nouvelles formes mais j'essaierai d'exister. On me retrouvera peut-être dans un autre collège, sous les traits d'un vieux Russe heureux, sain, hétérosexuel, écrivain en exil, sans réputation, sans avenir, sans public, sans rien que son art. Peut-être m'allierai-je avec Odon dans un nouveau film : *Évasion de Zembla* (bal dans le palais, bombe sur la place du palais). Je m'abaisserai peut-être jusqu'aux goûts simples des critiques dramatiques et fabriquerai une pièce de théâtre, un mélodrame à l'ancienne mode avec trois rôles principaux : un fou qui tente d'assassiner un roi imaginaire, un autre fou qui s'imagine lui-même être ce roi et un vieux poète de talent qui se trouve par hasard dans la ligne de feu et périt dans le choc entre les deux fictions. Oh, je puis faire bien des choses. Si l'histoire le permet, je puis retourner dans mon royaume retrouvé et, avec un gros sanglot saluer la côte grise et le reflet d'un toit sous la pluie. Je puis me tapir et gémir dans un asile d'aliénés. Mais quoi qu'il arrive, quel que soit le lieu de l'action, quelqu'un, quelque part, se mettra tranquillement en route — quelqu'un s'est déjà mis en route, quelqu'un, encore très loin retient une place, monte dans un autocar, un bateau, un avion, atterrit, se dirige vers un million de photographes et bientôt il sonnera à ma porte — un plus grand, plus respectable, plus compétent Gradus.

INDEX

Les numéros en italiques renvoient aux vers du poème et aux commentaires qui suivent. Les majuscules G., K., S. désignent les trois personnages principaux de cet ouvrage.

B., Baron : beau-père involontaire du Baron A. et vieil ami imaginaire de la famille Bretwit *(q. v.), 286.*

Bera : chaîne de montagnes qui divise la péninsule dans sa longueur ; décrite avec quelques-unes de ses cimes scintillantes, cols mystérieux et pentes pittoresques, *149.*

Blawick : Anse Bleue, agréable station balnéaire sur la côte occidentale de Zembla, casino, golf, fruits de mer, bateaux de louage, *149.*

Blenda, Reine : mère du Roi, 1878-1936, régna à partir de 1918, *71.*

Boscobel : site de la résidence royale d'été, bel endroit de dunes et de pinèdes en Zembla occidentale, doux vallons imprégnés des souvenirs les plus amoureux de l'auteur ; aujourd'hui (1959) « colonie nudiste » — quel que soit le sens de cette appellation, *149, 596.*

Botkin, V. : érudit américain d'origine russe, *894 ; king bot,* larve de l'œstre royal qui se formait autrefois dans les mammouths et que l'on croit avoir hâté leur fin phylogénétique, *247 ;* fabricant de bottes, *71 ; bot,* plouf, et *botelyy,* ventru (russe) ; *botkin* ou *bodkin,* stylet danois.

Bregberg : voir Bera.

Bretwit, Oswin : 1914-1959, diplomate et patriote zemblien, *286.* Voir également sous Odevalla et Aros.

Campbell, Walter : né en 1890, à Glasgow ; précepteur de K., 1922-1931, aimable gentilhomme doué d'un esprit souple et riche ; bon coup de fusil et champion de patinage ; maintenant en Iran, *130.*

Charles II : Charles-Xavier-Vseslav, dernier roi de Zembla, surnommé le Bien-Aimé, né en 1915, régna de 1936-1958 ; ses armes, *1 ;* ses études et son règne, *12 ;* destin funeste de ses prédécesseurs, *62 ;* ses partisans, *70 ;* ses parents, *71 ;* sa chambre à coucher, *80 ;* sa fuite du palais, *130 ;* et à travers les montagnes, *149 ;* allusion à ses fiançailles à Disa, *275 ;* subreptice passage à Paris, *286 ;* et à travers la Suisse, *408 ;* visite à la villa Disa, *433 ;* allusion à sa nuit dans la montagne, *597, 662 ;* son sang russe et les Bijoux de la Couronne *(q. v.* à tout prix), *681 ;* son arrivée aux États-Unis, *691 ;* lettre à Disa volée, *741 ;* et citée, *768 ;* son portrait discuté, *894 ;* sa présence dans la bibliothèque, *949 ;* identité presque révélée, *991 ;* Solus Rex, *1000.* Voir aussi Kinbote.

Conmal : Duc d'Aros, 1855-1955, oncle de K., l'aîné des demi-frères de Blenda *(q. v.)*; noble paraphraseur, *12;* sa version du *Timon d'Athènes, 39, 130 ;* sa vie et son œuvre, *962.*

Couronne, Joyaux de la, 130, 681 ; voir Hiding place.

Dame : voir Golf.

Disa, Duchesse de Payn : de Great Payn et Mone ; ma charmante, pâle, mélancolique Reine, hantant mes rêves, et hantée par ses rêves de moi, née en 1928 ; son album et ses arbres favoris, *49;* mariée en 1949, *80;* ses lettres sur un papier éthéré avec un filigrane que je ne puis déchiffrer, son image me torturant durant mon sommeil, *433.*

Embla : vieille petite ville avec une église en bois entourée de marais tourbeux à la pointe la plus triste, la plus désolée et la plus septentrionale de la péninsule embrumée, *149, 433.*

Emblem : signifiant « en fleur » en zemblien ; jolie baie avec des rochers bleuâtres et noirs curieusement striés et une luxuriante floraison de bruyère sur ses pentes douces dans la partie la plus au sud de la Zembla occidentale, *433.*

Falkberg : pic rose, *71 ;* couvert de neige, *149.*

Flatman, Thomas : 1637-1688, poète anglais, érudit et miniaturiste, inconnu du vieux farceur, *894.*

Fleur, Comtesse de Fyler : élégante dame d'honneur, *71, 80, 433.*

G. : voir Gradus.

Garh : fille d'un fermier, *149, 433.* Aussi, petit gardeur d'oies aux joues roses trouvé sur un chemin de campagne au nord de Troth en 1936, et dont l'auteur ne se souvient clairement que maintenant.

Glitterntin, mont : splendide montagne dans la chaîne Bera *(q. v.) ;* dommage que je ne puisse plus la gravir encore, *149.*

Golf verbal : voir Mâle.

Gordon : voir Krummholz.

Gradus, Jakob : 1915-1959 ; *alias* Jack Degree, de Grey, d'Argus, Vinogradus, Leningradus, etc. ; homme à tout faire et tueur, *12, 17;* lynchant les innocents, *80;* son approche synchronisée avec le travail de S. sur le poème, *120, 131 ;* son élection et ses aventures passées, *171 ;* la première étape de son voyage, Onhava à Copenhague, *181, 209 ;* à Paris, et son entrevue avec Oswin Bretwit, *286 ;* à Genève, et sa conversation avec le petit Gordon chez Joe Lavender près de Lex, *408 ;*

appelle le quartier général de Genève, *469* ; son nom dans une variante, et son attente à Genève, *596* ; à Nice, et son attente dans cette ville, *697* ; sa rencontre avec Izumrudov à Nice et la découverte de l'adresse du Roi, *741* ; de Paris à New York, *873* ; à New York, *949* ; sa matinée à New York, son voyage à New Wye, au collège, à Dulwich Road, *949* ; la gaffe finale, *1000*.

Griff : vieux fermier de montagne et patriote zemblien, *149*.

Grindelwod : jolie ville de la Zembla orientale, *71*, *149*.

Hiding place : cachette, *potaynik (q. v.)*.

Hodinski : aventurier russe mort en 1800, aussi connu sous le nom de Hodyna, *681* ; habita en Zembla de 1778 à 1800 ; auteur d'un célèbre pastiche et amant de la Princesse (plus tard Reine) Yaruga *(q. v.)*, mère d'Igor II, grand-mère de Thurgus *(q. v.)*.

Igor II : régna de 1800 à 1845, roi sage et débonnaire, fils de la Reine Yaruga *(q. v.)*, et père de Thurgus III *(q. v.)* ; une section très privée de la galerie de tableaux du palais, accessible seulement au monarque régnant, mais où un adolescent curieux peut s'introduire facilement par le Boudoir P., contenait les statues des quatre cents mignons favoris d'Igor, en marbre rose, avec des yeux de verre enchâssés et plusieurs détails retouchés, remarquable exhibition de ressemblance et de mauvais art, offerte plus tard par K. à un potentat asiatique.

K. : voir Charles II et Kinbote.

Kalixhaven : pittoresque port de la côte occidentale, à quelques milles au nord de Blawick *(q. v.)*, *171* ; nombreux souvenirs agréables.

Kinbote, Charles, Docteur : ami intime de S., son conseiller littéraire, éditeur et commentateur ; première rencontre et amitié avec S., *Introduction* ; son intérêt pour les oiseaux d'Appalachie, *1* ; sa bienveillante requête pour que S. fasse usage de ses histoires, *12* ; sa modestie, *34* ; son absence de bibliothèque dans sa grotte timonienne, *39* ; sa certitude d'avoir inspiré S., *42* ; sa maison sur Dulwich Road et les fenêtres de la maison de S., *47* ; Professeur H. contredit et corrigé, *61*, *71* ; ses angoisses et ses insomnies, *62* ; la carte qu'il dessina pour S., *71* ; son sens de l'humour, *79*, *91* ; sa croyance que le terme « iridule » est une invention de S., *109* ;

Kromberg : montagne rocheuse couronnée de neige avec un confortable hôtel, dans la chaîne de Bera, *70, 130, 149.*

Krummholz, Gordon : né en 1944, prodige musical et amusant favori ; fils de la fameuse sœur de Joseph Lavender, Elvina Krummholz, *408.*

Lane, Franklin Knight : avocat et homme d'État américain, 1864-1921, auteur d'un remarquable fragment, *810.*

Lavender, Joseph : voir O'Donnel, Sylvia.

Mâle : voir Râle, Rame.

Mandevil, Baron Mirador : cousin de Radomir Mandevil *(q. v.)*, expérimentateur, fou et traître, *171.*

Mandevil, Baron Radomir : né en 1925, homme à la mode et patriote zemblien ; en 1936, page du trône de K., *130 ;* en 1958, déguisé, *149.*

Marcel : personnage central, maniaque, déplaisant et pas toujours vraisemblable, gâté par tout le monde dans *A la Recherche du Temps perdu,* de Proust, *181, 691.*

Marrovsky : une contrepèterie rudimentaire provenant du nom d'un diplomate russe du début du XIXe siècle, le Comte Komarovski, célèbre dans les cours étrangères pour sa façon d'estropier son propre nom — Makarovski, Macaronski, Skomorovski, etc., *347.*

Multraberg : voir Bera.

Niagarin et Andronnikov : deux « experts » soviétiques toujours en quête d'un trésor caché, *130, 681, 741 ;* voir Couronne, Joyeux de la.

Nitra et Indra : îles jumelles au large de Blawick, *149.*

Nodo : demi-frère d'Odon, né en 1916, fils de Léopold O'Donnel et d'une Zemblienne travestie en jeune garçon ; tricheur et méprisable traître, *171.*

Odevalla : jolie ville au nord d'Onhava dans la Zembla orientale, autrefois mairie de l'honorable Zule (« tour d'échecs ») Bretwit, grand-oncle d'Oswin Bretwik (*q. v., q. v.,* comment disent les corbeaux), *149, 286.*

Odon : pseudonyme de Donald O'Donnel, né en 1915, acteur de célébrité mondiale et patriote zemblien ; apprend de K. le passage secret, mais doit partir pour le théâtre, *130 ;* conduit K. en auto du théâtre au pied du mont Mandevil, *149 ;* rencontre K. près de la grotte marine et s'échappe avec lui dans le canot à moteur, *ibid. ;* dirige un film à Paris, *171 ;* loge

chez Lavender, à Lex, *408 ;* ne devrait pas épouser cette actrice de cinéma lippue et à la tignasse négligée, *691 ;* voir aussi O'Donnel, Sylvia.

O'Donnel, Sylvia : née O'Connell, en 1895 ? 1890 ?, mère d'Odon ayant beaucoup voyagé et s'étant mariée plusieurs fois *(q. v.), 149, 691 ;* après avoir épousé le président de collège Léopold O'Donnel en 1915, père d'Odon, elle divorça et épousa Peter Gusev, premier Duc de Rahl, et honora la Zembla de sa présence jusqu'aux environs de 1925 quand elle épousa un prince oriental rencontré à Chamonix ; après un grand nombre de mariages plus ou moins brillants, elle s'apprêtait à divorcer d'avec Lionel Lavender, cousin de Joseph, à sa dernière apparition dans cet Index.

Oleg, Duc de Rahl : 1916-1931, fils du Colonel Gusev, Duc de Rahl (né en 1885, toujours vert) ; compagnon de jeu bien-aimé de K., tué dans un accident de toboggan, *130.*

Onhava : la belle capitale de Zembla, *12, 71, 130, 149, 171, 181, 275, 579, 894, 1 000.*

Otar, Comte : homme à la mode, hétérosexuel, et patriote zemblien né en 1915, sa calvitie, ses deux maîtresses mineures, Fleur et Fifalda (plus tard Comtesse Otar), frêles filles de la Comtesse de Fyler, intéressants jeux de lumière, *71.*

Paberg : voir chaîne de Bera.

Payn, Ducs de : écusson de, *270 ;* voir Disa, ma Reine.

Poèmes, courts poèmes de Shade : L'Arbre Sacré, 49 ; L'Escarpolette, 61 ; Vue de Montagne, 92 ; La Nature de l'électricité, 347 ; une ligne de *Pluie d'Avril, 470 ;* une ligne de *Mont Blanc, 782 ;* premier quatrain de *L'Art, 957.*

Potaynik, taynik (q. v.).

Râle, Rame : Voir Dame.

Religion : contact avec Dieu, *47 ;* le Pape, *85 ;* liberté de pensée, *101 ;* problèmes du péché et de la foi, *549 ;* voir Suicide.

Rippleson, grottes de : grottes marines à Blawick, nommées d'après un célèbre verrier qui intégra le jeu pommelé et bagué ainsi que d'autres reflets circulaires sur la mer glauque dans ses extraordinaires vitraux pour le palais, *130, 149.*

Shade, Hazel : fille de S., 1934-1957 ; mérite un grand

respect, ayant préféré la beauté de la mort à la laideur de la vie ; le fantôme domestique, *230 ;* la Grange Hantée, *347.*

Shade, John Francis : poète et érudit, 1898-1959 ; son travail sur *Feu Pâle* et son amitié avec K., *Introduction ;* son aspect physique, ses maniérismes, ses habitudes, etc., *ibid. ;* son premier frôlement de la mort tel que le vit K., et le début de son poème pendant que K. joue aux échecs au Cercle des Étudiants, *1 ;* ses promenades vespérales avec K., *12 ;* sa vague prémonition de G., *17 ;* sa maison vue par K. en termes de fenêtres éclairées, *47 ;* le début du poème et l'achèvement du Chant Deux, et d'à peu près la moitié du troisième, et les trois visites de K. à ces moments-là, *ibid. ;* ses parents, Samuel Shade et Caroline Lukin, *71 ;* l'influence de K. vue dans une variante, *79 ;* Maud Shade, sœur du père de S., *86 ;* S. montre à K. un jouet mécanique *memento mori, 143 ;* K. sur les syncopes de S., *162 ;* S. commence le Chant Deux, *167 ;* S. sur les critiques, Shakespeare, l'éducation, etc., *172 ;* K. surveille l'arrivée des invités de S. le jour de son anniversaire et de celui de S., et S. écrit le Chant Deux, *181 ;* rappel de ses inquiétudes au sujet de sa fille, *230 ;* sa délicatesse ou prudence, *231 ;* son intérêt excessif pour la faune et la flore locale, *238, 270 ;* les complications du mariage de K. comparées à la grisaille de celui de S., *275 ;* K. attire l'attention de S. sur une trace pastel traversant le coucher de soleil, *286 ;* sa crainte que S. puisse partir avant d'avoir fini leur collaboration, *288 ;* sa vaine attente de S. le 15 juillet, *338 ;* sa promenade avec S. à travers les champs du vieux Hentzner et sa reconstitution des expéditions de la fille de S. à la grange hantée, *347 ;* prononciation de S., *367 ;* livre de S. sur Pope, *384 ;* sa rancune contre Peter Provost, *385 ;* son travail sur les vers 406 à 416 synchronisés avec les activités de G. en Suisse, *408 ;* de nouveau sa prudence ou sa considération, *417 ;* la possibilité qu'il ait pu apercevoir vingt-six ans plus tôt la villa Disa et la petite Duchesse de Payn avec sa gouvernante anglaise, *433 ;* son assimilation apparente du matériel Disa et la promesse de K. de lui révéler une dernière vérité, *ibid. ;* vues de S. sur le Préjugé, *470 ;* vues de K. sur le Suicide, *493 ;* vues de S. et de K. sur le péché et la foi, *549 ;* hospitalité grincheuse de S. et sa satisfaction d'une cuisine végétarienne chez moi, *579 ;* rumeurs sur son intérêt pour une étudiante,

ibid. ; sa crise cardiaque synchronisée avec l'arrivée spectaculaire de K. aux États-Unis, *691* ; allusion de K. à S. dans une lettre à Disa, *768* ; sa dernière promenade avec S. et sa joie en apprenant que S. travaille ferme au thème de la « montagne » — une tragique méprise, *802* ; ses parties de golf avec S., *819* ; son acceptation de vérifier des références pour S., *887* ; S. prend la défense du Roi de Zembla, *894* ; son hilarité et celle de K. devant la stupidité d'un livre pour l'enseignement écrit par le Professeur C., psychiatre et expert littéraire (!), *929* ; il entame son dernier paquet de fiches, *949* ; il révèle à K. l'achèvement de son travail, *991* ; sa mort d'une balle destinée à un autre, *1000*.

Shade, Sybil : femme de S., *passim*.

Shadows, les Ombres : organisation régicide qui engagea Gradus *(q. v.)* pour assassiner le roi volontairement exilé ; le terrible nom de son chef ne peut être mentionné, même dans l'Index de l'ouvrage obscur d'un érudit ; son grand-père maternel, architecte très connu et très courageux, fut engagé par Thurgus le Turgescent vers 1885 pour faire certaines réparations dans ses appartements, et périt peu de temps après, empoisonné dans les cuisines royales dans des circonstances mystérieuses, ainsi que ses trois jeunes apprentis dont les jolis prénoms Yan, Yonny et Angeling, sont conservés dans une ballade qu'on peut encore entendre dans quelques-unes de nos vallées les plus sauvages.

Shalksbore, Baron Harfar : connu sous le nom de Cœur de Bœuf, né en 1921, homme à la mode et patriote zemblien, *433*.

Steinmann, Julius : né en 1928, champion de tennis et patriote zemblien, *171*.

Sudarg de Bokay : miroitier de génie, saint patron de Bokay dans les montagnes de Zembla, *80* ; longueur de vie inconnue.

Suicide : vues de K. sur, *493*.

Taynik (russe) : endroit secret ; voir *Couronne, Joyaux de la*.

Thurgus III : surnommé le Turgescent, grand-père de K., mort en 1900 à soixante-quinze ans, après un long règne terne ; coiffé d'une casquette à carreaux blancs et noirs et avec une seule décoration sur son veston Jæger, il aimait faire de la bicyclette dans le parc ; gros et chauve, son nez comme une prune congestionnée, sa moustache martiale hérissée de passions démodées, drapé dans une robe de chambre de soie

verte et portant un flambeau dans sa main levée, il avait coutume chaque nuit de rencontrer pendant une courte période vers les années 85 sa maîtresse masquée, Iris Acht *(q. v.)*, à mi-chemin entre le palais et le théâtre dans le passage secret que son petit-fils allait redécouvrir plus tard, *130*.

Tintarron : verre précieux d'un bleu profond fait à Bokay, ville moyenâgeuse dans les montagnes de Zembla, *149 ;* voir également Sudarg.

Traductions, poétiques : d'anglais en zemblien, versions par Conmal de Shakespeare, Milton, Kipling, etc., mentionnées, *962 ;* d'anglais en français, de Donne et Marvell, *678 ;* d'allemand en anglais et en zemblien, *Der Erlkönig, 662 ;* de zemblien en anglais, *Timon Afinsken*, d'Athènes, *39 ;* Elder Edda, *79 ; Miragarl*, d'Arnor, *80*.

Uran l'Ultime : Empereur de Zembla, régna de 1798 à 1799 ; monarque incroyablement brillant, fastueux et cruel dont le fouet sibilant fit tourbillonner la Zembla comme une toupie arc-en-ciel ; expédié dans l'autre monde un soir par un groupe des favoris ligués de sa sœur, *681*.

Vanesse : le vulcain ou « Rouge admirable » *(sumpsimus)* mentionné, *270 ;* survolant un parapet sur une colline suisse, *408 ;* illustré, *470 ;* caricaturé, *949 ;* accompagnant les derniers pas de S. dans le crépuscule, *993*.

Variantes : le soleil et la lune voleurs, *39, 40 ;* préparation de la Scène primitive, *57 ;* l'évasion du Roi de Zembla (contribution de K., 8 lignes), *70 ; Edda* (contribution de K., 1 ligne), *79 ;* le cocon mort, *90-93 ;* des enfants trouvent un passage secret (contribution de K., 4 lignes), *130 ;* pauvre vieux Swift, pauvre... (peut-être une allusion à K.), *231 ;* Shade, Ombre, *275 ;* Blancs de Virginie, *316 ;* le chef de notre section, *377 ;* une nymphette, *413 ;* ligne additionnelle de Pope (allusion possible à K.), *417 ;* Tanagra dussent-ils (un cas remarquable de prémonition), *596 ;* de cette Amérique, *609-614 ;* deux premiers pieds changés, *629 ;* parodie de Pope, *895-899 ;* une triste époque, et romans sociaux, *922*.

Waxwings : jaseurs, oiseaux du genre *Bombycilla, 1, 4, 131, 1000 ; Bombycilla shadei, 71 ;* intéressante association tardivement constatée.

Yaruga, Reine : régna de 1799 à 1800, sœur d'Uran *(q. v.) ;* noyée en tombant dans un trou creusé dans la surface gelée

DU MÊME AUTEUR

CHAMBRE OBSCURE *(Laughter in the Dark), roman,* Grasset, 1934, 1959.

LA COURSE DU FOU *(The Defense), roman,* Fayard, 1934, repris sous le titre LA DÉFENSE LOUJINE, nouvelle traduction, Gallimard, 1964 et traduction revue en 1991.

L'AGUET *(The Eye), roman,* Fayard, 1935, repris sous le titre LE GUETTEUR, nouvelle traduction, Gallimard, 1968.

LA MÉPRISE *(Despair), roman,* Gallimard, 1939, 1959.

LA VRAIE VIE DE SEBASTIAN KNIGHT *(The Real Life of Sebastian Knight), roman,* Albin Michel, 1951, Gallimard, 1962.

NICOLAS GOGOL *(Nikolaï Gogol), essai,* La Table Ronde, 1953, nouvelle traduction, Rivages, 1988.

LOLITA *(Lolita), roman,* Gallimard, 1959.

INVITATION AU SUPPLICE *(Invitation to a Beheading), roman,* Gallimard, 1960.

AUTRES RIVAGES *(Speak, Memory), souvenirs,* Gallimard, 1961, édition revue et augmentée, 1989.

PNINE *(Pnin), roman,* Gallimard, 1962.

LE DON *(The Gift), roman,* Gallimard, 1967.

ROI, DAME, VALET *(King, Queen, Knave), roman,* Gallimard, 1971.

ADA OU L'ARDEUR *(Ada or Ardor : a Family Chronicle), roman,* Fayard, 1975.

L'EXTERMINATION DES TYRANS *(Tyrants Destroyed and Other Stories), nouvelles,* Julliard, 1977.

REGARDE, REGARDE LES ARLEQUINS! *(Look at the Harlequins!)*, *roman*, Fayard, 1978.

BRISURE À SENESTRE *(Bend Sinister)*, *roman*, Julliard, 1978.

LA TRANSPARENCE DES CHOSES *(Transparent Things)*, *roman*, Fayard, 1979.

UNE BEAUTÉ RUSSE *(A Russian Beauty)*, *nouvelles*, Julliard, 1980.

L'EXPLOIT *(Glory)*, *roman*, Julliard, 1981.

MACHENKA *(Mary)*, *roman*, Fayard, 1981.

MADEMOISELLE O *(Nabokov's Dozen)*, *nouvelles*, Julliard, 1983.

LITTÉRATURES I *(Lectures on Literature)*, *essais*, Fayard, 1983.

LITTÉRATURES II *(Lectures on Russian Literature)*, *essais*, Fayard, 1985.

DÉTAILS D'UN COUCHER DE SOLEIL *(Details of a Sunset)*, *nouvelles*, Julliard, 1985.

INTRANSIGEANCES *(Strong Opinions)*, *interviews*, Julliard, 1985.

LITTÉRATURES III *(Lectures on Don Quixote)*, *essais*, Fayard, 1986.

L'ENCHANTEUR *(The Enchanter)*, *roman*, Rivages, 1986.

L'HOMME DE L'U.R.S.S. ET AUTRES PIÈCES *(The Man From the U.S.S.R.)*, *théâtre*, Fayard, 1987.

CORRESPONDANCE NABOKOV-WILSON, 1940-1971 *(The Nabokov-Wilson Letters, 1940-1971)*, Rivages, 1988.

LA VÉNITIENNE ET AUTRES NOUVELLES, Gallimard, 1991.

COLLECTION FOLIO

Dernières parutions

2198.	Guy Rachet	*Le roi David.*
2199.	Don Tracy	*Neiges d'antan.*
2200.	Sempé	*Monsieur Lambert.*
2201.	Philippe Sollers	*Les Folies Françaises.*
2202.	Maurice Barrès	*Un jardin sur l'Oronte.*
2203.	Marcel Proust	*Le Temps retrouvé.*
2204.	Joseph Bialot	*Le salon du prêt-à-saigner.*
2205.	Daniel Boulanger	*L'enfant de bohème.*
2206.	Noëlle Châtelet	*A contre-sens.*
2207.	Witold Gombrowicz	*Trans-Atlantique.*
2208.	Witold Gombrowicz	*Bakakaï.*
2209.	Eugène Ionesco	*Victimes du devoir.*
2210.	Pierre Magnan	*Le tombeau d'Hélios.*
2211.	Pascal Quignard	*Carus.*
2212.	Gilbert Sinoué	*Avicenne (ou La route d'Ispahan).*
2213.	Henri Vincenot	*Le Livre de raison de Glaude Bourguignon.*
2214.	Émile Zola	*La Conquête de Plassans.*
2216.	Térence	*Théâtre complet.*
2217.	Vladimir Nabokov	*La défense Loujine.*
2218.	Sylvia Townsend Warner	*Laura Willowes.*
2219.	Karen Blixen	*Les voies de la vengeance.*
2220.	Alain Bosquet	*Lettre à mon père qui aurait eu cent ans.*
2221.	Gisèle Halimi	*Le lait de l'oranger.*
2222.	Jean Giono	*La chasse au bonheur.*
2223.	Pierre Magnan	*Le commissaire dans la truffière.*
2224.	A.D.G.	*La nuit des grands chiens malades.*
2226.	Albert Camus	*Lettres à un ami allemand.*
2227.	Ann Quin	*Berg.*
2228.	Claude Gutman	*La folle rumeur de Smyrne.*
2229.	Roger Vrigny	*Le bonhomme d'Ampère.*
2230.	Marguerite Yourcenar	*Anna, soror...*
2231.	Yukio Mishima	*Chevaux échappés (La mer de la fertilité, II).*
2232.	Jorge Amado	*Les chemins de la faim.*

2233.	Boileau-Narcejac	*J'ai été un fantôme.*
2234.	Dashiell Hammett	*La clé de verre.*
2235.	André Gide	*Corydon.*
2236.	Frédéric H. Fajardie	*Une charrette pleine d'étoiles.*
2237.	Ismaïl Kadaré	*Le dossier H.*
2238.	Ingmar Bergman	*Laterna magica.*
2239.	Gérard Delteil	*N'oubliez pas l'artiste !*
2240.	John Updike	*Les sorcières d'Eastwick.*
2241.	Catherine Hermary-Vieille	*Le Jardin des Henderson.*
2242.	Junichirô Tanizaki	*Un amour insensé.*
2243.	Catherine Rihoit	*Retour à Cythère.*
2244.	Michel Chaillou	*Jonathamour.*
2245.	Pierrette Fleutiaux	*Histoire de la chauve-souris.*
2246.	Jean de La Fontaine	*Fables.*
2247.	Pierrette Fleutiaux	*Histoire du tableau.*
2248.	Sylvie Germain	*Opéra muet.*
2249.	Michael Ondaatje	*La peau d'un lion.*
2250.	J.-P. Manchette	*Le petit bleu de la côte Ouest.*
2251.	Maurice Denuzière	*L'amour flou.*

Impression Bussière à Saint-Amand (Cher),
le 3 avril 1991.
Dépôt légal : avril 1991.
Numéro d'imprimeur : 635.
ISBN 2-07-038363-6./Imprimé en France.

52046